Une brève histoire
du tracteur en Ukraine

MARINA
LEWYCKA

Une brève histoire du tracteur en Ukraine

ROMAN

*Traduit de l'anglais
par Sabine Porte*

Titre original
A SHORT HISTORY OF TRACTORS IN UKRAINIAN

Éditeur original :
Penguin Books Ltd., Londres

Pour Dave et Sonia

1

Deux coups de fil
et un enterrement

Deux ans après la mort de ma mère, mon père tomba amoureux d'une séduisante Ukrainienne blonde divorcée. Il avait quatre-vingt-quatre ans et elle trente-six. Elle éclata dans nos vies comme une vaporeuse grenade rose, remuant les eaux troubles, ramenant à la surface une fange de souvenirs évacués, délogeant les fantômes de la famille d'un bon coup de pied au derrière.

Tout commença par un coup de fil.

La voix de mon père, tremblante d'excitation, crachote à l'autre bout du fil : « Bonne nouvelle, Nadezhda. Je me marie ! »

Je me souviens encore du brusque afflux de sang sous mon crâne. Pourvu que ce soit une plaisanterie ! Il a perdu la tête ! Espèce de vieil imbécile ! Mais je garde mes commentaires pour moi.

« C'est formidable, papa, lui dis-je.

— Oui, oui. Elle vient d'Ukraïna avec son fils. Ternopil en Ukraïna. »

Ukraïna. Il soupire, respirant le parfum inoubliable des foins coupés et des cerisiers en fleur. Quant à moi, je distingue nettement l'arôme synthétique de la Nouvelle Russie.

Elle s'appelle Valentina, me dit-il. Mais elle ressemble davantage à Vénus. « Vénus Botticelli émer-

9

geant de vagues. Cheveux d'or. Regard enchanteur. Poitrine remarquable. Quand tu la verras, tu comprendras. »

L'adulte que je suis est indulgente. Comme c'est touchant, ce dernier amour tardivement éclos. La fille que je reste est indignée. Le traître ! Le vieux bouc libidineux ! Dire que ça fait à peine deux ans que notre mère est morte. J'éprouve un mélange de colère et de curiosité. J'ai hâte de la voir, cette femme qui usurpe la place de ma mère.

« Elle a l'air fabuleuse. Quand est-ce que je peux la rencontrer ?

— Après mariage, tu pourras rencontrer.

— Il vaudrait mieux que je la rencontre avant, non ?

— Pourquoi tu veux rencontrer ? C'est pas toi qui épouses. (Il sait bien qu'il y a quelque chose qui cloche, mais il croit pouvoir s'en tirer à bon compte.)

— Mais enfin, papa, tu es sûr d'avoir bien réfléchi ? Ça me paraît si soudain. Elle doit être bien plus jeune que toi. »

Je prends soin de moduler ma voix afin de dissimuler toute trace de désapprobation, comme un adulte du haut de son expérience face à un adolescent fou amoureux.

« Trente-six. Elle a trente-six ans et moi quatre-vingt-quatre. Et alors ? » (Il roule les *r. Et alorrrs ?*)

Le ton est sec. Il avait prévu cette question.

« Ça fait une sacrée différence d'âge…

— Nadezhda, j'aurais jamais cru que tu aies esprit aussi bourgeois. (Il met l'accent sur la dernière syllabe, *geoâââhh !*)

— Mais non. » Il me met sur la défensive. « C'est juste que… ça peut poser des problèmes. »

Ça ne posera aucun problème, m'assure papa. Il les a tous anticipés. Il la connaît depuis trois mois. Elle a un oncle à Selby, qu'elle est venue voir avec un visa de tourisme. Elle veut refaire sa vie à l'Ouest avec son fils, avoir une belle vie, un bon travail, un bon salaire, une belle voiture – hors de question Lada ou Skoda –, une bonne éducation pour son fils – Oxford ou Cambridge, rien d'autre. C'est une femme instruite, entre parenthèses. Diplômée de pharmacie. Elle trouvera facilement un travail bien payé quand elle aura appris l'anglais. En attendant, il l'aide à améliorer son anglais, et elle fait le ménage et s'occupe de lui. Elle s'assied sur ses genoux et le laisse caresser ses seins. Ils sont heureux ensemble.

Ai-je bien entendu ? Elle s'assied sur les genoux de mon père qui caresse sa remarquable poitrine botticellienne ?

« Oh, après tout… (je garde une voix posée, mais la rage me brûle le cœur) la vie nous réserve bien des surprises. J'espère que tout se passera bien. Mais franchement, papa (il est temps de parler sans ambages), je comprends que tu veuilles l'épouser, mais t'es-tu demandé pourquoi elle voulait t'épouser, elle ?

— *Tak, tak.* Oui, oui, je sais. Passeport. Visa. Permis travail. Et alorrrs ? » La voix éraillée, irritée.

Il a tout prévu. Elle s'occupera de lui quand il ne sera plus qu'un faible vieillard. Il lui offrira un toit et partagera sa maigre retraite avec elle le temps qu'elle trouve ce fameux travail bien payé. Son fils – qui, entre parenthèses, est un garçon extraordinairement doué, un génie, qui joue du piano – recevra une éducation anglaise. Le soir, ils parleront art, littérature, philosophie. C'est une femme cultivée, pas une commère tout droit sortie de sa campagne. Il s'est déjà renseigné sur ce qu'elle pense de Nietzsche et de Schopenhauer, entre parenthèses, et ils sont d'accord sur tout. Comme lui, elle admire l'art constructiviste et exècre le néo-classicisme. Ils ont beaucoup de choses en commun. Une base solide pour un mariage.

« Mais, papa, tu ne crois pas qu'il vaudrait mieux pour elle qu'elle épouse quelqu'un qui soit un peu plus de son âge ? Les autorités vont s'apercevoir que c'est un mariage de convenance. Ce ne sont pas des idiots.

— Hmm.

— Elle risque de se faire expulser quand même.

— Hmm. »

Il n'y avait pas pensé. Ça le freine sur sa lancée, mais il s'obstine. Pour elle, m'explique-t-il, il représente son dernier espoir, sa seule chance d'échapper aux persécutions, à la déchéance, à la prostitution. La vie en Ukraine est trop dure pour un esprit aussi raffiné que le sien. Il lit les journaux et les nouvelles ne sont pas bonnes. Là-bas, on manque de pain, de papier toilette, de sucre, d'égouts, la corruption sévit dans les affaires publiques et les coupures d'électricité sont permanentes. Comment peut-on condamner une femme aussi adorable à un tel calvaire ? Comment peut-on passer son chemin ?

« Il faut que tu comprennes, Nadezhda, moi seul peux la sauver ! »

C'est vrai. Il a bien essayé. Il a fait tout son possible. Avant de se mettre en tête de l'épouser lui-même, il s'est efforcé du mieux qu'il pouvait de lui trouver un mari convenable. Il a déjà contacté les Stepanenko, un vieux couple d'ukrainiens qui vivent avec leur fils unique. Il a contacté M. Greenway, un veuf du village dont le fils célibataire lui rend visite de temps en temps. (Un élément solide, entre parenthèses. Ingénieur. Pas n'importe qui. Parfait pour Valentina.) Ils ont refusé, l'un comme l'autre : ils ont l'esprit trop étroit. Il le leur a dit, carrément. Et maintenant les Stepanenko et M. Greenway ne lui adressent plus la parole.

La communauté ukrainienne de Peterborough l'a rejetée. Eux aussi ont l'esprit trop étroit. Ce qu'elle pense de Nietzsche et de Schopenhauer les laisse froids. Ils sont trop attachés au passé, au nationalisme ukrainien, Banderivtsi. C'est une femme moderne, libérée. Ils répandent les pires rumeurs sur elle. Ils disent qu'elle a vendu la chèvre et la vache de sa mère pour s'acheter de la graisse à se tartiner sur la figure afin d'attirer les Occidentaux. Ils racontent n'importe quoi. Sa mère avait des poules et des cochons – elle n'a jamais eu ni chèvre ni vache. Ce qui montre bien à quel point ces commères peuvent être idiotes.

Il tousse en postillonnant à l'autre bout du fil. Il s'est brouillé avec tous ses amis à cause de ça. Au besoin, il reniera ses filles. Il se dressera seul face au monde – seul, si ce n'est la présence de cette belle femme à ses côtés. Il est tellement enthousiasmé par cette Idée de Génie que les mots n'y suffisent pas.

« Mais papa…

— Une dernière chose, Nadia. Ne dis rien à Vera. »

Il n'y a pas grand risque. Je n'ai pas parlé à ma sœur depuis deux ans, après l'enterrement de notre mère.

« Mais papa…

— Nadezhda, tu dois comprendre qu'à certains égards l'homme est gouverné par autres pulsions que la femme.

— Je t'en prie, épargne-moi ton déterminisme bio-logique. »

Oh, et puis la barbe. Ça lui servira de leçon.

Il est possible que tout ait commencé avant ce coup de fil. Il est possible que tout ait commencé il y a de cela deux ans, dans la pièce où il se trouve précisé-ment en ce moment, celle-là même où ma mère ago-nisait tandis qu'il arpentait la maison dans les affres d'une douleur extatique.

Les fenêtres étaient ouvertes et la brise qui filtrait par les rideaux de lin à moitié tirés transportait des effluves de lavande du jardin. On entendait le chant des oiseaux, les voix des passants dans la rue, la fille du voisin qui flirtait avec son petit copain devant le portail. Heure après heure, dans la pâle chambre immaculée, ma mère suffoquait à mesure que la vie lui échappait et je lui donnais de la morphine à la cuillère.

Les gants en latex de l'infirmière, l'alèse qui recouvre le lit, les pantoufles à semelles d'éponge, un paquet de suppositoires de glycérine luisant comme des balles d'or, la chaise percée avec son couvercle fonctionnel et ses pieds couverts de gomme, remplie d'un liquide grumeleux couleur verdâtre – tels sont les accoutrements caoutchouteux de la mort.

« Tu te souviens… ? » Inlassablement, je récite son histoire et celles de notre enfance.

Une lueur sombre danse dans ses yeux. Dans un moment de lucidité, sa main dans la mienne, elle me glisse : « Occupe-toi du pauvre Kolya. »

Il était auprès d'elle quand elle est morte dans la nuit. Je l'entends encore hurler de douleur.

« Moi aussi ! Moi aussi ! Prends-moi aussi ! » La voix étranglée, voilée ; les membres raidis, comme pris de convulsion.

Au matin, après qu'on eut emmené son corps, il resta dans la pièce de derrière, l'air hagard. Au bout d'un moment, il déclara : « Tu savais, Nadezhda, qu'en dehors de la preuve mathématique de Pythagore il y a aussi une preuve géométrique ? Regarde comme elle est belle. »

Sur une feuille de papier, il dessina des lignes et des angles assortis de petits symboles et, la tête penchée, il déroula son équation en murmurant.

Il a complètement perdu la boule, me dis-je. Pauvre Kolya.

Maman passa les semaines qui précédèrent sa mort à s'angoisser dans un lit d'hôpital, adossée aux oreillers. Reliée par des fils au moniteur qui enregistrait les pitoyables battements de son cœur, elle se plaignait de la mixité du service, où l'intimité des patients n'était préservée que par des rideaux tirés à la hâte, et elle était gênée par le bruit des vieux messieurs asthmatiques qui toussaient et ronflaient. Elle tressaillait sous les gros doigts indifférents du jeune infirmier venu attacher les fils au-dessus de ses seins ratatinés que la blouse d'hôpital découvrait négligemment. Elle n'était plus qu'une vieille femme malade. Qui se souciait de ce qu'elle pensait ?

C'est plus difficile de quitter ce monde qu'on ne le croit, disait-elle. Il y a tant de choses à régler avant de pouvoir partir en paix. Kolya – qui s'occuperait de lui ? Certainement pas ses deux filles – intelligentes, certes, mais si querelleuses. Qu'adviendrait-il d'elles ? Trouveraient-elles le bonheur ? Ces charmants bons à rien qu'elles s'étaient dénichés subviendraient-ils à leurs besoins ? Et ses trois petites-filles – dire qu'elles étaient si jolies mais qu'elles n'avaient toujours pas de maris ! Il y avait encore tant de problèmes à résoudre et ses forces s'amenuisaient.

Maman rédigea son testament à l'hôpital, entourée de ma sœur Vera et de moi-même, plantées à son chevet, en proie à une méfiance réciproque. Elle écrivit de son écriture tremblante sous le regard de deux infirmières qui servaient de témoins. Elle était devenue si faible, elle qui avait été si forte durant tant d'années. Elle était vieille et malade, mais son héritage, les économies de toute une existence, palpitait, bien vivant, à la banque de la Co-op.

Une certitude – il ne devait pas revenir à papa.

« Pauvre Nikolaï, il n'a pas les pieds sur terre. Il a plein d'idées folles. Mieux vaut que vous partagiez moitié-moitié. »

Elle parlait une langue en kit qui n'appartenait qu'à elle, de l'ukrainien mâtiné d'expressions comme *mixerski*, *porte-jarretellu*, *mainverski*.

Quand il fut manifeste qu'on ne pouvait plus rien pour elle à l'hôpital, elle fut renvoyée chez elle pour y mourir en paix. Ma sœur passa la majeure partie du dernier mois là-bas. Je venais le week-end. C'est au cours de ce dernier mois, alors que je n'étais pas là, que ma sœur rédigea le codicille partageant l'argent à égalité entre les trois petites-filles – mon Anna et ses filles Alice et Alexandra – au lieu de le répartir entre elle et moi. Ma mère le signa et une voisine fit office de témoin.

« Ne t'inquiète pas, dis-je à maman avant qu'elle meure, tout ira bien. On va être tristes, tu vas nous manquer, mais tout ira bien. »

Mais ce fut loin d'être le cas.

On l'enterra dans le cimetière du village, dans un nouveau carré en bordure de la rase campagne. Sa tombe était la dernière d'une rangée de tombes flambant neuves.

Les trois petites-filles – Alice, Alexandra et Anna – toutes grandes et blondes, jetèrent des roses dans la tombe, puis des poignées de terre. Nikolaï, courbé par l'arthrite, s'accrochait au bras de mon mari, le teint gris, le regard vide, en proie à une douleur qui le laissait sans pleurs. Les deux filles, ma sœur Vera et moi, Nadezhda, la Foi et l'Espérance, nous apprêtions à batailler au sujet du testament de notre mère.

Une fois les invités revenus à la maison pour prendre des rafraîchissements et s'enivrer de *samohonka* ukrainienne, ma sœur et moi nous retrouvons face à face dans la cuisine. Elle porte un ensemble deux pièces noir en jersey de soie venu d'une discrète boutique d'occasion de Kensington. Ses chaussures sont ornées de petites boucles dorées et elle arbore un sac Gucci avec un petit fermoir doré et une fine chaîne en or autour du cou. Je porte un assortiment de vêtements noirs que j'ai trouvés à la salle des ventes d'Oxfam, l'association caritative. Vera me lorgne des pieds à la tête d'un œil sévère.

« Le style paysan, je vois. »

J'ai beau avoir quarante-sept ans et être professeur d'université, la voix de ma sœur me renvoie instantanément dans la peau d'une gamine de quatre ans avec des crottes de nez.

« Il n'y a pas de mal à être paysan. Maman était une paysanne, rétorque Quatre Ans.

— Absolument », répond Grande Sœur. Elle allume une cigarette. La fumée s'enroule en volutes élégantes.

À l'instant où elle se penche pour ranger le briquet dans son sac Gucci, je remarque qu'au bout de la chaîne en or qu'elle a autour de son cou est suspendu un petit médaillon, dissimulé sous les revers de son tailleur. Son charme vieillot détonne avec le chic de la tenue de Vera. Mon regard se fige. Les larmes me montent aux yeux.

« C'est le médaillon de maman que tu as là. »

C'est le seul trésor que maman ait rapporté d'Ukraine, car il est suffisamment petit pour être caché dans l'ourlet d'une robe. Sa mère l'avait reçu de son père le jour de leur mariage. À l'intérieur, leurs deux visages échangent un sourire fané.

Vera me rend mon regard.

« Elle me l'a donné. (Je ne peux pas y croire. Maman savait que j'adorais ce médaillon, que je le convoitais plus que tout. Vera a dû le voler. Il n'y a pas d'autre explication.) Alors, qu'est-ce que tu voulais me dire au juste au sujet du testament ?

— Je veux seulement que ce soit équitable, je pleurniche. Qu'y a-t-il de mal à ça ?

— Ça ne te suffit pas de t'habiller chez Oxfam, Nadezhda ? Faut-il aussi que tu ailles pêcher tes idées là-bas ?

— Tu as pris le médaillon. Tu l'as forcée à signer le codicille. Partagé l'argent entre les trois petites-filles au lieu des deux filles. Comme ça, toi et ta famille, vous touchez deux fois plus. Espèce de rapace.

— Franchement, Nadezhda, je suis choquée que tu puisses penser ça. » Frémissement des sourcils soignés de Grande Sœur.

« Pas autant que moi quand j'ai découvert ça, chevrote Nez crotteux.

— Tu n'étais pas là, petite sœur. Tu étais ailleurs, trop occupée par tes grands projets. Sauver le monde. Poursuivre ta carrière. En me laissant toutes les responsabilités sur le dos. Comme toujours.

— Tu l'as harcelée jusqu'à son dernier jour en lui infligeant tes histoires de divorce, de mari cruel. Tu as fumé comme un pompier à son chevet alors qu'elle était en train d'agoniser. »

Grande Sœur jette sa cendre de cigarette avec un soupir théâtral.

« Tu vois, le problème avec ta génération, Nadezhda, c'est que vous vous êtes contentés de survoler l'existence. La paix. L'amour. Le pouvoir aux ouvriers. Tout ça, ce sont des délires existentiels. Si tu peux te permettre le luxe de l'irresponsabilité, c'est que tu n'as jamais vu les profondeurs obscures de la vie. »

Pourquoi l'accent bourgeois de ma sœur me met-il dans une telle fureur ? Parce que je sais qu'il est bidon. J'ai en mémoire le petit lit que nous partagions, les toilettes au fond du jardin, les carrés de journal dont nous nous servions pour nous essuyer. Je ne suis pas dupe. Mais moi aussi, je sais comment la mettre en boule, si je veux.

« Ah, ce sont les profondeurs obscures qui te tracassent ? Tu devrais peut-être voir quelqu'un ? je lui suggère avec perfidie de mon plus beau ton sérieux, style soyons raisonnables, tu as vu un peu comme je suis adulte, le ton que j'emploie avec papa.

— Épargne-moi ce ton d'assistante sociale, tu veux ?

— Fais une psychothérapie. Attaque-toi à ces profondeurs obscures. Vide ton sac avant que ça ne te ronge. (Je sais que ça va la mettre en rage.)

— Les psys. Les thérapies. Et allez, déballons tous nos problèmes. Embrassons-nous tous, ça nous fera

18

du bien. Aidons les miséreux. Distribuons tout notre argent aux bébés qui meurent de faim. »

Elle plante une dent féroce dans un canapé. Une olive dégringole par terre.

« Vera, tu traverses à la fois un deuil et un divorce. Pas étonnant que tu sois stressée. Tu as besoin d'aide.

— Tout ça, c'est de l'aveuglement. Au fond d'eux-mêmes, les gens sont durs, méchants, individualistes. Tu n'imagines pas à quel point je déteste les assistantes sociales.

— Mais si. Et au fait, Vera, je ne suis pas assistante sociale. »

Mon père est en rage, lui aussi. Il accuse tour à tour les médecins, ma sœur, les Zadchuk, le jardinier qui coupe les hautes herbes du jardin, d'être responsables de la mort de ma mère. Il va jusqu'à s'accuser lui-même. Il erre en marmonnant : S'il n'y avait pas eu ceci, s'il n'y avait pas eu cela, ma Millochka serait encore en vie. Notre petite famille d'exilés, longtemps unie par l'amour et la soupe de betterave de ma mère, a commencé à se désagréger.

Seul dans la maison vide, mon père vit de conserves qu'il mange sur des journaux pliés, comme s'il se punissait en espérant ainsi la faire revenir. Il refuse d'habiter chez nous.

Je vais lui rendre visite de temps en temps. J'aime bien m'asseoir dans le cimetière où ma mère est enterrée.

Sur la tombe il est écrit :

LUDMILLA MAYEVSKA
NÉE EN 1912 EN UKRAINE
ÉPOUSE BIEN-AIMÉE DE NIKOLAÏ
MÈRE DE VERA ET DE NADEZHDA
GRAND-MÈRE D'ALICE, ALEXANDRA ET ANNA

Le tailleur de pierres a eu du mal à faire tenir toute l'inscription.

À l'ombre d'un cerisier en fleur, un banc de bois est installé en face du carré d'herbe soigné, dont une moitié a été récemment convertie en tombes alignées au pied d'une haie d'aubépine qui les sépare d'une succession de champs de blé, suivis de champs de pommes de terre et de colza qui se déploient à perte de vue. Ma mère était originaire des steppes et elle se sentait à son aise face à ces vastes horizons. Le drapeau ukrainien se compose de deux rectangles de couleur, bleu sur jaune – jaune pour les champs de blé, bleu pour le ciel. Cet immense paysage monotone de plaines marécageuses lui évoquait son pays natal. Si ce n'est que le ciel y est rarement aussi bleu.

Ma mère me manque, mais je commence à apprivoiser ma douleur. J'ai un mari, une fille, ma vie à moi.

Mon père rôde dans la maison où ils ont vécu ensemble. C'est une affreuse petite maison moderne en crépi flanquée d'un garage en ciment préfabriqué. Elle est entourée sur trois côtés d'un jardin où ma mère faisait pousser des roses, de la lavande, des lilas, des ancolies, des coquelicots, des pensées, des clématites (Jackman et Ville de Lyon), des gueules-de-loup, des potentilles, des giroflées, de l'herbe-aux-chats, des myosotis, des pivoines, des aubriettes, des montbretias, des campanules, des cistes, du romarin, des iris et une glycine grimpante mauve taillée comme une bouture de jardin botanique.

Il y a deux pommiers, des poiriers, trois pruniers, un cerisier et un cognassier dont les fruits jaunes parfumés sont primés depuis vingt ans au concours du village. Au fond, derrière le jardin d'agrément et la pelouse, sont disposés trois carrés de légumes où ma mère cultivait des pommes de terre, des oignons, des haricots à rames, des fèves, des petits pois, du maïs, des courges, des carottes, de l'ail, des asperges, des choux, de la laitue, des épinards et des choux de Bruxelles. Entre les légumes, le persil et l'aneth poussent à l'état sauvage. D'un côté, un parterre de fruits rouges planté de framboises, de fraises, de framboises de Logan, de groseilles, de cassis et d'un cerisier est recouvert de filets montés sur des cadres que mon père a fabriqués pour les protéger de la convoitise des oiseaux bien dodus. Mais quelques fraises et quelques framboises échappées du filet se sont propagées dans les bordures de fleurs.

Une serre abrite une vigne violette qui foisonne au-dessus de plants florissants de tomates et de poivrons. Derrière la serre se trouvent une citerne, deux abris de jardin, un tas de compost et un fumier que leur envie tout le village. Un fumier riche, friable, provenant de bouse de vache décomposée à souhait offerte par un autre jardinier ukrainien. Ma mère appelait ça du « chocolat noir ». « Tenez, mes jolies, chuchotait-elle à ses courges, voilà un peu de chocolat noir. » Celles-ci l'engloutissaient et n'en finissaient pas de pousser.

À chaque fois que mon père va dans le jardin, il voit la silhouette de ma mère penchée au milieu des courges, rattachant les haricots à rames, simple tache floue derrière la vitre de la serre. Parfois, il entend sa voix qui l'appelle de pièce en pièce dans la maison vide. Et à chaque fois qu'il se souvient qu'elle n'est plus là, la blessure se rouvre.

Le deuxième coup de fil survint quelques jours après le premier.

« Dis-moi, Nadezhda, tu crois qu'un homme de quatre-vingt-quatre ans peut avoir enfant ? »

Vous avez vu comme il va droit au but ? Pas de bavardages inutiles. Pas de « Comment vas-tu ? Comment vont Mike et Anna ? ». Pas de conversation sur la pluie et le beau temps. Quand papa est obsédé par une de ses Idées de Génie, aucune futilité ne saurait le retenir.

« Euh, je ne sais pas... »

Pourquoi me pose-t-il cette question ? Comment veut-il que je sache ? Je ne veux pas savoir. Je ne veux pas de ces chocs émotionnels qui me ramènent à l'époque des crottes de nez, l'époque où mon père était encore mon héros et où j'étais encore sensible à ses critiques.

« Et dans ce cas..., poursuit-il imperturbablement avant que je puisse fourbir mes armes, quel est le risque qu'il soit handicapé mental ?

— Bon... (Silence, le temps de reprendre ma respiration, d'adopter un ton enjoué, plein de bon sens.) Il est clairement établi que plus une femme est âgée, plus elle a de risques de mettre au monde un bébé trisomique. C'est une forme de déficience de l'apprentissage – avant, on appelait ça le mongolisme.

— Hmm... (Voilà qui ne lui plaît pas trop.) Hmm... Mais c'est un risque qu'on doit peut-être courir. Tu comprends, je me dis que si elle est non seulement épouse de citoyen britannique mais mère de citoyen britannique, ils ne pourront certainement pas l'expulser...

— Papa, je crois que tu ne devrais pas agir à la hâte et...

— Parce que la justice britannique est la meilleure du monde. C'est à la fois un destin historique et un fardeau, ce qui... »

Il me parle toujours dans un anglais bizarrement accentué où l'emploi de l'article est pour le moins aléatoire, mais qui demeure dans l'ensemble fonctionnel. Un anglais d'ingénieur. Ma mère me parlait en ukrainien, avec ses nuances infinies de diminutifs affectueux. La langue maternelle.

« Papa, attends une seconde et réfléchis un peu. Es-tu bien sûr que c'est ce que tu veux ?

— Hmm. Ce que je veux ? Évidemment, concevoir cet enfant ne serait pas simple. Techniquement, ça doit être possible... »

La seule pensée de mon père en train de coucher avec cette femme me soulève le cœur.

« Le hic, c'est que pompe hydraulique plus très bien fonctionner. Mais peut-être avec Valentina... »

Il s'appesantit un peu trop à mon goût sur le scénario de la procréation. L'examine sur toutes les coutures. À croire qu'il en est aux essayages.

« Que penses-tu ?

— Je ne sais pas trop quoi penser, papa. »

Je n'ai qu'une envie, c'est qu'il se taise.

« Oui, avec Valentina, peut-être possibilité... »

Il prend un ton rêveur. Il imagine le père qu'il sera pour cet enfant – ce sera un garçon. Il lui apprendra à démontrer le théorème de Pythagore avec des principes premiers et à apprécier l'art constructiviste. Il parlera tracteurs avec lui. Le grand regret de mon père est de n'avoir eu que des filles. Inférieures sur le plan intellectuel sans pour autant être charmeuses et féminines comme toute femme qui se respecte, mais criardes, entêtées, insolentes. Quelle malchance pour un homme ! Il n'a jamais caché sa déception.

« Ce que je pense, papa, c'est qu'avant d'agir à la hâte, tu devrais consulter un juriste. Il se peut que ça ne se passe pas du tout comme tu l'avais prévu. Tu veux que je parle à un avocat ?

— *Tak*, *tak*. (Oui, oui.) Il vaut mieux que tu parles avocat de Cambridge. Ils ont tous les modèles étrangers, là-bas. Ils doivent se connaître en immigration. »

Il a une approche taxinomique des gens. Il ne conçoit pas le racisme.

« D'accord, papa. J'essaierai de trouver un avocat spécialiste de l'immigration. Attends que je te rappelle pour faire quoi que ce soit. »

L'avocat en question est un jeune homme d'un cabinet du centre-ville qui sait de quoi il parle. Il écrit :

Si votre père se marie, il doit déposer une demande au Home Office pour que sa femme soit autorisée à rester. Pour qu'elle soit accordée, ils doivent remplir les conditions suivantes :

1. Que ce mariage n'ait pas pour objectif premier de lui assurer l'entrée ou le séjour au Royaume-Uni.

2. Qu'ils se connaissent.

3. Qu'ils aient l'intention de vivre ensemble de façon permanente comme mari et femme.

4. Qu'ils puissent subvenir à leurs besoins et se loger sans faire appel aux fonds publics.

La principale difficulté est que le Home Office (ou une ambassade si elle dépose sa demande après avoir quitté le Royaume-Uni) estimera vraisemblablement que, en raison de la différence d'âge et du fait que le mariage a eu lieu peu de temps avant qu'elle n'ait dû quitter le Royaume-Uni, l'objectif premier du mariage est simplement l'immigration.

Je fais parvenir la lettre à mon père.

L'avocat m'a également dit qu'ils augmenteraient considérablement leurs chances de succès si le mariage devait durer au moins cinq ans ou si un enfant naissait de cette union. Mais cela, je m'abstiens de le dire à papa.

2

Le petit héritage de ma mère

Ma mère avait un garde-manger sous l'escalier rempli jusqu'en haut de conserves de poisson, de viande, de tomates, de fruits, de légumes, de puddings, de paquets de sucre (semoule, en poudre, glace, roux), de farine (blanche, au levain, complète), de riz (pour le riz au lait et long grain), de pâtes (macaroni, torsettes, vermicelles), de lentilles, de blé noir, de pois cassés, de flocons d'avoine, de bouteilles d'huile (végétale, tournesol, olive), de pickles (tomates, concombres, betteraves), de boîtes de céréales (principalement des flocons de blé), de paquets de petits gâteaux (surtout des biscuits au chocolat) et de plaques de chocolat. Par terre, dans des bouteilles et des bonbonnes, étaient stockés des dizaines de litres d'une sirupeuse liqueur mauve fabriquée à partir de prunes, de cassonade et de clous de girofle dont un seul verre suffisait à plonger l'alcoolique le plus endurci (et ce n'est pas ce qui manque parmi la communauté ukrainienne) dans un état comateux qui pouvait durer trois heures.

À l'étage, dans des tiroirs glissés sous les lits, se trouvaient les conserves (de prunes, pour l'essentiel) et les pots de confiture (prune, fraise, framboise, cassis et coing sous toutes ses formes). Dans les abris de jardin et le garage, des cartons de fruits étaient remplis de la dernière récolte de pommes – Bramleys,

Beauty of Bath, Grieves –, chacune enveloppée individuellement dans du papier journal qui exhalait leur parfum fruité. Au printemps prochain, leur peau serait devenue jaunâtre et leur chair racornie, mais elles seraient encore bonnes pour l'*Apfelstrudel* et les blinis. (Les fruits tombés et abîmés avaient été ramassés, coupés et cuits au fur et à mesure.) Des filets de carottes et de pommes de terre conservées dans leur manteau de terre argileuse et des bottes d'oignons et d'ail étaient suspendus dans l'ombre fraîche de la remise.

Lorsque mes parents achetèrent un congélateur, en 1979, les petits pois, les haricots, les asperges et les fruits rouges s'entassèrent dans des boîtes à glace en plastique, dûment étiquetées et datées, qu'ils faisaient régulièrement tourner. Même le persil et l'aneth étaient roulés dans du film étirable en petits paquets mis en réserve, pour ne plus être à court, et ce, quelle que soit la saison.

Quand je la taquinais sur ces stocks qui auraient suffi à nourrir toute une légion, elle agitait l'index sous mon nez en disant : « C'est au cas où ton Tony Benn arrive au pouvoir. »

Ma mère avait connu l'idéologie et elle avait connu la faim. Quand elle avait vingt ans, Staline avait découvert que la famine était une arme politique redoutable contre les koulaks ukrainiens. Elle savait – et cette conviction ne la quitta jamais tout au long des cinquante ans qu'elle passa en Angleterre et finit par imprégner le cœur de ses enfants –, elle savait avec certitude que derrière les rayonnages bien garnis et les comptoirs abondamment approvisionnés du Tesco et de la Co-op, la famine rôdait toujours avec son corps squelettique et ses yeux exorbités, attendant que vous relâchiez votre vigilance pour vous attraper. Vous attraper et vous pousser dans un train, une charrette, ou parmi cette foule de fugitifs courant à perdre haleine, et vous expédier une fois de plus pour un voyage qui conduisait invariablement à la mort.

La seule manière de déjouer les manigances de la famine est d'épargner et d'accumuler pour garder toujours un petit quelque chose en réserve, juste de quoi la soudoyer. Ma mère avait acquis une passion et un talent extraordinaires pour l'épargne. Elle parcourait la grand-rue sur près d'un kilomètre pour économiser un penny sur un paquet de sucre. Elle n'achetait jamais ce qu'elle pouvait faire elle-même. Moi et ma sœur subissions l'humiliation de devoir porter des robes qu'elle confectionnait avec des coupons trouvés sur le marché. Nous étions forcées de nous contenter des recettes traditionnelles et des gâteaux maison, alors que nous rêvions de hamburgers et de pain de mie en tranches. Ce qu'elle ne pouvait pas fabriquer elle-même devait obligatoirement être acheté d'occasion. Chaussures, manteaux, appareils ménagers – tout avait toujours été trouvé, choisi, utilisé par quelqu'un d'autre avant d'être mis au rancart. Si d'aventure on était forcés d'acheter du neuf, il fallait que ce soit le moins cher possible, de préférence à prix réduit ou sacrifié. Fruits trop mûrs, conserves cabossées, motifs démodés, modèles de l'année précédente. C'était sans importance – nous n'étions pas fiers, nous n'étions pas de ces idiots qui gaspillent leur argent au nom des apparences, disait maman, alors que tout être civilisé sait que la seule chose qui compte, c'est ce qu'il y a au-dedans.

Mon père vivait sur une autre planète. Il allait travailler tous les jours dans une usine de tracteurs de Doncaster où il était dessinateur. Il touchait sa paie et s'achetait la même chose que ses collègues – des vêtements neufs (qu'est-ce qu'elle a cette chemise ? j'aurais pu la raccommoder), un appareil photo (qu'est-ce que tu veux faire d'un appareil photo !), un électrophone et des disques (quelle extravagance !), des livres (et dire qu'il y a tellement de bons livres à la bibliothèque municipale), des outils de bricolage (pour fabriquer des bêtises à la maison), des meubles (on peut trouver moins cher à la Co-op), une nouvelle moto (il conduit comme un fou). Toutes les semaines, il allouait à ma mère une somme fixe relativement confortable pour s'occuper de la maison et dépensait le reste.

C'est ainsi qu'au bout de cinquante ans passés à économiser, mettre en conserve, faire des gâteaux, confectionner, ma mère avait réussi à amasser un petit magot de plusieurs milliers de livres sterling sur l'argent que mon père lui donnait toutes les semaines. C'était son pied de nez à la famine, l'assurance de dormir sur ses deux oreilles, la garantie qu'elle offrait à ses enfants d'être à l'abri si jamais la famine venait à s'en prendre à nous. Mais ce qui aurait dû être un cadeau devint une malédiction, car, à notre honte, nous nous disputâmes, ma sœur et moi, sur le partage de son petit héritage.

Après la trêve des obsèques, nous nous bombardâmes de lettres haineuses et de flots de venin par téléphone interposé. Une fois les hostilités déclenchées, rien ne put nous arrêter.

Elle m'appela tard un soir, alors qu'Anna était déjà couchée et que Mike était sorti. Elle voulait que je contresigne afin de débloquer des fonds pour une de ses filles qui s'achetait un appartement. Je ne décrochai qu'au bout de neuf sonneries, car je savais que c'était elle. Ne réponds pas ! Ne réponds pas ! disait au fond de moi la voix de la raison. Mais je finis par décrocher et toutes ces paroles blessantes que nous ne nous étions jamais dites se déversèrent en vrac. Et une fois prononcées, il fut impossible de les retirer.

« Tu l'as entortillée pour la contraindre à signer ce codicille, Vera. Tu as volé son médaillon. (J'ai du mal à croire que c'est moi qui suis en train de sortir des horreurs pareilles à ma sœur.) Maman nous aimait autant l'une que l'autre. Elle voulait qu'on partage ce qu'elle laissait derrière elle.

— Franchement, tu es ridicule. » Sa voix claque comme de la glace. « Elle ne pouvait donner le médaillon qu'à l'une de nous deux. Si elle me l'a donné, c'est que j'étais là quand elle avait besoin de moi. Alors que toi – sa chouchoute, sa petite chérie –, tu l'as laissée tomber au bout du compte. (Ça fait mal, comment peut-elle me dire ça, à moi, sa petite sœur ?) Comme je le pressentais. »

En matière de diplomatie, nous sommes toutes deux partisanes de l'école qui prône que la meilleure défense, c'est l'attaque.

« Maman m'aimait. Tu la terrifiais, Vera. Oui, tu nous terrifiais tous – tes sarcasmes, tes colères. Tu as joué les petits chefs avec moi pendant des années. Mais maintenant c'est fini. »

En m'entendant prononcer ces mots, je devrais me sentir adulte, mais ce n'est pas le cas. J'ai l'impression d'avoir de nouveau quatre ans.

« Tu t'es contentée de disparaître de la scène, comme toujours, Nadezhda. Jouer à la politique, jouer tes minables petits jeux, la fille super-intelligente qui refait le monde pendant que les autres se coltinent tout le sale boulot. Tu n'as pas levé le petit doigt et tu m'as tout laissé sur le dos.

— Tu as débarqué et tu t'es mise à tout régenter.

— Il fallait bien que quelqu'un prenne tout en charge et, de toute évidence, ça n'allait pas être toi. Tu n'avais pas de temps à perdre avec maman. Oh non, tu étais bien trop occupée avec ta fabuleuse carrière. »

(Vlan ! Elle a touché un point sensible. Je suis rongée de culpabilité à la seule idée de ne pas avoir tout laissé tomber pour courir au chevet de maman. Elle m'a mise sur la défensive, mais je réattaque aussi sec.)

« Oh, écoute-toi un peu, toi qui n'as jamais travaillé de ta vie ! Qui as vécu aux crochets de ton mari. (Paf ! Je vise bas.) Moi, j'ai toujours été obligée de travailler pour gagner ma vie. J'ai des responsabilités, des engagements. Maman comprenait, elle. Elle savait ce que c'était, de travailler dur.

— Mais elle, elle travaillait vraiment. Elle ne perdait pas son temps à jouer les dames patronnesses confites en cucuterie. Tu ferais mieux de cultiver des légumes.

— Tu ne comprends pas ce que c'est que travailler, hein, Vera. Tu avais toujours ton super-mec avec son compte professionnel, ses *share options*, ses primes annuelles, ses petites magouilles et ses ficelles pour échapper au fisc. Et puis, quand ça a mal tourné, tu as essayé de le plumer jusqu'au dernier penny. Maman disait toujours qu'elle le comprenait d'avoir voulu divorcer. Tu étais tellement odieuse avec lui. (Ah ! là, j'ai marqué un point.) Ta propre mère, tu te rends compte, Vera !

— Elle ne savait pas ce que j'avais dû supporter.

— Elle savait ce qu'il avait dû supporter, lui. »

Notre rage est telle que le téléphone en crachote.

« Le problème avec toi, Nadezhda, c'est que tu as la tête tellement pleine d'inepties que tu n'as aucune idée de la réalité.

— Mais enfin, j'ai quarante-sept ans. Je sais ce qu'est la réalité. Seulement, je la vois autrement.

— Que tu aies ou non quarante-sept ans n'y change rien. Tu es encore un bébé. Tu le resteras toujours. Tu as toujours estimé que tout t'était dû.

— J'ai beaucoup donné, aussi. Je me suis efforcée de rendre service aux autres. Plus que tu ne l'as jamais fait, se remet à couiner la gamine de quatre ans.

— Oh, pour l'amour du ciel ! Tu t'es efforcée de rendre service aux autres ! Quelle grandeur d'âme !

— Regarde-toi un peu, Vera, tu t'es contentée de te faire ton petit nid et les autres, tu n'en avais rien à cirer.

— J'ai dû apprendre à me battre pour moi. Pour moi et pour mes filles. C'est facile de se croire supérieur quand on ne sait pas ce qu'est la pauvreté. Quand on est piégé, il faut se bagarrer pour s'en sortir. »

(Mais ce n'est pas vrai ! Voilà qu'elle recommence avec ces vieilles histoires de guerre ! Pourquoi faut-il toujours qu'elle remette ça ?)

« Quel piège ? Quelle pauvreté ? C'était il y a cinquante ans ! Et regarde-toi un peu maintenant ! Tu es tellement amère, tellement perverse, on dirait un serpent qui ferait une jaunisse. (À présent, je reprends mon ton d'assistante sociale.) Il faut que tu apprennes à lâcher le passé.

— Épargne-moi tes délires *New Age*, tu veux ? Parlons plutôt des détails pratiques.

— Je préfère encore donner l'argent à Oxfam que de te laisser m'extorquer le moindre penny.

— Oxfam. Qu'est-ce qu'il ne faut pas entendre ! »

C'est ainsi que le petit héritage de maman resta à la banque. Après ça, ma sœur et moi, nous ne nous adressâmes plus la parole pendant près de deux ans, jusqu'à ce qu'un ennemi commun nous rapproche.

3

Une grosse enveloppe kraft

« Alors, tu as reçu la lettre de l'avocat, papa ?

— Hmm. Oui, oui. »

Il est d'humeur bavarde, à ce que je vois.

« Alors, qu'est-ce que tu en penses ?

— Ah, ah… » Il tousse. Il a la voix tendue. Il n'aime pas parler au téléphone. « Eh bien, je l'ai montrée à Valentina.

— Et qu'est-ce qu'elle a dit ?

— Ce qu'elle dit ? Eh bien… » Re-toux. « Elle dit qu'il est impossible que justice sépare un mari de sa femme.

— Mais tu n'as pas lu la lettre de l'avocat ?

— Oui. Enfin non. En tout cas, elle dit ça. Elle croit ça.

— Mais elle a tort de croire ça, papa. Tort.

— Hmm.

— Et toi ? Qu'est-ce que tu en dis ? » Je m'efforce de maîtriser le ton de ma voix.

« Oh, qu'est-ce que je peux dire ? » Je perçois dans sa voix un vague haussement d'épaules désarmé, comme s'il avait capitulé devant des forces qui le dépassaient.

« Je ne sais pas, moi, tu pourrais dire qu'après tout ce n'est peut-être pas une bonne idée de vous marier. Non ? »

J'ai le ventre noué de peur. Je m'aperçois qu'il va bel et bien mettre son projet à exécution et se marier, et qu'il va falloir que je m'en accommode.

« Hmm. Oui. Non.

— Comment ça, oui, non ? » L'irritation grince dans ma gorge. Je m'efforce de garder une voix aimable.

« Je ne peux pas te dire. Je ne peux rien te dire.

— Papa, enfin…

— Écoute, Nadezhda, on va se marier, un point, c'est tout. Inutile de discuter. »

J'ai le pressentiment que quelque chose d'affreux est en train de se passer, mais par ailleurs je n'ai pas vu mon père aussi pétulant, enflammé, depuis la mort de maman.

Ce n'est pas la première fois qu'il caresse le rêve de secourir des Ukrainiens démunis. À une époque, il s'était mis en tête de rechercher des membres de la famille qu'il n'avait pas vus depuis un demi-siècle pour les faire tous venir à Peterborough. Il avait écrit à toutes les mairies et les postes de village d'Ukraine. Il avait reçu des dizaines de réponses de « parents » passablement louches prêts à accepter son offre. Maman avait mis son veto.

Je le vois qui reporte à présent toute son énergie sur cette femme et son fils – ce sera pour lui une famille de substitution. Il peut leur parler dans sa langue. Une si belle langue que le premier venu peut s'improviser poète. Un si beau pays – il transformerait n'importe qui en artiste. Des maisons en bois peintes en bleu, des champs de blé dorés, des forêts de bouleaux argentés, de larges rivières qui glissent paresseusement. Au lieu de retourner en Ukraïna, c'est l'Ukraïna qui viendra à lui.

Je suis allée en Ukraine. J'ai vu les cités bétonnées et les poissons morts dans les rivières.

« Papa, ce n'est plus l'Ukraine que tu as connue. Ça a changé maintenant. Les gens ont changé. Ils ne chantent plus – ou alors seulement des chansons à boire. Tout ce qui les intéresse, c'est de faire du shopping. Ils se ruent sur tout ce qui vient de l'Ouest. La mode. L'électronique. Les marques américaines.

— Hmm. C'est ce que tu dis. Peut-être bien. Mais si je peux secourir un être merveilleux… »

Et le voilà reparti.

Il y a un léger problème, cependant. Son visa de tourisme expire d'ici à trois semaines, explique mon père.

« Et elle attend encore jugement de divorce de mari.

— Parce qu'elle est déjà mariée ?

— Son mari est en Ukraïna. Un élément très intelligent, entre parenthèses. Il est directeur institut de technologie. Je suis en correspondance avec lui – j'ai même parlé avec lui au téléphone. Il m'a dit que Valentina sera excellente épouse. » Il a une pointe de suffisance dans la voix. Le futur ex-mari doit faxer le jugement de divorce à l'ambassade ukrainienne à Londres. En attendant, mon père s'occupera des préparatifs du mariage.

« Mais si son visa expire dans trois semaines, j'ai l'impression que tu t'y prends un peu tard. (J'espère.)

— Si elle est obligée de rentrer, alors, nous marierons à son retour. Là-dessus, nous sommes catégoriques. »

Je remarque au passage que le « je » s'est transformé en « nous ». Je m'aperçois que ce projet date d'il y a longtemps et que je n'en ai été informée qu'à un stade très avancé. Si elle doit rentrer en Ukraine, il lui écrira une lettre et elle reviendra au titre de fiancée.

« Mais papa, lui dis-je, tu as lu la lettre de l'avocat. Il se peut qu'on ne l'autorise pas à revenir. N'y a-t-il pas quelqu'un d'autre, quelqu'un d'un peu plus jeune qu'elle puisse épouser ? »

Mais si, cette femme décidément pleine de ressources a une solution de rechange pour se marier, me répond mon père. Par l'intermédiaire d'une agence de placement d'employés de maison, elle a fait la connaissance d'un jeune homme totalement paralysé à la suite d'un accident de la route. Entre parenthèses (*dixit* papa), un jeune homme très bien, issu d'une bonne famille. Un ancien professeur. Elle s'occupe de lui – elle le lave, le nourrit à la cuillère, l'accompagne aux toilettes. Si on lui interdit de se fiancer à mon père, elle s'arrangera pour se faire réinviter au pair afin de s'occuper de ce jeune homme. Les lois sur l'immigration autorisent encore ce type d'emploi. Durant l'année qu'elle pourra passer ici grâce à ce statut, il tombera amoureux d'elle et elle l'épousera. Son avenir dans ce pays est donc assuré. Mais cette pauvre Valentina se verrait alors condamnée à une vie de servitude, car il serait totalement dépendant d'elle vingt-quatre heures sur vingt-quatre, alors que mon père n'a pas besoin de grand-chose (*dixit* papa, toujours). Si mon père sait tout cela, c'est parce qu'elle l'a invité dans la maison où elle est employée et qu'elle lui a montré le jeune homme. « Tu as vu comment il est ? lui a-t-elle dit. Comment veux-tu que j'épouse ça ? » (Sauf qu'elle parlait en ukrainien, naturellement.) Non, mon père veut lui épargner cette vie d'esclavage. Il fera le sacrifice et l'épousera lui-même.

Je suis déchirée par l'angoisse. Je brûle de curiosité. Et c'est ainsi que je mets de côté deux ans d'amertume pour téléphoner à ma sœur.

Vera est inflexible alors que j'éprouve une vague indulgence. Elle est catégorique alors que j'hésite.

« Mon Dieu, Nadezhda. Pourquoi ne pas m'en avoir parlé plus tôt ? Il faut l'en empêcher.

— Mais si elle le rend heureux...

— Ne sois pas ridicule. Bien sûr qu'elle ne le rendra pas heureux. On voit bien ce qu'elle cherche. Franchement, Nadezhda, pourquoi prends-tu toujours le parti des malfaiteurs...

— Mais Vera...

— Il faut que tu la rencontres et que tu la préviennes de ne pas insister. »

Je téléphone à mon père :

« Dis-moi, pourquoi je ne viendrais pas faire la connaissance de Valentina ?

— Non, non. C'est absolument impossible.

— Pourquoi impossible ? »

Il hésite. Il a du mal à trouver des excuses.

« Elle ne parle pas anglais.

— Je parle ukrainien.

— Elle est très timide.

— Elle ne m'a pas l'air si timide que ça. On pourrait parler de Nietzsche et de Schopenhauer (Ah, ah).

— Elle travaille.

— Je peux toujours la voir après. Après son travail.

— Non, ce n'est pas la question. Il vaut mieux qu'on n'en parle pas, Nadezhda. Au revoir. »

Il raccroche. Il me cache quelque chose.

Quelques jours plus tard, je le rappelle. Je change de tactique :

« Hello, papa. C'est moi, Nadezhda. (Il sait bien que c'est moi, mais je veux le mettre en confiance.)

— Ah. Oui, oui.

— Mike a deux jours de congé cette semaine. On pourrait passer te voir, qu'est-ce que tu en dis ? »

Mon père adore mon mari. Il peut parler tracteurs et avions avec lui.

« Hmm. *Tak*. C'est une bonne idée. Quand est-ce que vous venez ?

— Dimanche. On viendra déjeuner dimanche, vers une heure.

— D'accord. Très bien. Je vais prévenir Valentina. »

Nous arrivons bien avant une heure en espérant être à temps pour la voir, mais elle est déjà partie. La maison a l'air sinistre, mal tenue. À l'époque de ma mère, il y avait toujours des fleurs fraîchement coupées, une nappe propre, une bonne odeur de cuisine. À la place des fleurs, il n'y a plus que des tasses sales, des tas de journaux, des livres, du bazar partout. La table de Formica marron foncé est nue et jonchée de bouts de pain rassis et de pelures de pomme qui attendent d'être jetés. Des relents de graisse rance flottent dans la pièce.

Mon père est d'excellente humeur cependant. Il a l'air exalté, plein d'entrain. Ses cheveux fins argentés sont plus longs et rebiquent en petites mèches folles dans sa nuque. Il a le teint coloré et la peau plus ferme, avec quelques taches de rousseur, comme s'il avait été au jardin. Ses yeux brillent. Il nous offre à déjeuner – poisson en conserve, tomates en conserve, pain complet, le tout suivi de pommes Toshiba. C'est sa recette préférée – des pommes du jardin pelées, émincées, fourrées dans un plat en pyrex et cuites au micro-ondes (un Toshiba) jusqu'à ce qu'elles soient réduites en une masse gluante. Il est si fier de son invention qu'il nous en ressert à n'en plus finir et nous propose d'en rapporter à la maison.

Je m'inquiète – est-ce bien sain de manger autant de conserves ? A-t-il un régime équilibré ? Je jette un œil au contenu de son réfrigérateur et de son garde-manger. Il y a du lait, du fromage, des céréales, du pain, des quantités de conserves. Ni légumes, ni fruits frais, à part les pommes Toshiba et quelques bananes trop mûres. Cela étant, il a bonne mine. Je commence à faire une liste de courses.

« Tu devrais manger plus de fruits et de légumes, papa », lui dis-je. Il consent aux choux-fleurs et aux carottes. Il ne consomme plus de petits pois ou de haricots congelés – ça le fait tousser.

« Est-ce que Valentina te fait à manger ? je lui demande.

— Quelquefois. » Il est évasif.

Je prends une éponge et je m'attaque à la crasse. Toutes les surfaces sont couvertes de poussière et de vieilles traces poisseuses de liquides renversés couleur brunâtre. Il y a des livres partout – histoire, biographies, cosmologie –, les uns qu'il a achetés, les autres empruntés à la bibliothèque. Sur la table du salon, je trouve plusieurs feuilles revêtues de sa fine écriture hérissée en pattes de mouche semée d'ajouts et de ratures. J'ai du mal à déchiffrer l'ukrainien rédigé à la main, mais, à en juger d'après la disposition des lignes, c'est manifestement de la poésie. Mon père a publié son premier poème à l'âge de quatorze ans. C'était un éloge d'une nouvelle centrale hydroélectrique construite sur le Dniepr en 1927. À l'époque de ses études d'ingénieur à Kiev, il appartenait à un cercle clandestin de poètes ukrainiens qui avait été interdit par une loi visant à imposer le russe comme langue nationale de l'Union soviétique. Je suis contente de voir qu'il écrit encore des poèmes. Pour ne pas dire fière. J'empile soigneusement les feuilles et j'essuie la table.

Dans la pièce voisine, Mike est vautré dans le fauteuil, l'œil mi-clos, un verre de vin de prune à la main, s'efforçant vaillamment de faire mine d'écouter tandis que mon père psalmodie à n'en plus finir.

« C'est une terrible tragédie, ce qui est arrivé dans ce beau pays. Les deux fléaux identiques de fascisme et communisme ont rongé son cœur. »

Au-dessus de la cheminée, il a accroché au mur une carte d'Europe. La Russie et l'Allemagne sont rayées avec une telle violence que le papier est déchiré. Des emblèmes de swastika, d'aigle impérial, de faucille et de marteau crayonnés à la hâte sont couverts de gribouillis rageurs. À mesure qu'il s'échauffe, mon père hausse le ton, sa voix se fait tremblante :

« Si je peux sauver un seul être au monde – un seul – de cette horreur, tu ne crois pas que c'est un devoir moral ? »

Mike marmotte une réponse diplomatique.

« Vois-tu, Mikhaïl (il parle à présent sur le ton de la confidence, d'homme à homme), un enfant ne peut avoir qu'une seule mère, mais un homme peut avoir plusieurs femmes dans sa vie. C'est parfaitement normal. Non ? »

Je tends l'oreille pour entendre la réponse de Mike, mais je ne distingue qu'un vague marmonnement.

« Je comprends que Vera et Nadia ne soient pas contentes. Elles ont perdu leur mère. Mais elles finiront par accepter quand elles verront comme Valentina est belle. (Ah oui ?) Bien sûr, Ludmilla, ma première femme, était belle quand je l'ai connue dans la jeunesse. Elle aussi, j'ai secourue, tu sais. Elle était agressée par des garçons qui voulaient voler ses patins et je suis intervenu pour elle. À partir de ce moment-là, on est devenus très amis. C'est l'instinct naturel de l'homme d'être le protecteur de la femme. (Pour l'amour du ciel !) Et maintenant, avec cette Valentina, je suis devant une autre belle femme qui me supplie de l'aider. Comment je peux passer le chemin ? »

Il se lance alors dans l'inventaire des horreurs qu'il va lui épargner. Dans la communauté ukrainienne, le bruit court qu'il n'y a plus de denrées dans les magasins. Les gens ne subsistent que grâce à ce qu'ils cultivent dans leurs jardins – exactement comme autrefois, dit-on. Le *hryvnia* a traversé le plancher et tombe de plus en plus chaque jour. Il y a eu une épidémie de choléra à Kharkov. La diphtérie se propage dans le Donbass. À Zhitomyr, une femme a été agressée en plein jour et on lui a coupé les doigts pour lui voler ses bagues en or. À Chernigov, des arbres des forêts qui entourent Tchernobyl ont été abattus pour être transformés en meubles radioactifs, qui ont été vendus dans tout le pays, si bien que les gens se font irradier sous leur propre toit. Quatorze mineurs ont été tués dans l'explosion d'une mine à Donetsk. Un homme a été arrêté dans une gare à Odessa avec un morceau d'uranium dans sa valise. À Lviv, une jeune femme se faisant passer pour la réincarnation du Messie a convaincu tout le monde que dans six mois ce sera la fin du monde. Pire que l'effondrement extérieur de la justice et de l'ordre, on assiste à l'effondrement de tout principe rationnel et moral. Certains courent se réfugier dans les bras de l'Église traditionnelle, mais beaucoup d'autres se tournent vers de nouvelles Églises fantaisistes venues de l'Ouest, quand ce n'est pas vers les voyants, les millénaristes, les visionnaires à l'affût d'argent facile, les adeptes de la flagellation. Personne ne sait plus que croire ni à qui se fier.

« Si je peux sauver un seul être au monde…

— Pour l'amour du ciel ! » Je lui jette l'éponge qui atterrit, mouillée, sur ses genoux. « Tu ne trouves pas que tu patauges dans un sacré fatras idéologique ? Valentina et son mari étaient membres du parti. Ils étaient prospères, puissants. Ils se sont bien débrouillés sous le communisme. Ce n'est pas le communisme qu'elle fuit, mais le capitalisme. Tu es pour le capitalisme, non ?

— Hmm. » Il prend l'éponge et s'essuie machinalement le front avec. « Hmm. »

Je m'aperçois que cette histoire avec Valentina n'a rien à voir avec l'idéologie.

« Alors, quand est-ce que nous aurons l'occasion de la rencontrer ?

— Elle devrait passer après fin de service, vers cinq heures, répond mon père. J'ai quelque chose à lui donner. » Il tend le bras vers une grosse enveloppe kraft posée sur le buffet qui a l'air remplie de papiers.

« Bien, en ce cas, je vais faire un saut en ville pour te faire les courses. Comme ça, on prendra tous le thé ensemble quand elle reviendra. » Le ton enjoué, plein de bon sens. Très *british*. Ça me permet de tenir à distance la souffrance et la folie.

En revenant des courses, je m'arrête devant la maison de repos où travaille Valentina. C'est celle où ma mère a fait un bref séjour avant sa mort, si bien que je suis en territoire connu. Je me gare à l'extérieur, dans la rue, et au lieu de passer par l'entrée principale, je fais le tour et je jette un œil par la fenêtre de la cuisine. Une grosse dame entre deux âges remue quelque chose sur le feu. Serait-ce elle ? À côté de la cuisine se trouve le réfectoire, où les pensionnaires les plus âgés sont en train de se rassembler pour le thé. Deux adolescents en blouse poussent leurs fauteuils roulants, l'air de s'ennuyer. D'autres personnes portent des plateaux garnis, mais elles sont trop loin pour que je puisse les voir. J'aperçois maintenant des gens qui sortent par la porte principale et se dirigent vers l'arrêt de bus. Est-ce que ce sont des membres du personnel ou des parents venus rendre visite à un proche ? Mais qu'est-ce que je cherche, au juste ? Je cherche une femme ressemblant à la description que m'a donnée mon père – une belle blonde avec une énorme poitrine. Rien de tel ici.

À mon retour, je trouve mon père en plein désarroi. Elle a téléphoné pour lui dire qu'elle ne viendrait pas. Elle rentre directement chez elle. Demain, elle s'envole pour l'Ukraine. Il doit la voir avant son départ. Il doit lui donner son cadeau.

L'enveloppe n'est pas fermée et, d'où je suis, je vois qu'elle contient plusieurs pages couvertes de la même écriture en pattes de mouche ainsi que des billets. Je n'arrive pas à voir combien il y en a. Je sens monter en moi une bouffée de rage. Le sang afflue devant mes yeux, écarlate.

« Papa, pourquoi lui donnes-tu de l'argent ? Tu as à peine de quoi vivre avec ta retraite.

— Ça ne te regarde absolument pas, Nadezhda. Pourquoi ça te tracasse comme ça, ce que je fais de mon argent ? Tu crois qu'il ne va plus en rester pour toi, hein ?

— Tu ne vois donc pas qu'elle est en train de t'escroquer, papa ? Je ferais mieux d'aller voir la police. »

Il retient son souffle. Il est terrifié par la police, le conseil municipal, même le facteur en uniforme qui passe tous les jours. Je lui ai fait peur.

« Nadezhda, pourquoi tu es si cruelle ? Comment j'ai fait pour élever un monstre au cœur de pierre ? Sors de chez moi. Je ne veux plus jamais te *revoirrr*. Tu n'es pas ma fille ! » Soudain, il se met à tousser. Il a les pupilles dilatées. Il a de la salive sur les lèvres.

« Oh, arrête un peu ton mélodrame, papa. Tu m'as déjà dit ça – tu te rappelles ? Quand j'étais étudiante et que tu me trouvais trop à gauche.

— Même Lénine a écrit que communisme de gauche est infantile. (Toux et retoux.) Trouble infantile.

— Tu m'as traitée de trotskiste. Tu m'as dit : "Sors de chez moi. Je ne veux plus jamais te revoir." Mais tu as vu, je suis toujours là. À supporter encore tes inepties.

— Mais tu étais trotskiste. Vous tous, les étudiants révolutionnaires, avec vos drapeaux et vos banderoles ridicules. Tu sais ce qu'il a fait, Trotski ? Tu sais combien de gens il a tués ? Et de quelle manière ? Tu le sais ? Trotski était un monstre, pire que Lénine. Pire que Vera.

— Même si j'étais trotskiste, papa, ce que je n'ai jamais été, entre parenthèses, ce n'était tout de même pas très gentil de me dire ça, à moi, ta fille. »

C'était il y a plus de trente ans et je me souviens encore du choc que j'avais éprouvé, moi qui avais toujours cru que l'amour de mes parents était inconditionnel. Mais ce n'était pas réellement une question de politique, c'était une question de volonté – sa volonté contre la mienne, son droit de père de me donner des ordres.

42

Mike intervient :

« Enfin, Nikolaï, je suis sûr que vous ne parliez pas sérieusement. Et toi, Nadezhda, inutile de remuer de vieilles querelles. Asseyez-vous tous les deux, on va discuter. »

Il est doué pour ce genre de choses.

Mon père s'assied. Il tremble et il a la mâchoire serrée. Quand il fait cette tête, ça me rappelle mon enfance et je suis partagée entre l'envie de lui balancer mon poing dans la figure et celle de prendre mes jambes à mon cou.

« Nikolaï, Nadezhda n'a pas tort, à mon avis. L'aider à venir en Angleterre, c'est une chose, mais si elle vous demande de l'argent, là, c'est une autre histoire.

— C'est pour ses billets. Si elle doit revenir, elle a besoin argent pour billets.

— Mais si elle tient vraiment à vous, elle viendra vous voir avant de partir, non ? Elle voudra vous dire au revoir », dit Mike.

Je ne dis rien. Je reste en dehors. Qu'il aille se faire voir, ce vieil imbécile.

« Hmm. Peut-être. »

Mon père a l'air peiné. Tant mieux. Grand bien lui fasse.

« Je veux dire, c'est compréhensible que vous soyez attiré par elle, Nikolaï, poursuit Mike. (Comment ça, compréhensible ? On en reparlera plus tard.) Mais je trouve un peu étrange qu'elle ne veuille pas faire la connaissance de votre famille si elle a réellement l'intention de vous épouser.

— Hmm. » Mon père ne discute pas avec Mike comme il le fait avec moi. Mike est un homme et, à ce titre, il mérite le respect.

« Et l'argent qu'elle a gagné avec tous ses emplois ? Ça devrait couvrir le montant des billets.

— Elle a des dettes à rembourser. Si je ne lui donne pas l'argent pour billets, peut-être elle ne reviendra jamais. » Il a l'air totalement perdu. « Et puis aussi les poèmes que j'ai écrits pour elle. Je veux qu'elle lise. » Subitement, je me rends compte avec Mike qu'il est éperdument amoureux. Pauvre idiot.

« Bon, où habite-t-elle à Peterborough ? lui demande Mike. On peut toujours passer chez elle. » À présent, il est aussi inquiet que moi. Et peut-être aussi intrigué.

Nous nous entassons dans la voiture. Mon père a mis sa plus belle veste et fourré l'enveloppe kraft dans sa poche intérieure, tout contre son cœur. Il nous conduit dans une ruelle bordée de maisons mitoyennes en briques rouges, non loin du centre-ville. Nous nous arrêtons devant une maison avec un portillon et une allée goudronnée à moitié effondrée qui mène à la porte d'entrée. En un clin d'œil, mon père sort de la voiture et se précipite dans l'allée en serrant l'enveloppe contre lui.

Je l'observe froidement un moment et je suis frappée de voir à quel point il a vieilli, comme il est courbé quand il marche, comme il traîne les pieds. Mais il a le regard incandescent. Il sonne. Pas de réponse. Il resonne. Et resonne encore. En insistant de plus en plus. Au bout d'un long moment, on entend une fenêtre à guillotine qui s'ouvre en grinçant. Mon père lève fiévreusement les yeux. Il tend l'enveloppe. Ses mains sont tremblantes. Nous retenons notre souffle, pensant voir une sublime blonde avec une énorme poitrine, mais c'est un homme qui sort la tête par la fenêtre. Il doit avoir une quarantaine d'années, les cheveux bruns frisés et une chemise blanche ouverte.

« Foutez le camp d'ici ! Foutez le camp ! »

Mon père reste sans voix. Il tend l'enveloppe de ses mains tremblantes. Le brun n'y jette pas même un regard.

« Vous ne croyez pas que vous l'avez assez embêtée comme ça ? D'abord la lettre de l'avocat, puis cette façon de la harceler au boulot, et maintenant vous la poursuivez jusque chez elle ? Elle est toute chamboulée. Maintenant, foutez-moi le camp d'ici et fichez-lui la paix ! » Il claque la fenêtre.

Mon père donne l'impression de se ratatiner sur place. Mike le prend par l'épaule et le ramène jusqu'à la voiture. Quand nous rentrons à la maison, il peut à peine parler.

« Je crois que vous l'avez échappé belle, Nikolaï, lui dit Mike. Je crois que le mieux, c'est de redéposer l'argent à la banque et d'oublier cette femme. »

Mon père hoche la tête, l'air abasourdi.

« Vous croyez que je suis complètement idiot ? demande-t-il à Mike.

— Mais non, lui répond-il. Tous les hommes peuvent perdre la tête pour une belle femme. » Il surprend mon regard et me lance un petit sourire pour s'excuser.

Mon père se ragaillardit légèrement. Sa virilité est intacte.

« Eh bien, je ne veux plus rien à voir avec elle. Vous avez absolument raison. »

Il se fait tard. Nous lui disons au revoir et nous préparons à rentrer à Cambridge car la route est longue. Au moment où nous sortons de la maison, le téléphone sonne et nous entendons mon père parler en ukrainien. Je ne comprends pas ce qu'il dit, mais quelque chose dans sa voix me donne des soupçons – des accents languissants, tendres. Je devrais sans doute m'arrêter, écouter, intervenir, mais je suis fatiguée, je veux rentrer à la maison.

« Tu sais combien d'argent il y avait dans cette enveloppe ? » me demande Mike.

Nous sommes à mi-chemin de chez nous et nous roulons à la tombée du jour en ressassant les événements de la journée.

« J'ai vu qu'il y avait une grosse liasse de billets. Une centaine de livres, je dirais.

— C'est seulement que j'ai remarqué que sur le dessus c'était un billet de cinquante. Quand tu retires de l'argent à la banque, généralement on ne te donne pas des billets de cinquante. On te donne des billets de dix ou de vingt. À moins que tu ne retires une grosse somme. » Le sourcil froncé, il se concentre sur la route en lacet. « Il vaut peut-être mieux vérifier. »

Il se gare brusquement dans un village devant une cabine téléphonique. Je le vois chercher des pièces dans ses poches, faire le numéro, parler, mettre les pièces, continuer à parler. Puis il revient vers la voiture.

« Mille huit cents livres.

— Quoi ?

— Dans l'enveloppe. Mille huit cents livres. Le pauvre vieux.

— Le pauvre imbécile, tu veux dire. Ça doit être toutes ses économies.

— Apparemment, Valentina l'a appelé et lui a demandé de déposer l'argent sur son compte.

— Elle n'avait pas envie de lire ses poèmes, si je comprends bien ? (Ha ! Ha !)

— Il dit qu'il va redéposer l'argent à la banque, demain. »

Nous repartons. On est dimanche soir et nous ne sommes pas seuls sur la route. C'est le crépuscule et le soleil a disparu derrière les nuages en laissant le ciel barré d'étranges faisceaux lumineux. Nos vitres sont baissées et les odeurs de la campagne nous fouettent le visage – aubépine, persil sauvage, fourrage.

Nous arrivons vers dix heures. Mike rappelle mon père. J'écoute sur l'autre poste.

« C'est juste pour vous dire qu'on est bien rentrés, Nikolaï. Vous êtes sûr que vous pourrez aller à la banque demain ? Je n'aime pas vous savoir cette nuit avec tout cet argent chez vous. Vous pouvez le mettre dans une cachette sûre ?

— Oui... non... » Mon père est agité. « Et si je le lui donne, après tout ?

— Je ne crois pas que ce soit une bonne idée, Nikolaï. Vous devriez le mettre à la banque, comme vous l'avez dit.

— Et si c'est trop tard ? Si je lui ai déjà donné ?

— Quand le lui avez-vous donné ?

— Demain. » Il ne sait plus où il en est et s'emmêle dans ses mots. « Demain. Aujourd'hui. Quelle importance ?

— Ne bougez pas, Nikolaï. Ne bougez surtout pas. »

Mike enfile son manteau et attrape les clés de la voiture. Il a l'air exténué. Au petit matin, il revient avec l'enveloppe et range les mille huit cents livres dans le tiroir, bien à l'abri sous ses chaussettes en attendant de pouvoir les déposer à la banque demain. Je ne sais pas ce que sont devenus les poèmes.

4

Un lapin et un poulet

Je ne sais pas au juste quand Valentina réussit à persuader mon père de lui donner l'argent, mais le fait est qu'elle finit par mettre la main dessus.

Je sais bien que je dois annoncer ça à Vera, mais quelque chose me retient. À chaque fois que j'appelle mon père ou ma sœur, j'ai l'impression de franchir un pont qui m'éloigne du monde des adultes, où j'ai des responsabilités et un certain pouvoir, pour me ramener en arrière dans l'univers indéchiffrable de l'enfance, où je suis à la merci des visées d'autrui que je ne peux ni contrôler ni comprendre. Dans ce monde crépusculaire, Grande Sœur règne en monarque absolu. Elle gouverne sans hésitation ni pitié.

« Bon sang, quel crétin ! s'exclame-t-elle quand je lui parle de Valentina et de l'enveloppe de billets. Il faut l'empêcher. » Grande Sœur ne doute jamais.

« Mais, Vera, je crois que pour lui c'est très sérieux, cette histoire – cette femme. Et si elle le rend heureux...

— Tu es si crédule, Nadezhda. Tous les jours, on entend parler de gens comme elle dans les journaux. Immigrants, demandeurs d'asile, émigrés fuyant la pauvreté. Appelle-les comme tu voudras. Ce sont toujours les plus déterminés et les plus impitoyables qui réussissent à venir ici, et quand ils s'aperçoivent que ce n'est pas si facile que ça de trouver un bon boulot, ils se tournent vers le crime. Il faut absolument l'empêcher de revenir d'Ukraine.

— Mais il est tellement décidé. Je ne pense pas qu'on puisse l'empêcher... »

Je suis coincée entre deux certitudes – celle de mon père et celle de ma sœur. C'est comme ça depuis toujours.

Ma sœur téléphone au Home Office. On lui dit de mettre tout ça par écrit. Si mon père l'apprend, il ne lui pardonnera jamais, comme il ne lui a jamais pardonné quoi que ce soit, aussi elle décide d'écrire une lettre anonyme :

Elle est venue ici avec un visa de tourisme. C'est son deuxième visa de tourisme. Elle travaille illégalement. Son fils est inscrit dans une école anglaise. Trois semaines avant la date d'expiration de son visa, elle a eu l'idée de se marier. Elle a l'intention d'épouser M. Mayevskyj afin d'obtenir un visa et un permis de travail.

Puis elle téléphone à l'ambassade britannique à Kiev. Un jeune homme à l'accent chic, l'air de s'ennuyer, lui dit que le visa de Valentina a déjà été accordé. Il n'y avait rien dans sa demande qui puisse indiquer qu'il faille le lui refuser. Mais en ce qui concerne ?... Vera énumère les éléments qu'elle a donnés dans sa lettre. Le jeune homme lui répond par l'équivalent téléphonique d'un haussement d'épaules.

« Du coup, je compte sur toi », m'annonce Grande Sœur.

Deux semaines plus tard, j'aborde le sujet alors que nous sommes venus déjeuner chez mon père, Mike et moi. Jambon en conserve, pommes de terre bouillies, carottes bouillies. Son régime quotidien. Il est fier de nous avoir préparé ce festin.

« Dis-moi, papa, as-tu eu des nouvelles de Valentina ? (L'air de rien, sur le ton de la conversation.)

— Oui, elle a écrit. Elle va très bien.

— Où habite-t-elle ? Elle est retournée chez son mari ?

— Oui. Elle s'est installée chez lui. Un élément très cultivé, entre parenthèses. Directeur d'un institut de technologie.

— Et quelles sont ses intentions ? Est-ce qu'elle va revenir en Angleterre ? (Le ton enjoué, détaché.)

— Hmm. Peut-être. Je ne sais pas. »

Il sait, mais il ne veut rien dire.

« Et c'était qui le brun, ce type à la fenêtre qui a été si grossier envers toi ?

— Ah, ah. C'est Bob Turner. Un élément très bien, entre parenthèses. Ingénieur des travaux publics. »

Mon père explique que Bob Turner est un ami de l'oncle de Valentina à Selby. Il a une maison à Selby, où il habite avec sa femme, et une autre à Peterborough, qui appartenait à sa mère, où il a installé Valentina et Stanislav.

« Et, d'après toi, quelle est la nature de ses relations avec Valentina ? » Ça me semble évident, mais j'essaie de le pousser à voir la vérité en face par une sorte de dialogue platonicien.

« Ah, ah. Oui. C'était une liaison. Il a même été question qu'il l'épouse, mais sa femme refuse d'accepter divorce. Bien entendu, cette liaison est finie.

— Mais bien sûr que non, papa. Tu ne vois pas qu'elle te mène en bateau ? » Ma voix devient criarde. Mais il ne m'écoute pas. Son regard se fait lointain. Il s'est mué en ado de quatre-vingt-quatre ans branché sur sa musique à lui.

« Il a payé pour ma naturalisation, au fait, murmure-t-il, comme ça, quand je l'épouserai, je serai citoyen britannique. »

Quand il l'épousera.

« Mais, papa, réfléchis un peu… Pourquoi ? Pourquoi Bob Turner a-t-il payé pour que tu sois naturalisé ?

— Pourquoi ? » Petit sourire satisfait. « Et pourquoi pas ? »

Mon dialogue platonicien n'ayant pas abouti à grand-chose, je tente une nouvelle approche. J'invoque l'esprit de Grande Sœur.

« Tu as parlé à Vera de cette histoire avec Bob Turner ? Ça risque de lui faire un choc.

— Pourquoi je devrais lui parler ? Ça ne la concerne absolument pas. » Son regard redevient net. Sa mâchoire se contracte. Il a peur.

« Vera se fait du souci pour toi. Nous avons toutes les deux promis à maman de veiller sur toi.

— Le jour où elle veillera sur moi, ça sera pour me mettre dans ma tombe. »

Il est pris d'une violente quinte de toux. Des fragments de carottes bouillies volent dans la pièce et atterrissent sur les murs. Je vais lui chercher un verre d'eau.

Dans le royaume nébuleux de l'enfance où régnait ma sœur, mon père était le prétendant en exil. Il y a des années qu'ils se sont déclaré la guerre. Il y a si longtemps que je ne sais plus sur quoi portait leur première dispute et il est probable qu'ils ne s'en souviennent pas non plus. Mon père effectuait régulièrement un repli stratégique dans son domaine privé du garage, où il retrouvait ses constructions d'aluminium, de caoutchouc et de bois, sa toux et ses Idées de Génie. De temps à autre, il lançait des raids violents dirigés contre ma sœur, puis, lorsqu'elle eut quitté la maison, contre moi.

« Pourquoi es-tu si dur avec Vera ? Pourquoi passez-vous votre temps à vous disputer, tous les deux ? Pourquoi tu la… »

J'hésite à dire « détestes ». Le mot est trop fort, trop irrévocable. Mon père se remet à tousser.

« Tu sais, cette Vera… elle est terrible de caractère. Tu aurais vu comme elle harcelait Ludmilla – tu dois tout donner aux petites-filles, tu dois faire un codicille. Tout le temps, même sur le lit de mort. Elle est trop intéressée par l'argent. Et maintenant elle me demande de faire testament comme ça, divisé en trois pour les petits-enfants. Mais j'ai dit non. Qu'est-ce que tu penses ?

— Il vaut mieux laisser moitié-moitié », lui dis-je. Je ne veux pas entrer dans son jeu.

Ha, ha ! Alors comme ça, Grande Sœur continue à manigancer pour l'héritage, bien qu'il ne reste plus que la maison et son plan de retraite à se partager. Je ne sais pas si je dois le croire. J'ai le vague sentiment qu'il est arrivé autrefois un terrible malheur dont personne ne veut me parler, car j'ai beau avoir la quarantaine, je reste la petite dernière – celle qui est trop jeune pour comprendre. Je le crois quand il me raconte comment elle a obtenu le codicille. Mais là il joue un autre jeu, en essayant de me liguer avec lui contre ma sœur.

« Et qu'est-ce que tu crois si je fais mon testament pour tout laisser à toi et Michael quand je serai mort ? demande-t-il, subitement lucide.

— Je te l'ai dit, il vaut mieux laisser moitié-moitié.

— Comme tu veux. » Il pousse un soupir maussade. Je refuse de jouer.

Je me réjouis secrètement d'être sa préférée, mais je suis sur mes gardes. Autrefois, il y a longtemps de ça, j'étais sa petite chérie, destinée à marcher sur ses traces, un ingénieur en herbe. J'essaie de me rappeler ce qui me plaisait tant en lui.

Il fut un temps où mon père me faisait monter à l'arrière de sa moto – « Fais attention, Kolyusha ! » s'écriait maman – et nous foncions tout droit en faisant vrombir le moteur sur les longs chemins qui bordaient les marécages. Sa première moto était une Francis Barnett 250 cm^3 qu'il avait remontée de A à Z après avoir nettoyé et réparé chaque pièce. Après, il avait eu une rutilante Vincent 350 cm^3 noire, puis une Norton 500 cm^3. Je me récitais ces noms comme un mantra. Je me revois encore me précipiter à la fenêtre en entendant le ronflement sourd du moteur en haut de la rue. Puis il entrait, tout ébouriffé par le vent, avec ses lunettes et son vieux casque en cuir d'aviateur russe, et lançait :

« Qui veut faire un tour ?

— Moi ! Moi ! Emmène-moi ! »

Mais c'était avant qu'il ne s'aperçoive que je n'étais aucunement douée pour les études d'ingénieur.

Après le déjeuner, mon père fait une sieste et je vais chercher le sécateur avant de sortir dans le jardin couper des roses pour la tombe de ma mère. Il a plu et de la terre monte une odeur de racine et de pousse – une pousse sauvage, désordonnée. Le rosier rouge qui musarde le long de la clôture nous séparant des voisins est étranglé par les liserons et, çà et là, des orties envahissent le persil et l'aneth qui germaient autrefois spontanément. Les buissons de lavande que ma mère avait plantés le long de l'allée ont tellement poussé qu'ils ne sont plus que de hautes tiges clair-semées, toutes dégingandées. Dans les parterres de fleurs, des calices desséchés de coquelicots et d'anco-lies crépitent, bataillant avec les épilobes, avides du chocolat dont elle les nourrissait. Ah, aurait-elle sou-piré, il y a toujours à faire dans un jardin. Toujours quelque chose qui pousse, quelque chose à couper. Impossible de souffler un seul instant.

Dans le cimetière également se côtoient la vie et la mort. Un chat écaille de tortue qui y a marqué son territoire patrouille dans la haie qui le sépare des champs de blé. Deux grives dodues extirpent des vers de terre d'une tombe fraîchement creusée. Cinq autres tombes sont apparues depuis la sienne. Cinq autres villageois sont morts depuis qu'elle est partie. Je lis ce qui est écrit sur les pierres tombales. Bien-aimé… Maman… Quitté ce monde… Dans les bras du Seigneur… Pour l'éternité… Une taupe a manifestement travaillé aux côtés des fossoyeurs, retournant çà et là des monticules de terre. La tombe de ma mère est surmontée d'une taupinière. J'imagine la taupe noire au poil lisse blottie contre elle là-dessous, dans l'obscurité. À son enterrement, le pasteur a dit qu'elle était au paradis, mais elle savait qu'elle était destinée à être enfouie dans la terre et rongée par les vers. (Ne fais jamais de mal à un ver de terre, Nadezhda, c'est le meilleur ami du jardinier.)

Ma mère comprenait la vie et la mort. Un jour, elle avait rapporté du marché un lapin mort qu'elle avait dépecé et étripé sur la table de la cuisine. Elle avait sorti ses entrailles rouges sanguinolentes et enfoncé une paille dans sa gorge, puis soufflé dans ses poumons. Les yeux écarquillés, je regardais son thorax monter et s'abaisser.

« Tu vois, Nadezhda, c'est comme ça que nous respirons. Que nous respirons et que nous vivons. »

Une autre fois, elle avait ramené un poulet vivant. Elle l'avait emmené dans le jardin, l'avait coincé entre ses genoux tandis qu'il se débattait, tentant de se dégager, puis elle lui avait tordu le cou d'une main leste. Après un dernier spasme, le poulet s'était immobilisé.

« Tu vois, Nadezhda, c'est comme ça que nous mourrons. »

Le lapin et le poulet avaient tous les deux fini en cocotte avec de l'ail, des échalotes et des herbes du jardin ; et quand la viande avait été mangée, les os avaient servi à faire de la soupe. Rien n'avait été gaspillé.

Je m'installe sur un banc du cimetière, au pied du cerisier sauvage, et me replonge dans mes souvenirs, mais plus je fouille dans ma mémoire, plus j'ai du mal à distinguer les souvenirs des histoires que j'ai entendues. Quand j'étais petite, ma mère me racontait des histoires de famille – seulement celles qui finissaient bien. Ma sœur aussi me racontait des histoires – des histoires clairement stéréotypées, avec des bons (maman, les cosaques) et des méchants (papa, les communistes). Les histoires de Vera avaient toujours un début, un milieu, une fin et une morale. Parfois, mon père me racontait des histoires, lui aussi, mais c'étaient des récits à la structure complexe, la signification ambiguë et l'issue décevante, ponctués d'interminables digressions et bourrés de détails obscurs.

Moi aussi, j'ai une histoire à raconter. Jadis, nous formions une famille, ma mère, mon père, ma sœur et moi – une famille ni heureuse ni malheureuse, juste une famille qui avançait cahin-caha à mesure que les enfants grandissaient et que les parents vieillissaient. Je me souviens d'une époque où ma sœur et moi, nous nous aimions, une époque où mon père et moi, nous nous aimions. Peut-être même y a-t-il eu une époque où mon père et ma sœur s'aimaient – mais ça, je ne m'en souviens pas. Nous aimions tous maman et elle nous aimait tous. J'étais cette petite fille avec des nattes qui serre contre elle un chat tigré dont la photo se trouve sur la cheminée. Nous ne parlions pas la même langue que nos voisins et nous ne mangions pas la même chose, nous travaillions dur, nous ne dérangions personne et nous avions une conduite irréprochable pour que la police secrète ne vienne pas nous embarquer au milieu de la nuit.

Parfois, quand j'étais petite, je m'asseyais en pyjama dans le noir en haut de l'escalier, tendant l'oreille, essayant d'entendre ce que mes parents se disaient dans leur chambre, juste en dessous. De quoi parlaient-ils ? Je ne saisissais que des expressions, des bribes de phrases, mais je sentais la tension dans leurs voix. Ou encore, en entrant dans une pièce, je remarquais leur soudain changement de ton, le sourire fugace qui éclairait leurs visages.

Parlaient-ils de cette autre époque, cet autre pays ? Parlaient-ils de ce qui s'était passé entre l'époque de leur enfance et la mienne – quelque chose de si affreux que je ne devais jamais l'apprendre ?

Ma sœur a dix ans de plus que moi et elle avait déjà un pied dans le monde des adultes. Elle savait des choses que j'ignorais, des choses murmurées dont on ne parlait jamais ouvertement. Elle savait des secrets de grands, des secrets si terribles que le seul fait de les connaître l'avait à jamais meurtrie au plus profond d'elle-même.

À présent que maman est morte, Grande Sœur est devenue la dépositaire des archives de la famille, la conteuse d'histoires, la gardienne du récit qui détermine notre identité. C'est ce rôle, plus que tout autre, que j'envie et me refuse à admettre. Il est temps, me semble-t-il, de découvrir ce qui s'est réellement passé et de le raconter à ma manière.

5

Une brève histoire
du tracteur en Ukraine

Qu'est-ce que je sais de ma mère ? Ludmilla (dite
Milla ou Millochka) Mitrofanova est née en 1912 à
Novaya Aleksandria, une petite ville de garnison de
ce qui est aujourd'hui la Pologne, mais qui était à
l'époque située sur le flanc ouest de l'empire russe.
Son père, Mitrofan Ocheretko, était un officier de cavalerie, héros de la guerre et hors-la-loi. Sa mère, Sonia,
qui avait dix-neuf ans à sa naissance, était une institutrice stagiaire qui ne se laissait jamais abattre par
l'adversité.

Les Ocheretko n'étaient pas des nobles, mais de
riches paysans de la région de Poltava en Ukraine,
qui vivaient en bordure d'un *khutor* (autrement dit
un hameau) et cultivaient une trentaine d'hectares
sur la rive orientale de la Sula. C'étaient des cosaques, travailleurs acharnés et buveurs invétérés, qui
avaient réussi à amasser assez d'argent pour payer
les pots-de-vin nécessaires à l'obtention d'un contrat
lucratif grâce auquel ils étaient devenus fournisseurs
de chevaux de l'armée du tsar. Ce qui, à son tour, leur
avait permis d'économiser suffisamment pour réunir
la somme bien plus considérable qu'il leur fallait verser pour assurer à leur fils Mitrofan une place à l'académie militaire.

Mitrofan Ocheretko semble avoir été un brillant soldat : intrépide quoique prudent, il aimait la vie et respectait la mort. Contrairement aux officiers issus de la noblesse, qui considéraient les paysans à peine comme des êtres humains, Ocheretko était soucieux de ses troupes et ménageait leur vie, ne prenant jamais de risques sans que cela en vaille la peine. Il était sorti couvert de lauriers de la boue et du carnage de la Grande Guerre. Il avait connu son heure de gloire en 1916, sur le front de l'Est, quand il avait reçu une balle à la cuisse au lac Naroch en rampant dans un marais pour aller secourir le cousin du tsar, piégé par la fonte des neiges qui avait transformé les rives du lac en des kilomètres de vase mouvante. Ocheretko avait arraché à la mort le jeune aristocrate et l'avait porté dans ses bras sous les tirs d'artillerie qui pleuvaient autour de lui.

Son courage lui avait valu de recevoir la croix de Saint-Georges. C'est le tsar en personne qui la lui avait épinglée à la poitrine et la tsarina avait caressé la tête de la petite Ludmilla. Deux ans plus tard, le tsar et la tsarina étaient morts, et Ocheretko un hors-la-loi en fuite.

Après la révolution de 1917, Ocheretko ne s'était engagé ni dans l'Armée blanche russe, ni dans l'Armée rouge soviétique. Il avait préféré ramener Sonia et les trois enfants – ma mère, Ludmilla, avait désormais une petite sœur et un petit frère – à Potlava, où il les avait laissés dans une pauvre masure en bois du *khutor* pour aller se battre aux côtés des rebelles de l'armée républicaine nationale ukrainienne. C'était le moment ou jamais, en ces heures où la Russie se déchirait, offrant peut-être à l'Ukraine une occasion inespérée de se délivrer du joug impérial.

Durant ces années-là, Ludmilla ne vit guère son père. Parfois, il arrivait au beau milieu de la nuit, épuisé, affamé, et repartait avant le lever du jour.

« Ne dites à personne que papa était là », chuchotait sa mère aux enfants.

La guerre civile donna lieu à une série de massacres et de sanglantes représailles si effroyables qu'on eût dit que les hommes avaient perdu leur âme. Aucune ville, pas même le plus petit village ni un seul foyer, n'en sortit indemne. Les manuels d'histoire regorgent d'ingénieuses innovations destinées à infliger une mort lente et douloureuse. Le don de l'imagination, dénaturée par la soif de sang, inventa des tortures jusqu'alors inconcevables, et d'anciens voisins se changèrent en ennemis pour qui une simple exécution par balle eût été trop clémente. Mais mes parents ne parlèrent jamais de ces horreurs : j'étais l'enfant chérie de la paix.

Quand maman nous parlait de son enfance, elle dépeignait toujours une vie idyllique – de longs étés au soleil où ils ôtaient leurs chaussures pour courir dans les champs et se baignaient nus dans la Sula, ou emmenaient leur vache dans les pâturages éloignés, vivant en plein air de l'aube à la tombée du jour. Pas de souliers, pas de culotte, personne pour leur donner des ordres. Et ces herbes si hautes qu'ils pouvaient s'y cacher, d'un vert si gai, parsemé de fleurs rouges et jaunes. Et ce ciel si bleu, ces champs de blé qui s'étendaient en feuilles d'or à perte de vue. Parfois, dans le lointain, ils entendaient des tirs et voyaient des volutes de fumée qui s'élevaient d'une maison en flammes.

Planté devant la carte de l'Ukraine, mon père prodigue à un auditoire captif composé du seul Mike un cours pour le moins touffu sur l'histoire, la politique, la culture, l'économie, l'agriculture et l'industrie de l'aviation ukrainiennes. Son élève est confortablement installé dans un fauteuil, face à la carte, mais il a le regard fixé au-dessus de la tête du professeur.

Il a les joues cramoisies. Entre ses mains, il tient un verre du vin de prune fait maison de maman.

« On oublie souvent que la guerre civile n'était pas une simple histoire de lutte entre Blancs et Rouges. Il y a eu pas moins de quatre armées étrangères qui se sont battues pour prendre contrôle d'Ukraïna : Armée rouge des Soviets, armée impériale des Russes blancs, armée polonaise qui profitait pour monter invasion opportuniste et armée allemande qui soutenait régime fantoche de Skoropadski. »

Je coupe des légumes pour la soupe dans la cuisine en écoutant d'une oreille.

« Les Ukrainiens étaient dirigés par anciens atmans cosaques ou regroupés sous bannière anarchiste de Makhno. Leur objectif à la fois simple et irréalisable était de libérer Ukraïna de toutes les forces d'occupation. »

Le secret de la fabuleuse soupe de ma mère était de mélanger une bonne dose de sel (ils souffraient tous les deux d'hypertension), une grosse noix de beurre (ils ne se souciaient pas de leur taux de cholestérol), des légumes, de l'ail, des herbes fraîchement coupées dans le jardin. Je suis incapable de faire une soupe pareille.

« Mitrofan Ocheretko, le grand-père de Nadezhda, s'est engagé dans une troupe dirigée par Atman Tiutiunik, dont il est devenu le commandant en second. Ils étaient vaguement alliés au "Directoire ukrainien" de Simon Petlura. Ocheretko, entre parenthèses, était un élément tout à fait remarquable, avec des moustaches majestueuses et des yeux noirs comme du charbon. J'ai vu son portrait, mais je ne l'ai jamais rencontré en personne, naturellement. »

Quand la soupe frémissait, elle ajoutait quelques bonnes cuillerées de *halushki* – une pâte à base d'œuf cru et de semoule battus avec du sel et des herbes – qui gonflaient pour former des boulettes qui se désagrégeaient sur la langue.

« À la fin de guerre civile, Ocheretko a fui en Turquie. Or le frère de Sonia, Pavel – un élément tout à fait remarquable, entre parenthèses, un ingénieur des chemins de fer qui avait construit première ligne ferroviaire reliant Kiev à Odessa –, était un ami de Lénine. À cause de ça, des lettres ont été échangées et Mitrofan Ocheretko a été réhabilité en vertu de l'amnistie et a obtenu un poste de maître d'escrime académie militaire de Kiev. Et c'est là, à Kiev, qu'on s'est rencontrés, moi et Ludmilla. »

Il a la voix toute rauque.

« Papa, Mike, à table, le déjeuner est prêt ! »

Entre le moment où Valentina rentra en Ukraine et celui où elle revint en Angleterre, mon père connut une période d'épanouissement personnel et d'activité intellectuelle intense. Il recommença à pondre des poèmes qu'il laissait traîner aux quatre coins de la maison sur des bouts de papier, tous rédigés en caractères cyrilliques de sa petite écriture en pattes de mouche. À une ou deux reprises, je déchiffrai le mot « amour », mais je ne pouvais me résoudre à les lire.

Chaque semaine, il écrivait à Valentina en Ukraine et, entre deux lettres, il téléphonait et discutait parfois avec elle, parfois avec l'élément remarquablement intelligent qu'elle avait pour mari. Pour avoir vu les factures de téléphone, je sais que c'étaient des appels prolongés.

Toutefois, il se montrait très cachottier avec ma sœur et moi. Il refusait qu'on lui dise ce qu'il devait faire. Sa décision était déjà prise.

Vera alla le voir en septembre. Elle me fit un compte rendu de sa visite :

« La maison est dans un état répugnant. Il mange sur des journaux. Il se nourrit exclusivement de pommes. J'ai essayé de le persuader d'aller dans une résidence pour personnes âgées, mais il m'a dit que tu l'en avais dissuadé. Je vois mal à quoi ça t'avance, Nadezhda. Tu dois te dire que s'il vend la maison, tu ne pourras pas hériter de ta part. Franchement ! C'est incroyable d'être obsédée à ce point. La maison est bien trop grande pour lui. J'ai essayé de lui trouver une aide ménagère, mais il refuse. Quant à cette histoire sordide… J'ai bien essayé de savoir où il en était avec cette poule, mais il refuse d'en parler. À chaque fois, il change de sujet. Je ne sais pas ce qu'il a. Son comportement est extrêmement bizarre. On devrait aller voir le médecin pour le faire interner, tu ne crois pas ? On dirait qu'il est enfermé dans son monde à lui. »

Je tiens le téléphone loin de mon oreille en la laissant soliloquer à n'en plus finir.

Le lendemain, il me téléphone pour me raconter la visite de Grande Sœur :

« Quand j'ai vu la voiture se garer dans l'allée et je l'ai vue descendre et s'approcher de la maison, tu imagines, Nadezhda ? J'ai opéré défécation involontaire dans le pantalon. » C'était à croire, me dit-il, que ses boyaux ne lui appartenaient pas, mais qu'ils étaient une force discrète de la nature. « C'est terrible autocrate, cette Vera. Tyran. Comme Staline. Elle me harcèle tout le temps. Fais ci, fais ça. Pourquoi il faut toujours que je fasse ce qu'on me dit de faire ? Je peux bien prendre décision tout seul, non ? Maintenant, elle me dit qu'il faut aller dans résidence pour personnes âgées. Je n'ai pas les moyens de payer résidence pour personnes âgées. C'est trop cher pour moi. Il vaut mieux que je reste ici, je vive ici, je meure ici. Dis-lui ça. Dis-lui je veux qu'elle ne vienne plus me voir. Toi et Michael, vous pouvez venir. »

Quand nous revenons le voir, la fois suivante, nous trouvons la maison et le jardin dans l'état que ma sœur nous a décrit. Un mince voile de poussière grise recouvre les peintures blanches et s'accroche aux toiles d'araignée du plafond. Le salon regorge de pommes tombées récoltées dans le jardin et étalées dans des cageots et des cartons posés sur la table, les chaises, le buffet et même le haut de l'armoire, emplissant la maison de leur odeur de fruits trop mûrs. Des mouches du vinaigre tournent autour des Grieves et des Beauty of Bath, plus tendres que les autres, qui ont déjà commencé à brunir et se boursoufler de moisissures que mon père est trop myope pour remarquer. Installé au bout de la table avec son petit couteau, il les pèle et les coupe, puis les dispose en piles format Toshiba. Quant à lui, il m'a l'air en bien meilleure forme.

« Bonjour, bonjour ! nous lance-t-il chaleureusement. Rien de neuf. Pommes excellentes ! Regardez ! » Il nous offre une assiette de sa mixture gluante cuite au Toshiba. « Aujourd'hui, il faut aller bibliothèque. J'ai commandé des livres. Je m'intéresse beaucoup question de conception globale de l'ingénierie vue comme idéologie incorporée dans design de nouvelles machines. »

Mike est manifestement impressionné. Je lève les yeux au plafond. Mon père continue laborieusement à tracer son sillon, exhumant des idées aux relents totalitaires.

« Comme Marx a dit lui-même, les rapports de production sont matérialisés dans mécanismes de production. Prenez par exemple le tracteur. Au dix-neuvième siècle, premiers tracteurs étaient fabriqués par chaque artisan dans son atelier. Aujourd'hui, ils sont fabriqués sur chaîne de montage et au bout de chaîne de montage il y a un homme avec chronomètre. Il mesure le processus. Pour améliorer rendement, ouvrier doit travailler plus. Maintenant, si on prend l'homme qui laboure le champ : il est seul dans cabine. Il manie leviers et le tracteur laboure. Il suit inclinaison du terrain, il tient compte de la terre et du temps qu'il fait. Il croit qu'il maîtrise processus. Mais au bout du champ il y a un autre homme avec chronomètre. Il observe le conducteur du tracteur, note les droites et les tournants. Un temps précis est imparti pour le labourage d'un champ, et salaire d'ouvrier est fixé en fonction de ça. Mais à notre époque de contrôle numérique informatisé, même l'homme avec chronomètre sera licencié et le chronomètre sera intégré dans équipements du tableau de bord. »

Il brandit le petit couteau avec une énergie frénétique. Des pelures de pomme en spirale glissent de la table sur le tapis, où elles sont piétinées et réduites en une odorante bouillie.

« C'est la poussée de testostérone, me glisse Mike tandis que nous escortons mon père dans la foule du samedi matin qui encombre les rues de Peterborough. Regarde, son dos s'est redressé, il a moins d'arthrite. On a du mal à le suivre. »

C'est vrai. Mon père cavale en tête, filant comme une flèche, zigzaguant entre les passants, obnubilé par son idée. Il va à la bibliothèque chercher ses livres. Il trotte en clopinant, le corps plié au niveau des hanches, les mains sur les côtés, le cou tendu, la mâchoire serrée, le regard rivé droit devant lui.

« Oh, vous êtes tous les mêmes, les hommes. Vous croyez toujours que le sexe est le remède à tout.

— Ça guérit pas mal de choses.

— C'est drôle, mais quand je raconte cette histoire de Valentina et de mon père à mes copines, elles sont horrifiées. Elles voient un vieillard vulnérable qui se fait exploiter. Mais tous les hommes à qui j'en parle – tous sans exception, Mike (j'agite l'index) – réagissent avec cet air désabusé, ces sourires entendus, ces petits rires admiratifs. Quel cavaleur ! Quel exploit d'avoir levé cette jeune nana ! Bonne chance à lui. Il faut bien qu'il s'amuse un peu.

— Tu dois admettre que ça lui a fait du bien.

— Je refuse d'admettre quoi que ce soit. »

(J'éprouve bien moins de satisfaction à me disputer avec Mike qu'avec Vera ou papa. Il est toujours si raisonnable, c'en est exaspérant.)

« Tu ne crois pas que tu es un peu puritaine sur les bords ?

— Mais non ! (Et quand bien même je le serais ?) C'est parce que c'est mon père – je veux seulement qu'il se conduise en adulte.

— Il se conduit en adulte, à sa manière.

— Non, il se conduit en cavaleur. Un cavaleur de quatre-vingt-quatre ans. Vous n'êtes tous qu'une bande de cavaleurs en goguette. Et vas-y que je te fais un petit clin d'œil, un petit coup de coude. Vise-moi cette paire de nichons. Mais bon sang, on croit rêver ! » Je me suis mise à glapir.

« Mais tu vois bien que ça lui a fait du bien, cette relation. Ça lui a redonné un nouveau souffle. Ça prouve que l'amour n'a pas d'âge.

— Tu veux dire le sexe.

— Peut-être aussi. Ton père espère seulement accomplir le rêve de tout homme – se trouver dans les bras d'une belle jeune femme.

— Le rêve de tout homme ? »

Ce soir-là, Mike et moi faisons lit à part.

Mon père a commandé à la bibliothèque plusieurs ouvrages d'ingénieurs du dix-neuvième siècle : John Fowler, David Greig, Charles Burrell, les frères Fisken. Encouragé par le mari de Valentina, le directeur d'institut de technologie si intelligent, il s'est lancé dans des recherches pour écrire son chef-d'œuvre : *Une brève histoire du tracteur en Ukraine*.

Le premier tracteur fut inventé par un certain John Fowler, un quaker, un élément intelligent et sobre. Pas une goutte de vodka, de vin ou même de bière ne franchissait ses lèvres et, pour cette raison même, il avait un cerveau d'une lucidité extraordinaire. Certains le considèrent comme un génie.

Fowler était un homme bon qui voyait dans le tracteur un moyen d'émanciper les masses laborieuses d'une vie de labeur abrutissante pour les amener à goûter la vie spirituelle. Il travaillait jour et nuit pour améliorer ses plans.

Il écrit en ukrainien avant de traduire laborieusement en anglais à l'usage de Mike (il a étudié l'anglais et l'allemand au lycée). Je suis étonnée de la qualité de son anglais écrit, même si je dois parfois l'aider pour traduire.

Le premier tracteur qu'inventa Fowler n'était pas à proprement parler un tracteur, dans la mesure où il ne tirait pas de charrue. Néanmoins, c'était un engin d'une ingéniosité extraordinaire. Le tracteur de Fowler consistait en deux moteurs positionnés de part et d'autre d'un champ, et reliés à un câble enroulé auquel étaient fixées des lames de charrue. Quand les moteurs tournaient, le câble tirait la charrue d'un bout à l'autre du champ dans un mouvement de va-et-vient continu.

La voix de mon père monte et redescend, monotone, pareille au vrombissement d'un bourdon repu. Il fait chaud et dans la pièce flottent des odeurs de moisson. Dehors, par la fenêtre, un crépuscule violacé s'étend au-dessus des champs. Un tracteur va et vient lentement, enfouissant déjà le chaume brûlé dans la terre.

6

Photos de mariage

En dépit de tous nos efforts, à Vera et à moi, Valentina et son fils Stanislav revinrent en Angleterre le 1er mars. Ils franchirent la frontière à Ramsgate avec des visas de tourisme de six mois. À l'ambassade britannique de Kiev, personne ne contesta leurs visas ; à Ramsgate, personne ne s'avisa d'examiner leurs passeports de plus près. Une fois de retour à Peterborough, ils s'installèrent chez Bob Turner. Valentina se trouva un emploi dans un hôtel à proximité de la cathédrale et mit aussitôt à exécution son projet de mariage avec mon père. Tels sont du moins les éléments que je pus reconstituer à partir de longues heures de conversations téléphoniques.

Mon père s'efforce de son mieux de nous laisser dans l'ignorance, ma sœur et moi. Quand on lui pose une question directe, il change de sujet, mais il ne sait pas très bien mentir et se fait souvent prendre sur le fait. Il oublie ce qu'il nous a dit à chacune et croit que nous ne nous adressons plus la parole. Mais nous nous sommes mises à échanger nos informations.

« Bien sûr qu'il lui a envoyé ces mille huit cents livres, Vera. Il les a déposées sur son compte et elle a tout retiré. Et il lui a fait des versements réguliers tout le temps qu'elle a passé là-bas.

— Sérieusement ! Cette fois c'en est trop ! » La voix de Grande Sœur prend des accents théâtraux. « Ça doit représenter les trois quarts de sa pension.

— Il a aussi envoyé l'argent des billets de car de Lviv à Ramsgate pour elle et Stanislav. Sur ce, elle lui a dit qu'elle avait encore besoin d'argent pour un visa de transit autrichien.

— Maman avait raison, dit Vera. Il n'a aucun bon sens.

— Il faudra bien qu'il s'arrête quand il n'aura plus d'argent.

— Peut-être. À moins que ça ne fasse que commencer. »

Mon père ne se contente pas d'avoir secouru cette belle Ukrainienne sans ressources, il est désormais en mesure d'encourager le talent de son fils extraordinairement doué.

Stanislav, qui a tout juste quatorze ans, est allé consulter un psychologue indépendant qui, pour une modique somme réglée par mon père, a testé son QI et rédigé un certificat affirmant que c'est un génie. Sur la foi de ce dernier, ce garçon (qui entre parenthèses est aussi un musicien de talent, qui joue du piano) s'est vu offrir une place dans un prestigieux lycée privé de Peterborough. (Il va de soi qu'il est bien trop intelligent pour l'établissement du coin, qui n'est bon que pour les fils et filles des ouvriers agricoles.)

Ma sœur, qui débourse une petite fortune pour envoyer ses filles extraordinairement douées dans un lycée chic, est indignée. Moi qui envoie ma fille extraordinairement douée au lycée municipal suis tout aussi indignée. Nos débordements de rage bouillonnent allégrement d'un bout à l'autre du fil. Nous avons enfin quelque chose en commun.

Autre chose. Ainsi que Roméo et Juliette l'ont découvert à leurs dépens, dans le mariage il n'est jamais question de deux êtres qui s'aiment, mais de familles. Vera et moi ne voulons pas de Valentina dans notre famille.

« Soyons franches, dit Vera. Nous ne voulons pas qu'une femme aussi ordinaire (ce n'est pas moi qui l'ai dit !) porte notre nom.

— Enfin, Vera. Notre famille n'a rien d'extraordinaire. C'est juste une famille comme les autres. »

J'ai entrepris de contester à ma sœur ce rôle de dépositaire de l'histoire familiale qu'elle s'est arrogé. Et ça ne lui plaît pas.

« On descend d'une lignée de bons bourgeois, Nadezhda. Et non d'arrivistes.

— Mais les Ocheretko étaient quoi, déjà ?... De riches paysans...

— Fermiers.

— ... devenus marchands de chevaux.

— Éleveurs de chevaux.

— Des cosaques, en tout cas. Un peu fantasques, dirais-je.

— Hauts en couleur.

— Et les Mayevskyj étaient des professeurs.

— Grand-père Mayevskyj était ministre de l'Éducation.

— Ça n'a duré que six mois, à peine. Et d'un pays qui n'existait pas vraiment.

— Mais bien sûr que l'Ukraine libre a existé. Franchement, pourquoi faut-il toujours que tu voies tout de façon négative ? Tu te prends pour une vestale de l'histoire ou quoi ?

— Non, mais... (Naturellement, c'est précisément ça.)

— Quand j'étais petite... » Son ton s'adoucit. Je l'entends qui cherche une cigarette. « Quand j'étais petite, *baba* Sonia me racontait l'histoire de son mariage. Ça, c'est ce que j'appelle un vrai mariage, et non cette pitoyable mascarade dans laquelle notre père est en train de se laisser entraîner.

— Mais regarde un peu les dates, Vera. La mariée était enceinte de quatre mois.

— Ils étaient amoureux. »

C'est quoi, ça ? Grande Sœur serait-elle une crypto-romantique ?

La mère de maman, Sonia Blazhko, avait dix-huit ans quand elle épousa Mitrofan Ocheretko sous le dôme doré de la cathédrale Saint-Michel à Kiev. Elle portait une robe blanche et un voile, avec un joli médaillon au cou. Même si elle était menue, sa grossesse devait commencer à se voir. Son frère aîné, Pavel Blazhko, ingénieur des chemins de fer et par la suite ami de Lénine, la conduisit à l'autel car son père était trop faible pour rester debout pendant la messe. Sa sœur aînée, Shura, qui venait d'obtenir son diplôme de médecine, était demoiselle d'honneur. Ses deux sœurs cadettes, qui étaient encore au lycée, la recouvrirent de pétales de rose et fondirent en larmes quand elle embrassa le marié.

Les hommes du clan Ocheretko avaient fait leur entrée dans l'église en bottes de cheval et chemises brodées assorties d'extravagants pantalons bouffants. Les femmes, quant à elles, étaient vêtues d'amples jupes tournoyantes et de bottines à petits talons, avec des rubans de couleur dans les cheveux. Ils restèrent tous farouchement massés au fond de l'église et repartirent brusquement à la fin sans même glisser une enveloppe au prêtre.

Les Blazhko regardaient de haut la famille du marié, qu'ils jugeaient fruste, guère plus qu'une horde de brigands qui buvaient trop et n'avaient jamais vu un peigne de leur vie. Les Ocheretko trouvaient que les Blazhko n'étaient qu'une bande de chochottes de la ville qui avaient trahi leur pays. Sonia et Mitrofan se fichaient de ce que pensaient leurs parents. L'union avait déjà été consommée et le fruit de leurs amours était en route.

« Bien sûr, elle a été démolie en 1935.

— Quoi donc ?

— Saint-Michel des Dômes d'or.

— Qui l'a démolie ?

— Les communistes, naturellement. »

Ha ! Ainsi donc, cette histoire romantique comporte un niveau de lecture subliminaire.

« Papa et Valentina sont amoureux, Vera.

— Comment peux-tu dire des bêtises pareilles ? Tu ne grandiras donc jamais ? Écoute, ce qu'elle cherche, c'est un passeport, un permis de travail et le peu d'argent qu'il reste à papa. Ça crève les yeux. Et lui, il est tout bonnement hypnotisé par ses nichons. Il ne parle que de ça.

— Il parle beaucoup de tracteurs.

— De tracteurs et de nichons. Voilà tout. »

(Pourquoi le déteste-t-elle autant ?)

« Et papa et maman, tu crois qu'ils étaient amoureux quand ils se sont mariés ? Ce n'était pas plutôt un mariage de convenance, d'une certaine manière ?

— Ce n'était pas la même chose. C'était une autre époque, répond Vera. Dans des périodes comme celles-là, les gens font tout pour survivre. Pauvre maman ! Après tout ce qu'elle avait subi, finir avec papa... Quel destin cruel ! »

En 1930, quand ma mère avait dix-huit ans, son père fut arrêté. Il allait falloir encore plusieurs années avant que les purges ne culminent dans l'horreur, mais tout se déroula dans la pure tradition de la Terreur – des coups frappés à la porte au beau milieu de la nuit, les enfants qui hurlent, ma grand-mère Sonia Ocheretko en chemise de nuit, les cheveux défaits ruisselant dans le dos, suppliant les officiers.

« Ne t'en fais pas, ne t'en fais pas ! lança mon grand-père par-dessus son épaule tandis qu'on l'embarquait avec pour seuls vêtements ceux qu'il portait au saut du lit. Je serai de retour demain matin. » On ne l'avait jamais revu. Il avait été conduit à la prison militaire de Kiev, où il avait été accusé d'entraîner en secret les combattants nationalistes ukrainiens. Était-ce vrai ? Nous ne le saurons jamais. Il n'y eut pas de procès.

Jour après jour, pendant six mois, Ludmilla, son frère et sa sœur accompagnèrent leur mère à la prison avec un paquet de vivres. Ils le tendaient au garde qui se tenait à l'entrée en espérant qu'il puisse parvenir en partie à leur père. Un matin, le garde leur annonça : « Inutile de revenir demain. Il n'aura plus besoin de vos vivres. »

Ils eurent de la chance. Au cours des dernières années de purges, non seulement les coupables, mais également leur famille, leurs amis et leurs connaissances – toute personne qui pouvait être soupçonnée de complicité avec eux – étaient envoyés en camp de discipline. Ocheretko fut exécuté, mais sa famille fut épargnée. Toutefois, il était désormais risqué pour eux de rester à Kiev. Ludmilla fut expulsée de l'école vétérinaire – elle était à présent la fille d'un ennemi du peuple. Son frère et sa sœur furent retirés de l'école. Ils retournèrent au *khutor*, où ils s'efforcèrent de vivoter misérablement.

Et ce n'était pas facile. Bien que la terre de Poltava soit l'une des plus fertiles de toute l'Union soviétique, les paysans connurent la famine. À l'automne 1932, l'armée saisit toute la récolte. Elle s'empara même des réserves de semences de blé de l'année suivante.

Maman disait que la famine avait pour but de briser le moral du peuple et le forcer à accepter la collectivisation. Staline pensait que la mentalité étroite, cupide et superstitieuse des paysans serait remplacée par la noblesse de l'esprit de camaraderie prolétarienne. (« Tout ça, ce ne sont que d'infâmes inepties, disait maman. La seule obsession était de sauver sa peau. Manger. Manger. Demain, on n'aura peut-être plus rien. »)

Les paysans mangèrent leurs vaches, leurs poulets, leurs chèvres, puis leurs chats et leurs chiens ; puis les rats et les souris ; puis il ne resta plus que de l'herbe. Au total, ce furent entre sept et dix millions de personnes qui moururent en Ukraine durant la famine artificielle de 1932-1933.

Sonia Ocheretko survécut. Elle confectionna une soupe aqueuse à base d'herbe et d'oseille sauvage qu'ils cueillaient dans les champs. Elle déterra des racines de raifort et d'artichauts tubéreux, et trouva quelques pommes de terre dans le jardin. Quand ces réserves furent épuisées, ils prirent au piège les rats qui vivaient dans le toit de chaume et les mangèrent, puis ils mangèrent le chaume et mâchèrent le cuir des harnais pour apaiser les tiraillements d'estomac. Quand la faim les empêchait de dormir, ils chantaient :

Au-delà d'une haute colline s'étend une prairie,
Une verte prairie, une prairie si riche
Qu'on se croirait au paradis.

Dans le village voisin, une femme avait mangé son bébé. Elle était devenue folle et errait par les chemins en criant : « Mais la petite était déjà morte. Elle était morte. Quel mal y a-t-il à l'avoir mangée ? Elle était si dodue ! Pourquoi gaspiller ? Je ne l'ai pas tuée ! Non ! Non ! Non ! Elle était déjà morte. »

Ils furent sauvés par l'éloignement de leur *khutor* – si tant est que quiconque se souvînt encore de leur existence, on les croyait sans doute morts. En 1933, ils réussirent à obtenir un laissez-passer et firent le long voyage jusqu'à Luhansk, qui devait bientôt être rebaptisé Voroshilovgrad, où habitait Shura, la sœur de Sonia.

Shura était médecin et avait six ans de plus que Sonia. Elle avait un humour caustique, les cheveux teints en roux, un penchant pour les chapeaux extravagants, un rire fracassant (elle fumait des cigarettes roulées avec du tabac qu'elle cultivait chez elle) et un mari plus âgé qu'elle – membre du parti et ami du maréchal Voroshilov – qui avait le bras long. Ils habitaient une vieille maison en bois aux abords de la ville, avec un auvent sculpté, des volets peints en bleu et un jardin semé de tournesols et de plants de tabac. Shura, qui n'avait pas d'enfants, choyait ceux de Sonia. Quand Sonia trouva un poste de professeur et s'installa en ville dans un petit appartement avec ses deux plus jeunes enfants, Ludmilla resta chez sa tante Shura. Le mari de tante Shura lui dénicha une place dans une usine de locomotives de Luhansk, où elle devait recevoir une formation de conductrice de grue. Ludmilla était réticente. Qu'avait-elle à faire des grues ?

« Vas-y, fais-le, la supplia tante Shura. Tu deviendras une prolétaire. »

Au début, elle fut emballée par la maîtrise de ces puissants engins qui se balançaient et pivotaient sur ses ordres. Puis ça devint une routine et elle finit par s'ennuyer à mourir. Elle se reprit à rêver de devenir vétérinaire. Les animaux respiraient la vie, ils étaient tièdes sous les doigts, plus intéressants à manipuler et dompter qu'une simple machine que l'on faisait fonctionner avec des leviers. (« Les tracteurs et les grues sont bien peu de chose comparés à un cheval, Nadia ! ») À l'époque, les chirurgiens vétérinaires ne travaillaient qu'avec les animaux de taille – les seuls qui importaient : les vaches, les taureaux, les chevaux. (« Imagine un peu, Nadia, ces Anglais sont capables de dépenser cent livres pour sauver un chat ou un chien qu'on peut ramasser dans la rue pour rien. Quels sentimentaux ils font ! »)

Elle écrivit à l'institut de Kiev et reçut une liasse de formulaires à remplir, lui demandant de mentionner en détail la profession de ses parents et de ses grands-parents – leur place dans l'échelle sociale.

Seuls les membres du prolétariat avaient le droit d'étudier à l'université. Elle renvoya les formulaires le cœur lourd et ne fut guère étonnée de ne recevoir aucune réponse. Elle avait vingt-trois ans et elle semblait être dans l'impasse. C'est alors qu'elle reçut une lettre de cet étrange garçon qu'elle avait connu à l'école.

Les mariages, tout comme les enterrements, sont le théâtre idéal des drames familiaux : il y a les rites, les tenues symboliques et l'occasion de déployer toutes les formes de snobisme possibles et imaginables. Selon Vera, la famille de mon père désapprouvait les Ocheretko. La jeune Ludmilla était certes jolie, disait *baba* Nadia, mais un peu fantasque. Et le moins qu'on puisse dire, c'est qu'il était dommage que son père soit un ennemi du peuple.

Baba Sonia, quant à elle, trouvait la famille de mon père prétentieuse et bizarre. Les Mayevskyj appartenaient à la petite intelligentsia ukrainienne. Grand-père Mayevskyj, le père de Nikolaï, était un véritable géant avec une crinière flottante de cheveux blancs et de petites lunettes en demi-lune. Durant la brève éclosion de l'indépendance ukrainienne en 1918, il occupa même le poste de ministre de l'Éducation pendant six mois. Quand Staline arriva au pouvoir, anéantissant toute idée d'autonomie ukrainienne, il devint directeur de l'école d'ukrainien de Kiev, qui fonctionnait grâce aux contributions volontaires et subissait la pression constante des autorités.

C'est dans cette école que mon père et ma mère se rencontrèrent. Ils étaient dans la même classe. Nikolaï était toujours le premier à lever la main, toujours en tête de classe. Ludmilla trouvait qu'il était insupportable de pédanterie.

Nikolaï Mayevskyj et Ludmilla Ocheretko se marièrent au bureau de l'état civil de Luhansk à l'automne 1936. Ils avaient vingt-quatre ans. Il n'y avait ni dômes dorés, ni cloches, ni fleurs. La cérémonie fut menée par une fonctionnaire du parti rondouillarde sanglée dans un tailleur vert bouteille et un chemisier blanc dont la propreté laissait à désirer. La fiancée n'était pas enceinte et personne ne versa de larmes, bien qu'il y eût amplement de quoi pleurer.

S'aimaient-ils ?

Non, dit Vera, elle l'a épousé parce qu'il lui fallait un moyen de s'en sortir.

Oui, dit mon père, il n'avait jamais rencontré de femme aussi ravissante, aussi pétulante. Il fallait voir ses yeux noirs quand elle était en rage. Elle patinait comme une reine. C'était une merveille de la voir à cheval.

Qu'ils se soient ou non aimés, ils restèrent ensemble soixante ans.

« Dis, papa, quel souvenir gardes-tu de Ludmilla ? Comment était-elle quand tu l'as rencontrée ? (Je tente une thérapie par la réminiscence. J'espère vaguement qu'en lui saturant l'esprit d'images de ma mère je réussirai à éliminer l'intruse.) Tu as eu le coup de foudre ? Est-ce qu'elle était belle ?

— Oui. Très belle sur tous les plans. Mais bien sûr pas aussi belle que Valentina. »

Sur ce, il s'assied avec un petit sourire furtif aux lèvres, des mèches argentées retombant sur son col élimé, ses lunettes réparées à l'adhésif d'emballage au bout du nez, lui cachant les yeux, ses mains enflées par l'arthrite serrant un *mug* de thé. J'ai envie de le lui arracher pour le lui balancer à la figure. Mais je m'aperçois qu'il n'a pas la moindre idée de l'effet que ses paroles peuvent avoir sur moi.

« Est-ce que tu l'aimais ? (Plus que Valentina, j'entends.)

— Ah, l'amour ! C'est quoi, l'amour ? Personne ne peut comprendre. Là-dessus, la science doit s'incliner devant la poésie. »

Mon père ne nous invite pas au mariage, mais il laisse échapper la date : « Pas besoin de venir me voir en ce moment. Tout va bien. Vous pourrez venir après le 1ᵉʳ juin », dit-il.

« Il nous reste quatre semaines pour empêcher ce mariage », dit ma sœur.

Mais j'hésite. Je suis émue par sa joie, ce regain de vitalité. Sans compter que je suis sensible à l'opinion de Mike.

« Peut-être que tout se passera bien. Peut-être qu'elle s'occupera de lui et lui apportera le bonheur dans ses vieux jours. Il vaut mieux ça qu'une maison de retraite.

— Bon sang, Nadia ! Tu ne crois tout de même pas que cette femme sera encore là quand il sera vieux, incontinent et dégoulinant de bave. Elle mettra la main sur tout ce qu'elle peut et fichera le camp.

— Mais, regardons les choses en face, ni toi ni moi ne nous occuperons de lui quand il sera vieux. (Mieux vaut en parler ouvertement, même si c'est cruel à entendre.)

— J'ai fait ce que j'ai pu pour maman. Envers papa j'éprouve un sentiment de devoir. Rien de plus.

— Ce n'est pas si facile de l'aimer. » Elle y voit un reproche, même si ce n'est pas le cas.

« L'amour n'a rien à voir là-dedans. Je ferai mon devoir, Nadezhda. Comme toi, je l'espère. Même s'il s'agit de lui éviter de complètement se ridiculiser.

— C'est vrai que je ne pourrais pas m'occuper de lui à plein temps, Vera. On se disputerait tout le temps. Ça me rendrait folle. Mais j'ai envie qu'il aille bien, qu'il soit heureux. Si Valentina le rend heureux...

— Il ne s'agit pas de bonheur, Nadezhda, il s'agit d'argent. Tu ne vois pas ? Avec tes idées de gauche, tu te crois sans doute obligée d'accueillir à bras ouverts tous ceux qui viennent dépouiller les gens qui travaillent dur.

— De gauche ou pas, ça n'a rien à voir. Ce qui compte, c'est ce qu'il y a de mieux pour lui. (Le ton hautain. Vous voyez, je ne suis pas une fasciste comme ma sœur.)

— Naturellement. Naturellement. Je n'ai jamais dit le contraire. »

Ma sœur rappelle le Home Office. On lui dit d'écrire. Elle écrit une autre lettre anonyme. Elle téléphone au bureau de l'état civil où leur mariage doit être contracté. L'employée de l'état civil l'écoute d'une oreille compatissante.

« Mais vous savez, s'il a décidé d'aller jusqu'au bout, je ne peux absolument rien faire, lui répond-elle.

— Mais son divorce en Ukraine a été prononcé comme ça, à la dernière minute. Et juste après le divorce, elle est retournée s'installer chez son ex-mari.

— Je vérifierai les papiers, mais si tout est en ordre...

— Et la traduction ? Elle a dû aller le faire traduire en catastrophe dans une agence de Londres. Ils ont peut-être confondu jugement définitif et jugement provisoire. » Ma sœur est experte en matière de divorce.

« Je vérifierai de près, naturellement. Mais je ne parle pas ukrainien. Je serai obligée de me fier à ce que je vois. Il est adulte.

— Il ne se conduit pas en adulte.

— Ah, que voulez-vous... »

Elle avait tout d'une bureaucrate des services sociaux, me dit ma sœur. Elle allait faire son possible, mais, bien entendu, elle devait se conformer au règlement.

Nous nous mettons à fantasmer en nous imaginant débarquer au mariage et nous faufiler discrètement en pleine cérémonie alors que le couple serait devant l'autel.

« Je mettrai mon tailleur noir, dit Vera, celui que j'avais à l'enterrement de maman. Et au moment où le prêtre dira : "Et si quiconque connaît une cause légitime qui puisse empêcher cette union...", on criera tout au fond. (J'ai toujours rêvé de faire ça.)

— Mais qu'est-ce qu'on dira ? » je demande à ma sœur.

On sèche toutes les deux.

Mon père et Valentina se marièrent le 1er juin en l'église de l'Immaculée Conception, car Valentina est catholique. Bien que mon père soit athée, il a accepté pour lui faire plaisir. (Les femmes sont irrationnelles, c'est naturel, dit-il.)

Il lui a donné cinq cents livres pour la robe de mariage : en soie polyester crème, moulante au niveau des hanches et de la taille, avec un décolleté plongeant bordé d'un volant en dentelle qui laisse entrevoir la fameuse poitrine botticellienne modestement nichée dans son cocon. (J'ai vu les photos du mariage.) Je l'imagine d'ici faire tout un cinéma pour s'assurer que le photographe dont il a loué les services prenne les meilleurs angles. Il est fier de pouvoir exhiber son trophée sous les yeux de tous ces sceptiques médisants qui l'ont couvert de mépris. Elle a besoin des photos pour les fonctionnaires de l'immigration.

Le prêtre était un jeune Irlandais qui, au dire de mon père, avait une tête d'adolescent boutonneux et les cheveux hérissés sur le crâne. Qu'a-t-il pensé de ce couple curieusement assorti quand il a béni leur union ? Savait-il que la mariée était divorcée ? A-t-il éprouvé ne serait-ce qu'un léger malaise ? Les Zadchuk, les seuls amis ukrainiens de Valentina, sont également des catholiques de l'ouest de l'Ukraine. Tous les autres Ukrainiens de l'assemblée, les amis de ma mère que mon père avait invités, sont des orthodoxes de l'Est. Il est probable que la jeunesse du prêtre et sa peau boutonneuse n'ont fait que confirmer les soupçons qu'ils nourrissaient à l'égard du catholicisme.

Son oncle de Selby est sur la photo de groupe, tout comme Stanislav et quelques amis qu'elle a connus au travail. Ils ont l'air suffisant, l'allure endimanchée de fieffés imposteurs jouant effrontément la mascarade. Bob Turner n'est pas là.

Après le mariage, ces mêmes gens qui deux ans plus tôt étaient assis dans notre salon après l'enterrement de ma mère sont revenus boire de la vodka à la santé des heureux mariés, grignoter des biscuits apéritifs du supermarché et parler de… je ne sais pas, je n'étais pas là. Mais j'imagine les racontars, le scandale. La moitié de son âge. Regardez-moi cette poitrine… et cette façon qu'elle a de l'agiter sous le nez des hommes. Cette figure tartinée. Ce vieillard en train de se ridiculiser. Quelle honte !

7

Poubelle

Trois semaines après le mariage, je n'ai toujours pas rencontré ma nouvelle belle-mère.

« Alors, quand est-ce qu'on peut venir faire la connaissance de l'heureuse mariée ? je demande à mon père.

— Pas encore. Pas encore.

— Mais quand ?

— Pas encore.

— Pourquoi pas encore ?

— Elle n'est pas encore là.

— Comment ça, pas là ? Où est-elle ?

— Peu importe. Pas là. »

Quel vieil entêté ! Il ne veut rien me dire. Mais je découvre tout de même la vérité. Je lui tends un piège :

« C'est quoi, cette épouse qui ne veut même pas habiter avec son mari ?

— Elle viendra bientôt. Dans trois semaines. Quand Stanislav aura fini l'école.

— Qu'est-ce que ça change, qu'il soit ou non en vacances ? Si elle t'aimait, elle serait ici.

— Mais il est juste à côté de l'école. C'est plus pratique pour Stanislav.

— Hall Street ? Là où habite Bob Turner ? Si je comprends bien, elle est toujours avec Bob Turner.

— Oui. Non. Mais leur relation est tout à fait platonique. Elle m'a assuré. » (Il roule les *r*, *assurrrré*.)

Espèce d'imbécile. Tu te fais mener en bateau. Inutile de discuter davantage avec lui.

Ce n'est qu'à la mi-août, en pleine chaleur, que nous allons lui rendre visite. Les champs bourdonnent sous le ronflement des moissonneuses-batteuses qui vont et viennent comme de gigantesques cafards. Certains champs ont déjà été moissonnés et les énormes balles de foin emballées dans du polyéthylène noir sont éparpillées à travers les chaumes comme des pièces cassées de machines géantes – les moissons du Lincolnshire n'ont rien de pittoresque. Les taille-haies sont déjà passés, décimant les églantines et les mûres qui peuplent les haies. Bientôt ce sera le moment de brûler les chaumes, et les champs de pommes de terre et de pois seront aspergés de désherbants chimiques.

Le jardin de ma mère, cependant, est toujours le refuge des oiseaux et des insectes. Les arbres sont chargés de fruits (pas encore mûrs, de quoi donner mal au ventre), et déjà les guêpes et les mouches se gorgent de ceux qui sont tombés tandis que les pinsons voraces se régalent de moucherons, les merles déterrent les vers et de gros bourdons vrombissants se jettent entre les lobes ouverts des digitales. Dans les parterres de fleurs, des roses roses et rouges bataillent avec les liserons. En bas, la fenêtre du salon qui donne sur le jardin est ouverte et mon père est assis là avec ses lunettes et un livre sur les genoux. Sur la table, les journaux ont été remplacés par une nappe et il y a des fleurs en plastique dans un vase.

« Bonjour, papa. » Je me penche pour l'embrasser sur la joue. Mal rasée.

« Bonjour, *dyid*, dit Anna.

— Bonjour, Nikolaï, dit Mike.

— Ah ! C'est très gentil venir. Nadia, Anushka, Michael. »

Tout le monde s'embrasse. Il a l'air en forme.

« Alors ton livre, ça avance, *dyid* ? » demande Anna. Elle adore son grand-père et trouve que c'est un génie. Je la ménage en passant sous silence ses petites manies, ce détestable réveil de sa libido, son manque d'hygiène personnelle.

« Bien, bien. J'arrive bientôt au chapitre le plus intéressant. Développement de la chenille. Tournant majeur dans l'histoire de humanité.

— Je mets de l'eau à chauffer, papa ?

— Parle-moi de ces chenilles, lui demande Anna sans la moindre ironie.

— Ha, ha ! Tu vois, à l'époque préhistorique, on déplaçait grosses pierres sur rouleaux en bois fabriqués à partir de tronc d'arbres. Regarde. » Il aligne une rangée de crayons H2 bien taillés sur la table et pose le livre dessus. « Il y a des hommes qui poussent la pierre, mais les autres – quand la pierre est passée sur rouleau –, ils doivent ramasser l'arbre derrière la pierre et courir pour la poser devant. Avec chenille, mouvement des rouleaux est produit par système chaînes et transmissions. »

Papa, Anna et Mike poussent tour à tour le livre sur les crayons en les déplaçant de l'arrière vers l'avant, de plus en plus vite.

Je vais dans la cuisine préparer un plateau avec des tasses à thé, je remplis un pot de lait et je cherche des biscuits. Où est-elle ? Est-elle à la maison ? Persiste-t-elle à nous éviter ? C'est alors que je la vois – une plantureuse blonde qui traverse nonchalamment le jardin perchée sur des mules à hauts talons découvrant le bout des orteils. Elle a la démarche languide, dédaigneuse, comme si c'était un suprême effort de se remuer pour venir nous saluer. Une minijupe en jean lui remonte bien au-dessus du genou ; un haut rose sans manches s'étire sur une poitrine voluptueuse qui tremblote à chaque pas. Toute cette chair laiteuse, potelée, qui s'étale, impudique. Replète, limite grosse. Quand elle s'approche, je m'aperçois que ses cheveux ébouriffés à la Bardot, attachés en une queue-de-cheval retombant en cascade sur ses épaules nues, sont décolorés et que les racines sont noires. Un joli visage large. Des pommettes hautes. Des narines épatées. Des yeux écartés, mordorés comme de la mélasse et soulignés de deux traits qui remontent dans les coins, façon Cléopâtre. La bouche retroussée en une moue frôlant le sourire de mépris est dessinée avec un rouge pêche qui déborde des lèvres comme si elle voulait en exagérer le volume.

Espèce de grue. Salope. Traînée de bas étage. Cette femme qui a pris la place de ma mère. Je lui tends la main en grimaçant un sourire.

« Bonjour, Valentina. Ravie de faire enfin votre connaissance. »

Elle me tend une main froide et molle, inerte. Les ongles longs sont ornés d'un vernis pêche nacré assorti au rouge à lèvres. Je me vois dans son regard – petite, maigrichonne, brune, plate. Rien d'une vraie femme. Elle sourit à Mike – un sourire lent, canaille.

« Tu aimer vodka ?

— J'ai fait du thé », je réponds.

Mon père la regarde se déplacer dans la pièce sans la quitter des yeux.

Quand j'avais seize ans, mon père m'interdisait de me maquiller. Il me forçait à monter dans ma chambre pour tout enlever avant de sortir.

« Nadia, si toutes les femmes se mettaient peinture sur la figure, réfléchis un peu, il n'y aurait plus de sélection naturelle. Ça aurait pour conséquence inévitable enlaidissement de l'espèce. Ce n'est pas ce que tu veux, hein ? » Toujours là à jouer les intellectuels. Pourquoi ne pouvait-il pas être comme tous les pères et se contenter de me dire que ça ne lui plaisait pas ? Et regardez-le maintenant baver d'admiration devant cette pétasse russe peinturlurée. À moins qu'il n'ait la vue si basse, à présent, qu'il ne s'aperçoit même pas qu'elle est maquillée. Il croit sans doute qu'elle est née avec des lèvres pêche nacrée et des ailettes noires de Cléopâtre au coin des yeux.

Sur ce, quelqu'un d'autre apparaît dans l'embrasure de la porte, un jeune adolescent. Un peu rondouillard, le visage enfantin parsemé de taches de rousseur, une dent de devant ébréchée, des cheveux bruns bouclés, des lunettes rondes.

« Tu dois être Stanislav, je lui lance.

— Oui. » Un charmant sourire ébréché.

« Ravie de te rencontrer. J'ai tellement entendu parler de toi. Allez, nous allons tous prendre le thé. »

Anna l'examine des pieds à la tête sans rien trahir sur son visage. Il est plus jeune qu'elle et par là même sans intérêt.

Nous nous installons gauchement autour de la table. Stanislav est le seul qui semble à l'aise. Il nous parle de son école, de son professeur préféré, de celui qu'il aime le moins, de son équipe de football préférée, de son groupe de rock préféré, de sa montre de plongée qu'il a perdue au lac Balaton, de ses nouvelles Nike, de son plat préféré – les pâtes –, de sa crainte de voir les autres élèves se moquer de lui s'il grossit, de la soirée où il est allé samedi, du nouveau chiot de son ami Gary. Il a une voix pleine d'assurance, des intonations agréables, un accent charmant. Il est parfaitement à son aise. Il est le seul à parler. Le poids de tous les non-dits pèse sur nous comme des nuages d'orage. Dehors, quelques gouttes de pluie se mettent à tomber et nous entendons le tonnerre au loin. Mon père se lève pour aller fermer la fenêtre. Stanislav continue à parler.

Après le thé, je prends les tasses pour les mettre dans l'évier et faire la vaisselle, mais Valentina m'écarte d'un geste. Elle enfile des gants en caoutchouc par-dessus ses doigts potelés aux extrémités couleur de pêche nacrée, met un tablier à volants et fait mousser l'eau dans la cuvette.

« Je faire, dit-elle. Toi partir.

— On va cimetière, annonce mon père.

— Je viens avec vous, dit Stanislav.

— Non, s'il te plaît, Stanislav, reste pour aider ta mère. »

Si ça continue, il va nous parler de son cimetière préféré.

Quand nous rentrons du cimetière, nous reprenons un thé, puis c'est l'heure du dîner. Valentina va nous faire à manger, dit mon père ; c'est une bonne cuisinière. Nous nous attablons, puis nous attendons. Stanislav nous parle d'une partie de football où il a marqué deux buts. Avec Mike et Anna, nous sourions poliment. Mon père est rayonnant de fierté. Pendant ce temps, Valentina met son tablier à volants et vaque dans la cuisine. Elle réchauffe six portions de plat surgelé – des tranches de rôti en sauce accompagnées de petits pois et de pommes de terre – et les pose sur la table d'un geste majestueux. Nous mangeons en silence. On entend les couteaux racler dans les assiettes en tentant de venir à bout de la viande filandreuse. Même Stanislav se tait pendant quelques minutes. Quand il en arrive aux petits pois, mon père se met à tousser. La peau se coince dans sa gorge. Je lui sers de l'eau.

« C'est délicieux », dit Mike en cherchant notre assentiment du regard. Nous acquiesçons tous dans un murmure. Valentina affiche un sourire triomphal.

« Je faire cuisine moderne, pas cuisine paysan. »

Le dîner se termine par une glace à la vanille au coulis de framboises sortie du congélateur.

« Ma préférée », dit Stanislav avec un petit gloussement. Il nous énumère ses parfums de glace favoris par ordre de préférence.

Mon père fouille dans un tiroir depuis un moment et finit par en extirper une liasse de papiers. C'est le dernier chapitre de son livre que je l'ai aidé à traduire. Il veut le lire à Mike, ainsi qu'à Valentina et à Stanislav.

« Vous allez apprendre quelque chose sur l'histoire de notre chère patrie. »

Mais Stanislav se rappelle subitement qu'il a des devoirs à faire, Anna est allée au village acheter du lait et Valentina est retenue au téléphone dans la pièce d'à côté, si bien que nous restons seuls, Mike et moi, pour l'écouter sous les grandes fenêtres du salon.

Dans l'histoire de l'Ukraïna, le tracteur joua un rôle contradictoire. Dans l'ancien temps, l'Ukraïna était un pays de petits propriétaires paysans. Pour qu'un pays tel que celui-ci parvienne à une exploitation optimale de son agriculture, la mécanisation est essentielle. Mais la méthode par laquelle cette mécanisation fut introduite fut réellement effroyable.

Son ton se fait lourd, s'appesantissant sur ces non-dits qui s'accumulent dans les mots qu'il nous lit :

Après la révolution de 1917, la Russie devint peu à peu un pays industriel avec un prolétariat urbain croissant. Ce prolétariat devait être recruté parmi les paysans ruraux. Mais si les paysans quittaient la campagne, qui allait nourrir la population urbaine ?

La réponse de Staline à ce dilemme fut de décréter que la campagne devait également être industrialisée. C'est ainsi que la terre fut entièrement collectivisée et que les petites exploitations rurales furent remplacées par de grandes fermes organisées sur le modèle des usines et appelées « kolkhozes », ce qui signifie « agriculture collective ». Nulle part le principe des kolkhozes n'a été appliqué avec autant de rigueur qu'en Ukraïna. Alors que jusque-là les paysans employaient des chevaux ou des bœufs pour les labours, le kolkhoze était labouré par des chevaux de fer, comme on appelait les premiers tracteurs. D'une fabrication sommaire, peu fiables, avec des roues métalliques à lamelles et pas de pneus, ces premiers tracteurs pouvaient néanmoins effectuer le travail de vingt hommes.

L'arrivée du tracteur eut également une importance symbolique, car il rendait possible le labourage des terres limitrophes qui séparaient les parcelles individuelles des paysans, créant un unique grand kolkhoze. Elle marqua ainsi la disparition de toute une classe de koulaks, ces paysans propriétaires de leur terre, que Staline considérait comme des ennemis de la révolution. Si le cheval de fer détruisit le mode de vie traditionnel des villages, en Ukraïna l'industrie des tracteurs était florissante. Cependant les kolkhozes n'étaient pas efficaces, et ce, essentiellement en raison de la résistance des paysans, qui refusaient de participer aux kolkhozes ou continuaient à cultiver à côté leurs propres parcelles.

Le châtiment de Staline fut impitoyable. L'instrument de sa vengeance fut la famine. En 1932, l'ensemble de la récolte d'Ukraïna fut saisi et expédié à Moscou et Leningrad pour nourrir le prolétariat des usines – comment la révolution aurait-elle pu tenir autrement ? À Paris et Berlin, on pouvait acheter du beurre et des céréales d'Ukraïna, et des Occidentaux bien intentionnés s'émerveillaient de ce miracle de la productivité soviétique. Mais dans les villages ukrainiens les habitants mouraient de faim.

Ce n'est qu'aujourd'hui qu'est dévoilée cette grande tragédie de notre histoire longtemps restée enfouie dans les archives.

Il s'interrompt et, sans un mot, rassemble ses feuilles. Ses lunettes sont perchées au bout de son nez et les verres sont si épais que je distingue à peine ses yeux, mais l'espace d'une seconde j'ai l'impression d'y voir briller des larmes. Dans le silence qui suit, j'entends Valentina qui papote encore au téléphone à côté et des battements de musique étouffés provenant de la chambre de Stanislav. Au lointain, la cloche de l'église sonne sept heures.

« Bravo, Nikolaï, applaudit Mike. Staline a une lourde responsabilité.

« — Bravo, papa. » Je suis plus avare en applaudissements que Mike. Tout ce nationalisme ukrainien me barbe, je le trouve dépassé et hors de propos. Les paysans dans les champs, les chansons folkloriques pendant la moisson, la patrie… Je n'ai rien à voir avec tout ça, moi. Je suis une femme post-moderne. Je connais le structuralisme. J'ai un mari qui prépare la polenta. D'où me vient donc cette soudaine émotion ?

La porte de derrière s'ouvre avec un déclic. Anna est revenue. Valentina termine sa conversation téléphonique et se joint discrètement aux applaudissements en tapotant délicatement le bout de ses doigts nacrés. Elle sourit d'un air satisfait, comme si la responsabilité de ce chef-d'œuvre de la littérature lui revenait en personne, et l'embrasse sur le nez. « *Holubchik !* » Petit pigeon. Mon père est radieux.

Il est temps pour nous de rentrer. Nous nous serrons tous la main en nous livrant à une démonstration de bises peu convaincante. La visite est jugée un succès.

« Alors, elle est comment ? » me demande ma sœur au téléphone.

Je décris la minijupe, les cheveux, le maquillage. Mon ton est neutre, maîtrisé.

« Oh, mon Dieu ! Je le savais ! » s'écrie Vera.

(Comme je me complais dans ce festival de vacheries ! Que m'est-il arrivé ? Avant, j'étais féministe. Et voilà que je me transforme en chroniqueuse de feuille à scandale.)

Je lui parle des gants à vaisselle, des doigts aux ongles rose nacré.

« Oui, je vois ça d'ici. » Sa voix tremblote de rage. Notre mère avait les mains tannées, rugueuses, abîmées par le jardinage et la cuisine. « Je vois d'ici le genre. Il a épousé une grue ! (Ce n'est pas moi qui l'ai dit !)

— Mais, Vera, tu ne peux pas juger quelqu'un à sa tenue. (Ah ! Regarde un peu comme je suis adulte et raisonnable, moi !) De toute façon, ce genre de tenue ne signifie pas la même chose en Ukraine – c'est un rejet du passé paysan, c'est tout.

— Comment peux-tu être aussi naïve, Nadia ?

— Pas du tout, Vera. L'an dernier, on a fait venir une Ukrainienne professeur de sociologie et elle avait exactement la même allure. Et elle était scandalisée que la plupart de mes amies ne soient pas maquillées et se promènent en jean ou en pantalon de jogging, alors qu'elle ne rêvait que de vêtements griffés. Elle disait que c'était une trahison de la féminité.

— C'est vrai, oui. »

Ma sœur préférerait mourir qu'être vue en jean (à part les jeans griffés, naturellement) ou en pantalon de jogging. Mais le fait est qu'elle préférerait également mourir qu'être vue en mules à hauts talons et bouts découverts et minijupe en jean.

Je lui parle du repas de surgelés. Là-dessus, nous nous retrouvons. « Le plus triste, c'est qu'il ne fait probablement pas la différence, murmure-t-elle. Pauvre maman. »

Leur première crise conjugale survient peu après notre visite. Valentina exige une nouvelle voiture – et pas la première voiture venue, avec ça. Une bonne voiture. Une Mercedes ou une Jaguar, au moins. Une BMW à la limite. Pas de Ford, je vous prie. La voiture servira à conduire Stanislav à son école chic, où les autres élèves arrivent en Saab ou en Range Rover. Mon père a vu une Ford Fiesta d'occasion en bon état, qu'il a les moyens de lui offrir. Valentina refuse catégoriquement une Ford Fiesta. Elle refuse même une Ford Escort. Il y a une dispute sanglante.

« Dis-moi ce que tu penses, Nadezhda. » Il me téléphone dans un état de grande agitation.

« La Ford Fiesta me semble parfaite. (J'ai une Ford Escort.)

— Mais c'est hors de question pour elle.

— En ce cas, fais comme tu veux. » De toute façon, c'est bien ce qu'il compte faire.

Mon père a un peu d'argent à la banque. C'est son plan de retraite qui vient à échéance dans trois ans, mais qu'est-ce qu'on en a à faire, après tout, madame a envie d'une nouvelle voiture et il a envie d'être généreux. Ils se mettent d'accord sur une vieille Rover, suffisamment grosse pour satisfaire les aspirations de Valentina, suffisamment vieille pour être dans les moyens de mon père. Il touche son plan de retraite et remet la majeure partie de la somme à Valentina pour la voiture. Il donne les deux cents livres qui restent à ma fille, Anna, qui vient de décrocher son bac haut la main, pour l'aider dans ses études à l'université. Cela m'ennuie, mais pas tant que ça. Je me dis que s'il ne donnait pas l'argent à Anna pour ses études, il le donnerait certainement à Valentina pour la voiture.

« C'est pour compenser différence du codicille, dit-il. Cet argent n'ira pas aux filles de Vera, juste à Anna. »

Je suis mal à l'aise car je sais que Grande Sœur sera folle de rage. Mais je veux me venger pour le codicille.

« C'est formidable, papa. Elle en aura besoin quand elle ira à l'université. »

Maintenant, il est à sec – il n'a plus un penny.

Quand je mentionne le cadeau de son grand-père, Anna est folle de joie :

« Oh ! Il est adorable. Je me demande s'il en a donné à Alice et Lexi quand elles sont allées à la fac ?

— Sans doute. »

Valentina est enchantée de la Rover. Elle est élégante, rutilante, vert métallisé, avec un moteur de trois litres, des sièges en cuir qui sentent le cigare de luxe, un tableau de bord en noyer et trois cent mille kilomètres au compteur. Ils font un tour en ville et se garent devant l'école de Stanislav à côté des Saab et des Range Rover. Valentina a un permis de conduire international délivré à Ternopil, valable un an. Elle n'a jamais passé le permis, dit mon père, mais elle l'a payé en côtelettes de porc venues de la ferme de sa mère. Ils vont rendre visite aux Zadchuk, à son amie Charlotte et son oncle de Selby. C'est alors que la voiture tombe en panne. L'embrayage est mort. Mon père téléphone :

« Dis, tu pourrais me prêter cent livres pour réparations, Nadezhda ? Le temps que je reçoive pension.

— Tu aurais dû acheter la Ford Fiesta, papa », lui dis-je.

Je lui envoie un chèque.

Puis il téléphone à ma sœur. Elle m'appelle :

« Qu'est-ce qui se passe avec cette voiture ?

— Je ne sais pas.

— Il voulait emprunter cent livres pour réparer les freins. "Valentina ne peut pas payer avec ce qu'elle gagne ? je lui ai dit. Elle gagne suffisamment."

— Et qu'est-ce qu'il t'a répondu ?

— Il ne veut même pas en entendre parler. Il a peur de lui demander. Il dit qu'elle doit envoyer de l'argent à sa mère qui est malade en Ukraine. Tu imagines ? » Elle est si irritée qu'elle a la voix cassante. « À chaque fois que je la critique, il s'empresse de la défendre.

— Peut-être qu'il l'aime encore. (Je suis une incurable romantique.)

— Oui, sans doute. C'est probable. » Elle pousse un soupir désabusé. « Les hommes sont tellement bêtes.

— Mme Zadchuk lui a dit que c'était le devoir du mari de payer pour la voiture de sa femme.

— Le devoir ? Comme c'est charmant ! C'est si désuet ! C'est ce qu'il t'a dit ?

— Il m'a demandé ce que j'en pensais. Apparemment, mon statut de féministe fait de moi une autorité en matière de droits des femmes. » Je ne sais pas trop ce que ma sœur pense du féminisme.

« Notre mère n'a jamais aimé les Zadchuk, si je me souviens bien, dit Vera d'un ton songeur.

— J'ai l'impression que c'est une histoire de fierté. Il ne peut pas demander d'argent à une femme. Il estime que l'homme doit être le pourvoyeur.

— Il nous a seulement demandé, à toi et à moi, Nadezhda.

— Mais nous ne sommes pas des femmes à part entière. »

Mike l'appelle. Ils discutent longuement des mérites et des inconvénients des systèmes de freinage hydraulique. Ils passent cinquante minutes au téléphone. Mike ne dit quasiment rien, si ce n'est « Mmm, mmm » de temps à autre.

Un mois plus tard, nouvelle crise. La sœur de Valentina arrive d'Ukraine. Elle vient juger par elle-même de cette belle vie à l'occidentale dont Valentina lui a tant parlé dans ses lettres – l'élégante maison moderne, la voiture fabuleuse, le riche veuf qu'elle a épousé. Elle doit aller la chercher en voiture à Heathrow. Mon père dit que la Rover ne fera jamais l'aller-retour jusqu'à Londres. Il y a une fuite d'huile dans le moteur et une autre du liquide de frein. Le moteur fume. Un des sièges s'est affaissé. Des boursouflures de rouille sont apparues sous la laque et les replâtrages du revendeur.

Stanislav résume le problème : « *Auto ne prestijeskiy.* » Et ce, avec ce petit sourire mignon qui frise le mépris.

Valentina s'en prend à mon père :

« Toi pas gentil. Toi radin beaucoup argent. Promettre argent. Argent dans banque. Promettre voiture. Poubelle merde.

— Tu exiges voiture de prestige. *Prestijeskiy auto.* Elle a l'air prestige ; elle marche pas. Ah, ah.

— Poubelle merde. Mari merde. Pfft ! » Elle crache.

« Poubelle ? Où est-ce que tu as appris ce mot-là ? » demande mon père. Il n'a pas l'habitude d'être mené à la baguette. Il a l'habitude d'obtenir ce qu'il veut, d'être cajolé, dorloté.

« Toi ingénieur. Pourquoi toi pas réparer voiture ? Ingénieur merde. »

J'ai toujours connu mon père démontant et remontant des moteurs dans le garage. Mais il ne peut plus se glisser sous la voiture : son arthrite l'en empêche.

« Dis ta sœur de prendre train, rétorque mon père. Train. Avion. Moyens de transport modernes, c'est mieux. Poubelle. Bien sûr, c'est poubelle. Tu as voulu. Tu as eu. »

Sans compter qu'il y a un autre problème. Cuisinière merde. La cuisinière, qui est là depuis l'époque de ma mère, commence à vieillir. Il ne reste plus que deux brûleurs sur trois en état de marche et le minuteur du four est fichu, bien que le four fonctionne encore. Pendant plus de trente ans, de divins sommets d'art culinaire ont été préparés sur cette cuisinière, mais cela n'impressionnera pas la sœur de Valentina. La cuisinière est électrique, il n'y a que les imbéciles pour ignorer que l'électricité n'est pas aussi prestigieuse que le gaz. Lénine lui-même n'a-t-il pas admis que le communisme était le socialisme plus l'électricité ?

Mon père accepte de racheter une cuisinière. Il aime dépenser de l'argent, mais de l'argent, il n'en a plus. La cuisinière devra être payée à crédit. Il a vu une offre spéciale à la Co-op. Valentina embarque Nikolaï dans la Poubelle et l'emmène en ville acheter une cuisinière de prestige. Obligatoirement au gaz. Obligatoirement marron. Hélas, la cuisinière marron n'est pas comprise dans l'offre spéciale. Elle coûte deux fois plus cher.

« Écoute, Valenka, cuisinière exactement pareille. Boutons pareils. Gaz pareil. Tout pareil.

— Dans ancienne Union soviétique, cuisinières toutes blanches. Cuisinières merde.

— Mais tout est blanc dans cuisine – machine à laver blanche, frigidaire blanc, congélateur blanc... À quoi bon avoir cuisinière marron ?

— Toi radin beaucoup argent. Tu veux donner moi cuisinière merde.

— Trente ans ma femme fait cuisine avec. Mieux que ta cuisine.

— Ta femme *baba* paysanne. *Baba* paysanne, cuisine paysan. Pour gens civilisés, cuisinière doit être gaz, doit être marron. » Elle prononce ces mots avec emphase, comme si elle répétait une leçon élémentaire à un crétin.

Mon père signe le contrat d'achat à crédit d'une cuisinière civilisée. Il n'a jamais emprunté d'argent de sa vie et l'ivresse de l'interdit lui donne le vertige. Du vivant de maman, l'argent était entreposé dans une boîte à café en métal cachée sous le lino, à l'abri d'une latte de parquet flottante, et on n'achetait rien tant qu'on n'en avait pas assez mis de côté. Quand, vers la fin de sa vie, maman découvrit qu'en plaçant de l'argent dans une société de crédit immobilier on pouvait toucher des intérêts, il n'en demeura pas moins que les dépôts destinés à la société de crédit démarraient toujours par un premier séjour en liquide sous le parquet.

Autre problème : la maison est sale. Aspirateur merde. Le vieil Hoover Junior ne nettoie pas correctement. Valentina a vu une publicité pour un aspirateur digne de gens civilisés. Bleu. Traîneau. Tu vois, pas besoin pousser partout. Juste aspire, aspire, aspire. Mon père prend un nouveau crédit.

C'est mon père qui m'a raconté tout ça et, naturellement, c'est sa version des faits. Peut-être y en a-t-il une autre plus favorable à Valentina. Si c'est le cas, je ne veux pas l'entendre. J'imagine mon père, frêle et voûté, tremblant d'une rage impuissante, et mon cœur s'emplit d'une juste colère.

« Écoute, papa, il faut lui tenir tête. Dis-lui qu'elle ne peut pas avoir tout ce qu'elle veut.

— Hmm, fait-il. *Tak*. » Il acquiesce mais sa voix manque de conviction. Il aime se plaindre auprès d'une oreille compatissante, mais il ne fera rien pour s'en sortir.

« Elle a des ambitions irréalistes, papa.

— Mais pour ça, on ne peut pas lui en vouloir. Elle croit toute la propagande occidentale.

— Eh bien, il faudra bien qu'elle apprenne, non ? » Le ton acide.

« Mais bon, mieux vaut tu ne parles pas de ça à Vera.

— Bien sûr que non. (Je brûle d'impatience !)

— Tu comprends, Nadezhda, c'est pas une mauvaise femme. Elle a des idées erronées. Pas sa faute.

— On verra.

— Nadezhda…

— Quoi ?

— Tu ne parles pas de ça à Vera.

— Pourquoi ça ?

— Elle va rire. Elle dira : "Je te l'avais dit."

— Mais non, je t'assure. (Je sais bien que si.)

— Tu connais cette Vera. Quelle femme c'est. »

Je me sens aspirée malgré moi dans le drame, ramenée à mon enfance. Il s'est emparé de moi. Comme un aspirateur civilisé. Aspire, aspire, aspire. Et voilà que je me retrouve entraînée dans le sac à poussière d'un passé plein de souvenirs agglutinés, grisaillant, où tout est informe, confus, boursouflé d'obscurs agrégats recouverts d'un voile de poussière antédiluvien – partout de la poussière, de la poussière qui m'étouffe, qui m'ensevelit, qui m'emplit les poumons et les yeux jusqu'à ce que je ne puisse plus voir, plus respirer, à peine crier :

« Papa ! Pourquoi es-tu toujours aussi en colère contre Vera ? Qu'est-ce qu'elle a fait ?

— Ah, cette Vera. Elle toujours été autocrate, même bébé. Agrippée à Ludmilla avec poings de fer. Cramponnée. Toujours là à téter, téter, téter. Et ce caractère. Pleurant. Hurlant.

— Mais, papa, ce n'était qu'un bébé. Elle n'y pouvait rien.

— Hmm. »

Mon cœur s'écrie : « Tu devrais nous aimer. Tu es censé nous aimer, même si on est vilains ! C'est ce que font les parents *normaux* ! » Mais je ne peux pas le dire à voix haute. Et, de toute façon, il n'y peut rien. Avec l'enfance qu'il a eue, *baba* Nadia, ses maigres soupes et ses punitions strictes.

« On est comme on est, on n'y peut rien, lui dis-je.

— Hmm. Bien sûr, cette question de déterminisme psychologique est un débat très intéressant. Leibniz, par exemple, qui entre parenthèses est un fondateur des mathématiques modernes, pensait que tout était déterminé au moment de création.

— Papa...

— *Tak, tak*. Et toujours à fumer. Fumer même à côté de Milla sur son lit de mort. La cigarette est un tyran si fort. » Il s'aperçoit que je suis à bout de patience. « Est-ce que je t'ai déjà dit que j'ai failli mourir à cause des cigarettes ? »

Est-ce là une tactique grossière pour changer de sujet ? Ou est-il devenu complètement cinglé ?

« Je ne savais pas que tu fumais. »

Mes parents ne fumaient ni l'un ni l'autre. Non seulement ça, mais ils avaient piqué une telle crise quand je m'étais mise à fumer à l'âge de quinze ans que je n'avais jamais été réellement dépendante de la cigarette et que j'avais arrêté quelques années plus tard, après avoir mis un point d'honneur à ne pas céder.

« Ah ! C'est parce que je ne fumais pas que les cigarettes m'ont sauvé la vie, et pour même raison elles ont failli me coûter la vie. » Il embraie sur le ton du récit et passe à la vitesse de croisière. Il est maître à bord à présent, parcourant les sillons croulants du passé aux manettes de son tracteur. « Tu vois, dans le camp de travail allemand où on s'est retrouvés fin de guerre, les cigarettes étaient monnaie universelle. Quand on travaillait, on était payés – tant de pain, tant de saindoux, tant de cigarettes. Du coup, tous ceux qui ne fumaient pas leurs cigarettes pouvaient les échanger contre nourriture, vêtements, même produits de luxe comme savon ou couverture. À cause de cigarettes, on avait toujours assez à manger, on avait toujours chaud. C'est comme ça qu'on a survécu pendant la guerre. » Il fixe le regard quelque part derrière moi. « Maintenant, malheureusement, Vera fume, bien sûr. Elle t'a déjà raconté son premier contact avec cigarettes ?

— Non, elle ne m'a rien raconté. Qu'est-ce que tu veux dire ? » Pendant qu'il radotait, j'avais l'esprit ailleurs. Je regrette à présent de ne pas avoir prêté attention à ce qu'il disait. « Qu'est-ce qui s'est passé avec Vera et les cigarettes ? »

Il observe un long silence.

« Je me souviens pas. » Il tourne le regard vers la fenêtre et se met à tousser. « Je t'ai déjà parlé des chaudières des bateaux, comme elles étaient gigantesques ?

— Oublie les chaudières, papa. Termine ton histoire de cigarettes. Qu'est-ce qui s'est passé ?

— Je me souviens pas. Ça sert à rien de se souvenir. C'est trop loin. »

Bien sûr qu'il s'en souvient, mais il refuse d'en dire plus.

La sœur de Valentina débarque. Un monsieur du village à qui mon père a donné cinquante livres pour

98

aller à Londres et la ramener est venu la chercher à Heathrow en Ford Fiesta. Elle n'est pas blonde, contrairement à Valentina, mais brune et coiffée d'une manière sophistiquée avec des petites anglaises dans la nuque. Elle porte un manteau de vraie fourrure assorti de souliers vernis et sa bouche dessine un petit arc boudeur d'un rouge écarlate. Elle jette froidement un œil brillant sur la maison, la cuisinière, l'aspirateur, le mari et annonce qu'elle va s'installer chez son oncle de Selby.

8

Un soutien-gorge de satin vert

Nouvelle crise. Cette fois, c'est la facture de téléphone. Elle dépasse les sept cents livres, dont la quasi-totalité concerne des appels en Ukraine. Mon père m'appelle :

« Tu peux me prêter cinq cents livres ?

— Papa, il faut que ça s'arrête. Pourquoi ce serait moi qui devrais payer pour qu'elle appelle en Ukraine ?

— Pas seulement elle. Stanislav aussi.

— Soit, tous les deux. Ils ne peuvent pas appeler comme ça, histoire de bavarder avec leurs amis. Dis-lui que c'est à elle de régler la facture avec son salaire.

— Hmm. Oui. » Il raccroche.

Il téléphone à ma sœur.

Elle m'appelle :

« Tu es au courant pour la facture de téléphone ? Franchement ! Et puis quoi encore ?

— Je lui ai dit qu'il devait demander à Valentina de payer. Je n'ai aucune intention de l'entretenir. » Je fais ma dégoûtée.

« C'est exactement ce que je lui ai dit, Nadezhda. » Ma sœur est encore plus douée que moi dans le rôle de la dégoûtée. « Et tu sais ce qu'il m'a dit ? Il m'a dit : "Elle ne peut pas payer la facture de téléphone parce qu'elle doit payer la voiture." »

— Mais je croyais que c'était lui qui avait acheté la voiture.

— Une autre voiture. Une Lada. Elle l'achète pour la ramener en Ukraine.

— Tu veux dire qu'elle a deux voitures ?

— Apparemment. Évidemment, ces gens-là sont communistes. Je suis désolée, Nadezhda. Je sais ce que tu vas me dire. Mais ils ont toujours eu tout ce qu'ils voulaient – tous les luxes, tous les privilèges –, et maintenant qu'ils ne peuvent plus arnaquer le système là-bas, ils viennent ici arnaquer notre système à nous. Eh bien, je suis désolée...

— Ce n'est pas aussi simple que ça, Vera.

— Tu vois, dans ce pays, les communistes sont des braves gens qui portent la barbe et les sandales. Mais une fois qu'ils sont au pouvoir, soudain on voit émerger une autre facette de leur personnalité, bien plus perverse.

— Mais non, ce sont toujours les mêmes qui sont au pouvoir, Vera. Des fois ils se disent communistes, d'autres fois capitalistes, ou encore fervents croyants – tout est bon pour se cramponner au pouvoir. En Russie, les anciens communistes sont les mêmes qui possèdent toutes les industries maintenant. Ce sont eux les vrais rois de l'arnaque. Mais la classe moyenne, les gens comme le mari de Valentina, a été durement touchée.

— Évidemment, je savais bien que tu ne serais pas d'accord avec moi, Nadezhda, et je n'ai vraiment pas envie de discuter de ça. Je sais où vont tes sympathies. Mais j'ai tout de suite vu à quel type de gens on avait affaire.

— Mais tu ne les as pas encore vus.

— La description que tu m'en as faite me suffit. »

Pauvre idiote. Inutile de discuter avec elle. Cela dit, je suis contrariée de voir qu'elle n'hésite pas à me balancer des vacheries malgré notre toute nouvelle alliance.

Je téléphone à mon père.

« Ah, ah, dit-il. Oui. Lada. Elle l'a achetée pour son frère. Tu comprends, son frère habitait en Estonie, mais il a été expulsé parce qu'il a échoué à l'examen d'estonien. C'est un pur Russe, tu comprends. Il parle pur russe. Il ne parle pas un mot d'estonien. Mais après indépendance, nouveau gouvernement veut expulser tous les Russes. Alors son frère doit partir. Valentina, elle, parle ukrainien et russe. Elle parle les deux très bon. Stanislav aussi. Bon vocabulaire. Bonne prononciation.

— Revenons à la Lada.

— Ah, ah. Oui, Lada. Son frère avait une Lada, tu vois, qui a été démolie. Démolie la figure, aussi. Dans la nuit, il est allé pêcher, attraper poissons dans le trou creusé dans glace. Très froid, assis longtemps sur la neige, attendu les poissons. Très froid en Estonie. Alors, pour réchauffer, il boit vodka. Bien sûr, l'alcool n'est pas carburant comme kérosène ou gasoil qu'on utilise pour tracteurs, mais ça a propriétés réchauffement. Mais ça se paie. Comme ça. Il boit trop, dérape sur la glace. Démolit la Lada. Démolit aussi sa figure. Mais moi, je me demande pourquoi moi je devrais aider un homme qui non seulement n'est pas ukrainien, mais tellement russe qu'il échoue à l'examen d'estonien. Dis-moi.

— Si je comprends bien, elle lui a acheté une nouvelle Lada ?

— Pas nouvelle. Occasion. Pas trop chère, entre parenthèses. Mille livres. Tu comprends, dans ce pays, Lada n'est pas considérée comme voiture chic. (Il prononce "chic" avec l'accent français. Il aime à penser qu'il est un peu francophone.) Carrosserie trop lourde pour taille moteur. Mauvaise consommation de carburant. Transmission à l'ancienne. Mais en Ukraïna, Lada très bien, parce que beaucoup pièces détachées. Peut-être même pas pour son frère. Peut-être elle va vendre et tirer bon profit.

102

— Alors elle conduit les deux voitures ?

— Non. Lada reste garage. Rover reste allée.

— Mais elle n'a pas d'argent pour payer la facture de téléphone.

— Ah, ah. Téléphone. Ça, c'est problème. Trop parler. Mari, frère, sœur, mère, oncle, tante, ami, cousin. Des fois ukrainiens, mais surtout russes. » Comme s'il ne voyait pas d'inconvénient à régler la facture du moment qu'il s'agit de parler en ukrainien. « Pas conversation intelligente. Conversation bavardages. » Il ne verrait pas d'inconvénient à régler la facture s'il s'agissait de parler de Nietzsche ou de Schopenhauer.

« Papa, dis-lui que si elle ne paie pas, le téléphone sera coupé.

— Hmm. Oui. » Mais à son ton je comprends que c'est non.

Il ne peut pas. Il ne peut pas lui tenir tête. Ou peut-être n'en a-t-il pas vraiment envie. Il veut juste se plaindre, avoir notre soutien.

« Tu dois être plus ferme avec elle. » Je le sens qui résiste à l'autre bout du fil, mais je continue à matraquer. « Elle ne comprend pas. Elle croit qu'à l'Ouest tout le monde est millionnaire.

— Ah, ah. »

Quelques jours plus tard, il rappelle. La Rover est de nouveau tombée en panne. Cette fois, c'est le système de freinage hydraulique. Ah oui, et puis elle n'a pas eu le contrôle technique. Il a besoin d'emprunter encore de l'argent. « Le temps que je reçoive pension. »

« Tu vois ? je fulmine face à Mike. Ils sont tous les deux complètement fous. L'un comme l'autre. Je ne pourrais pas avoir une famille normale, non ?

— Imagine un peu comme ce serait monotone.

— Je crois qu'un peu de monotonie ne me dérangerait pas. Je n'ai pas envie de tout ça, pas à mon âge.

— Eh bien, arrête de te mettre dans tous tes états, parce qu'une chose est sûre, ça ne va pas aller en s'arrangeant. » Il va chercher une canette de bière dans le réfrigérateur et nous sert deux verres. « Donne-lui sa chance de s'amuser un peu. Tu ne devrais pas t'en mêler. »

Par la suite, j'allais regretter de ne pas m'en être mêlée davantage et plus tôt.

Je m'aperçois qu'il est impossible de surveiller ce qui se passe par téléphone. Il est temps de lui faire une petite visite. Cette fois, je ne préviens pas mon père.

Quand nous arrivons, Valentina est sortie, mais Stanislav est là. Il est là-haut dans sa chambre, le nez sur ses devoirs. Il travaille dur. Brave petit.

« Stanislav, lui dis-je, qu'est-ce qui se passe avec cette voiture ? Elle cause beaucoup de souci, apparemment.

— Oh, pas de souci. Tout va bien maintenant. Tout est réparé. » Il sourit de son mignon sourire ébréché.

« Mais, Stanislav, tu ne pourrais pas convaincre ta mère que ce serait mieux d'avoir une voiture plus petite qui soit plus fiable que cet énorme monstre rutilant qui coûte une fortune à entretenir ? Mon père n'a pas tant d'argent que ça, tu sais.

— Tout est OK maintenant. C'est une très belle voiture.

— Mais tu ne crois pas que vous auriez mieux fait de prendre une voiture plus fiable, comme une Ford Fiesta ?

— Oh, Ford Fiesta, c'est pas une bonne voiture. Tu sais, en venant ici, sur l'autoroute, on a vu un terrible accident entre une Ford Fiesta et une Jaguar, et la Ford Fiesta était complètement écrasée sous la Jaguar. Alors tu vois, les grosses voitures, c'est bien mieux. »

Il parle sérieusement, là ?

« Mais, Stanislav, mon père n'a pas les moyens d'avoir une grosse voiture.

— Moi, je crois que si. » Sourire charmant. « Il a assez d'argent. Il a donné de l'argent à Anna, non ? »

Les lunettes glissent au bout de son nez. Il les remonte et lève les yeux vers moi en me fixant d'un regard froid. Peut-être pas si charmant que ça, après tout.

« Oui, mais... » Qu'est-ce que je peux dire ? « Ça le regarde.

— Exactement. »

J'entends des pas précipités dans l'escalier et Valentina fait irruption dans la chambre. Elle gronde Stanislav de m'avoir parlé : « Arrête de parler à cette punaise de malheur avec ses nichons plats qui passe son temps à nous espionner. » Elle a oublié que je parlais ukrainien, à moins qu'elle ne s'en fiche.

« Peu importe, Valentina, lui dis-je. C'est à vous que je veux parler. On descend ? »

Elle me suit jusqu'à la cuisine. Stanislav descend également, mais Valentina l'envoie dans la pièce d'à côté, où papa assène à Mike une interminable analyse comparée des caractéristiques de sécurité des différents systèmes de freinage, évitant obstinément toute allusion aux problèmes spécifiques de la Rover, tandis que mon mari s'évertue à ramener malgré tout la conversation sur le sujet.

« Pourquoi tu vouloir parler ? » Valentina se campe devant moi, un peu trop près à mon goût. Son rouge à lèvres bave rageusement autour de sa bouche.

« Vous savez très bien pourquoi, Valentina.

— Savoir ? Pourquoi moi savoir ? »

J'avais prévu une discussion rationnelle, un exposé froid d'arguments logiques qui l'aurait conduite à avouer courtoisement sa culpabilité et admettre avec un sourire piteux que les choses devaient changer. Mais je sens bouillir en moi une rage aveuglante et mes arguments m'abandonnent. Le sang bat dans mes tempes.

« Vous n'avez pas honte ? » Je suis passée à une langue bâtarde, déliée, prompte à la repartie, à mi-chemin entre l'anglais et l'ukrainien.

« Honte ! Honte ! » Elle s'esclaffe. « Toi honte. Pas moi honte. Pourquoi pas aller tombe maman ? Pourquoi pas pleurer, apporter fleurs ? Pourquoi faire ennuis ici ? »

La pensée de ma mère gisant abandonnée dans la terre glacée pendant que cette usurpatrice mène grand train dans sa cuisine me met au comble de la fureur.

« Je vous interdis de parler de ma mère. Ne vous avisez même pas de prononcer son nom avec votre sale bouche d'égout tout juste bonne à bouffer du surgelé.

— Mère toi morte. Maintenant père toi épouser moi. Toi pas aimer. Toi faire ennuis. Je comprendre. Je pas idiote. »

Nous parlons toutes les deux la même langue bâtarde, et c'est comme deux bâtards que nous grognons en nous montrant les dents.

« Valentina, pourquoi conduisez-vous deux voitures alors que mon père n'a même pas assez d'argent pour payer les réparations de la première ? Pourquoi téléphonez-vous des heures en Ukraine alors qu'il me demande de l'argent pour payer les factures ? Dites-moi un peu !

— Il donne argent toi. Maintenant toi donne argent lui, persifle la grosse bouche rouge.

— Pourquoi mon père devrait-il payer pour vos voitures ? Pour vos factures de téléphone ? Vous avez un travail. Vous gagnez de l'argent. Vous devriez contribuer aux besoins du ménage. »

À présent, j'écume d'une juste colère et je déverse au petit bonheur un torrent de paroles décousues, moitié en anglais, moitié en ukrainien.

« Ton père acheter moi rien ! » Elle se penche pour me crier en pleine figure, si près que je reçois des postillons. Je sens une odeur d'aisselle et de laque. « Pas voiture ! Pas bijou ! Pas vêtements ! Pas produits beauté ! Pas sous-vêtements ! » Elle remonte brusquement son tee-shirt en exhibant ces féroces mamelles jaillissant comme deux ogives nucléaires d'une espèce de lance-roquettes de satin vert à armature, bretelles en ruban, pans de lycra et bordures de dentelle.

« Moi acheter tout ! Moi travail ! Moi acheter ! »

Pour ce qui est de la poitrine, je suis forcée de m'avouer vaincue. J'en perds mes mots. Dans le silence qui s'ensuit, j'entends la voix monocorde de mon père qui soliloque à n'en plus finir. Il raconte à Mike l'histoire des crayons dans l'espace. Je l'ai entendue tellement de fois. Mike aussi.

« Au début de conquête spatiale, expériences d'apesanteur ont soulevé problème intéressant. Les Américains se sont aperçus que pour prendre notes et rédiger comptes rendus, stylos à encre classiques ne fonctionnaient pas sans mécanisme de gravité. Scientifiques ont mené recherches approfondies et, finalement, inventé des stylos haute technologie pour travailler dans conditions d'apesanteur. En Russie, scientifiques qui se trouvaient face même problème ont trouvé autres solutions. Au lieu stylos, ils ont utilisé crayons. C'est comme ça que les Russes ont envoyé crayons dans l'espace. »

Comment mon père peut-il être aussi aveugle à ce qui lui arrive ? Je repasse à l'attaque :

« Mon père est un naïf. Stupide, mais naïf. Vous dépensez tout votre argent en dessous de pute et maquillage de pute ! C'est parce que mon père ne vous suffit pas, hein ? Parce que vous courez après un autre homme, ou deux, ou trois, hein ? Je sais ce que vous êtes et mon père ne va pas tarder à le savoir, lui aussi. Et ce jour-là, on verra ! »

Stanislav s'exclame : « Waouh ! Je ne savais pas que Nadezhda parlait ukrainien comme ça ! »

Sur ces entrefaites, on sonne à la porte. Mike va ouvrir. C'est les Zadchuk. Ils sont plantés sur le seuil avec des fleurs et un gâteau fait maison.

« Entrez, entrez ! leur dit Mike. Vous arrivez juste à temps pour le thé. »

Ils hésitent sur le pas de la porte. Ils ont aperçu le visage fulminant de Valentina. (La poitrine est recouverte.)

« Entrez », les invite Valentina en faisant la moue. Après tout, ce sont ses amis et elle pourrait bien avoir besoin d'eux.

« Entrez, leur dis-je. Je mets l'eau à chauffer. » Il me faut du temps pour me remettre de mes émotions, reprendre mon souffle.

Bien qu'on soit en octobre, il fait encore doux et le temps est ensoleillé. Nous prendrons le thé dans le jardin. Mike et Stanislav installent des chaises longues et une vieille table de camping bancale sous le prunier.

« C'est gentil d'être venus, dit papa aux Zadchuk en s'asseyant dans le fauteuil pliant qui grince. Bon gâteau. Ma Millochka en faisait comme ça. »

Valentina s'offusque : « Au Tesco, être mieux. »

Mme Zadchuk est offensée : « Je préfère faire les gâteaux moi-même. »

M. Zadchuk s'empresse de prendre sa défense : « Pourquoi tu acheter gâteau au Tesco, Valentina ? Pourquoi tu fais pas ? La femme doit faire gâteau. »

Valentina est encore en pleine éruption après notre face-à-face.

« Moi pas temps faire gâteau. Tout le jour travail pour argent. Acheter gâteau. Acheter vêtements. Acheter voiture. Bon à rien mari radin pas donner argent. »

Je crains que le tee-shirt ne remonte une fois de plus, mais elle se contente d'un spectaculaire plongeon de mamelles en direction de mon père. Effrayé, ce dernier se tourne vers Mike en implorant son aide du regard. Mike, qui ne comprend pas suffisamment l'ukrainien pour saisir la situation, revient fatalement sur le gâteau et s'attire les bonnes grâces de Mme Zadchuk en s'en resservant une grosse part.

« Mmm. Délicieux. »

Les joues roses de Mme Zadchuk s'empourprent. Elle lui tapote la cuisse.

« Vous bien manger. J'aime homme bien manger. Pourquoi toi pas manger plus, Yuri ? »

M. Zadchuk est offusqué : « Beaucoup gâteau donne gros ventre. Toi grosse, Margaritka. Petit peu grosse. »

Mme Zadchuk est offusquée : « Mieux grosse que maigre. Regarde Nadezhda. Elle sortie famine Bangladesh. »

Je suis offusquée. Je rentre le ventre en me drapant dans ma dignité. « La minceur, c'est bien. C'est bon pour la santé. Les gens minces vivent plus longtemps. »

Je suis assaillie par une explosion de rire générale.

« Minceur être faim ! Famine ! Gens minces tous mourir. Ah, ah !

— J'aime bien quand c'est gros », dit mon père. Il pose une main réconfortante toute ratatinée sur la poitrine de Valentina et presse légèrement. Le sang me monte à la tête. Je me lève d'un bond et me prends les pieds dans la table en envoyant valser la théière et les restes du gâteau par terre.

Le thé n'est pas un succès.

Après le départ des Zadchuk, il reste la vaisselle et une lessive à faire. Valentina enfile des gants de caoutchouc sur des doigts aux ongles rose nacré. Je l'écarte.

« Je m'en charge, lui dis-je. Je me fiche de me salir les mains. Vous êtes bien trop raffinée pour ça, Valentina. Trop raffinée pour mon père. Mais pour ce qui est de dépenser son argent, c'est autre chose, hein ? »

Elle pousse un cri.

« Mégère ! Sorcière ! Sors ma cuisine ! Sors ma maison !

— Pas votre maison ! La maison de ma mère ! » je lui réponds en hurlant.

Mon père arrive en courant dans la cuisine.

« Nadezhda, pourquoi tu viens mettre ton nez ici ? Ça te regarde pas !

— Tu es fou, papa. D'abord, tu te plains que Valentina dépense tout ton argent. "Prête-moi cent livres", "Prête-moi cinq cents livres". Et puis tu me demandes de ne pas mettre mon nez dans tes affaires. Il faudrait savoir ce que tu veux.

— J'ai dit prêter argent. Pas mettre nez dans les affaires. » Il a les mâchoires serrées. Les poings serrés. Il se met à trembler. Il fut un temps où j'étais terrifiée quand il prenait cette tête-là, mais je suis plus grande que lui maintenant.

« Pourquoi veux-tu que je te donne de l'argent pour que tu le dépenses pour cette espèce d'hypocrite cupide avec sa tête de pot de peinture, cette... » Salope, salope, salope ! me dis-je. Mais je suis trop féministe pour que ce mot franchisse mes lèvres.

« Sors ! Sors et ne reviens jamais ! Tu n'es pas ma fille, Nadezhda ! » Il me fixe avec des yeux pâles et hagards.

« D'accord, lui dis-je. Parfait. Qui voudrait avoir un père pareil, de toute façon ? Va te blottir contre les gros nichons de ta femme et fiche-moi la paix. »

J'attrape mes affaires et me précipite vers la voiture. Quelques instants plus tard, Mike me rejoint.

Alors que nous quittons les abords de Peterborough pour rouler en pleine campagne, Mike lance d'un ton enjoué :

« Quelle bande de fous, tout de même !

— Ferme-la ! je lui crie. Ferme-la et ne viens pas fourrer ton nez là-dedans ! »

Puis je suis prise de honte. J'ai cédé à la folie. Nous faisons le chemin du retour en silence. Mike cherche de la musique douce à la radio.

9

Cadeaux de Noël

Tard dans la soirée, peu de temps après notre visite, Stanislav téléphone à ma sœur. Il a trouvé son numéro dans le carnet d'adresses de papa.

« S'il vous plaît. Faites quelque chose… ces disputes terribles… ils crient tout le temps… » Il sanglote au téléphone.

Vera agit. Elle téléphone au Home Office. On lui dit d'écrire.

Elle m'appelle, furieuse :

« Cette fois, on va le faire toutes les deux et signer toi et moi. Il est hors de question qu'il nous monte l'une contre l'autre. Il est hors de question que tu te débrouilles pour rester dans ses petits papiers en ne faisant rien et que je me coltine tout le boulot pour qu'il finisse par me déshériter.

— Peut-être bien. Je vais l'appeler en premier. Voir ce qui se passe. Je ne veux rien faire qu'on puisse toutes les deux regretter après. » Je m'en veux de ne pas avoir été assez vigilante avec lui.

J'appelle mon père. Le téléphone crachote, puis je l'entends décrocher, la respiration haletante.

« Allô ? Ah, Nadezhda. C'est bien que tu appelles.

— Qu'est-ce qui se passe, papa ?

— Oh, ça va pas trop fort avec Valentina. Des problèmes. Maintenant on dirait vraiment qu'elle me déteste… Elle dit je suis un être inférieur… un insecte à écraser… un imbécile à enfermer… un cadavre à enterrer… Des choses comme ça. » Il marmonne des paroles incohérentes et tousse beaucoup. Sa voix est rauque comme s'il avait du mal à arracher les mots de sa gorge.

« Oh, papa. » Je ne sais pas quoi dire, mais il perçoit un reproche dans ma voix.

« Bien sûr, c'est pas entièrement de sa faute. Soumise pression extrême à cause délais Home Office. Et puis elle travaille très dur – le jour maison de retraite, le soir hôtel. Ça la fatigue et quand elle fatiguée, facilement en colère. »

Je suis envahie par la rage – rage contre elle, rage contre mon père.

« Mais, papa, tout le monde savait ce qui allait se passer. Tout le monde sauf toi.

— Tu ne dis rien à Vera, hein ? Elle va dire…

— Mais, papa, Vera est au courant. Stanislav l'a appelée.

— Stanislav a appelé Vera ?

— Il pleurait au téléphone.

— Dommage. Dommage. Enfin, de toute façon… on va rester ensemble, au moins jusqu'à l'appel… Après ça, ils partiront et j'aurai la paix. »

Mais ma sœur et moi ne voulons prendre aucun risque. Je rédige une lettre destinée aux services de l'immigration du Home Office à Lunar House, Croydon, relatant l'histoire du mariage de Valentina avec notre père et ses relations avec Bob Turner. Au diable mes belles idées libérales. Je veux qu'on renvoie cette femme. J'insiste sur leur manière de vivre – chambre à part – et le fait que le mariage n'a pas été consommé, convaincue que l'*establishment* estimera que la pénétration est l'essence même du mariage. Je suis particulièrement satisfaite du ton très collet monté de ma lettre :

Au début de l'année, Mme Dubova a obtenu un second visa de six mois et elle est arrivée en mars en passant par Ramsgate. Elle s'est de nouveau installée chez M. Turner. Elle a épousé mon père à l'église catholique de Peterborough en juin.

Après le mariage, Mme Dubova ne s'est pas installée avec mon père, mais a continué à habiter Hall Street, au domicile de M. Turner. À la fin de l'année scolaire, Mme Dubova (aujourd'hui Mme Mayevska) et Stanislav sont venus vivre chez notre père. Cependant elle a aussitôt fait chambre à part et le mariage n'a jamais été consommé.

Dans un premier temps, tout semblait aller pour le mieux. Nous pensions que si Mme Dubova (aujourd'hui Mme Mayevska) n'aimait peut-être pas notre père au sens romantique du terme, elle ferait tout du moins preuve de gentillesse et de sollicitude à l'égard d'un vieil homme faible au soir de sa vie. Cependant, au bout de quelques mois à peine, la situation a commencé à se dégrader sérieusement.

À mesure que j'écris, j'éprouve un sentiment de culpabilité secrètement mêlée de soulagement. Le baiser de Judas dans le jardin, le délice de la malveillance sans la responsabilité. Il ne faut pas que mon père l'apprenne un jour. Pas plus que Mike ou Anna. Valentina s'en doutera, mais elle n'en aura jamais la certitude.

Je demande au correspondant secret du Home Office de préserver notre anonymat. Je signe la lettre et l'envoie à ma sœur. Elle la signe à son tour et l'envoie au Home Office. Il n'y a pas de réponse. Ma sœur appelle deux semaines plus tard et apprend que la lettre a été classée.

113

Lorsque je rappelle mon père peu de temps après pour prendre des nouvelles, il se montre évasif :

« Ça va, se contente-t-il de me répondre. Rien que normal.

— Plus de disputes ?

— Rien que normal. Entre mari et femme. C'est normal se disputer. Rien de sérieux. » Puis il se met à parler d'aviation : « L'amour, c'est comme aviation, tu vois, tout est question équilibre. Avec une aile longue et mince, la portance est supérieure. Mais au prix de poids plus élevé. De même manière, les disputes et les colères sont prix de l'amour. Quand on dessine un avion, le secret est obtenir équilibre idéal entre portance et traînée. Pareil avec Valentina.

— Tu veux dire qu'elle se porte bien, mais qu'il faut se la traîner ? » (Ah, ah, ah.)

À l'autre bout du fil, un long silence s'installe tandis qu'il essaie de comprendre.

« Arrête un peu avec l'aviation, papa. Tu ne vois pas que je m'inquiète pour toi ?

— Je vais bien. Mais j'ai de nouveau arthrite. Avec le temps humide.

— Tu veux qu'on vienne te voir, Mike et moi ?

— Non, pas maintenant. Plus tard, peut-être. Dans quelque temps. »

Il se montre encore plus expéditif avec ma sœur.

« Il refuse de répondre à aucune question. Il se contente de grommeler à propos de ceci et de cela, ça n'en finit pas. J'ai vraiment l'impression qu'il perd la tête. On devrait aller voir le médecin pour qu'il déclare qu'il est en état de démence, comme ça on pourrait dire qu'il ne jouissait plus de toutes ses facultés quand il a contracté ce mariage.

— Il a toujours été comme ça. Il n'est pas pire qu'avant. Tu sais bien qu'il a toujours été un peu fou.

— Je dois dire que tu n'as pas tort. Absolument fou. Mais j'ai tout de même l'impression que là, ça a empiré. Est-ce qu'il te parle de Valentina ?

— Pas vraiment. Il dit qu'ils se disputent, mais rien que de très normal. Tu te souviens des disputes qu'il avait avec maman ? De deux choses l'une : soit ça s'est calmé et ils réussissent à peu près à s'entendre, soit il cherche à nous cacher la gravité de la situation. Il a peur que tu te moques de lui.

— Mais bien sûr que je vais me moquer de lui. Qu'est-ce qu'il croit ? C'est tout de même notre père. On ne peut pas laisser cette horrible bonne femme lui faire ça.

— Il dit que tout va bien. Mais ce n'est pas l'impression qu'il donne.

— Peut-être qu'elle l'écoute quand il téléphone. C'est juste une idée, comme ça. »

Noël nous offre un prétexte pour lui rendre une visite.

« C'est Noël, papa. Les familles se réunissent toujours à Noël.

— Je vais voir ce que dit Valentina.

— Non. Contente-toi de lui dire qu'on vient.

— Bon, d'accord. Mais pas de cadeaux. Je ne veux pas de cadeaux et je ne vous en offre pas. »

Cette lubie de ne pas se faire de cadeaux lui vient de sa mère, *baba* Nadia. C'est d'elle que je tiens mon prénom. C'était une institutrice de village, une femme pieuse et austère, avec des cheveux lisses qu'elle a gardés noirs jusqu'à l'âge de soixante-dix ans (une preuve indiscutable de ses origines mongoles, disait ma mère), fervente disciple de Tolstoï et de ses idées excentriques qui fascinaient l'intelligentsia russe de l'époque : la noblesse spirituelle de la paysannerie, la beauté de l'abnégation et autres élucubrations (disait ma mère, qui avait souffert des diktats de sa belle-mère sur le mariage, l'éducation des enfants et la recette des boulettes). Et pourtant. Et pourtant, quand j'étais petite, mon père m'avait fait de si beaux cadeaux. Il y avait des maquettes d'avions en balsa munies d'élastiques – toute la rue se retournait pour les voir voler. Un garage avec une fosse en bois et un rivet d'aluminium, un ascenseur qu'on manœuvrait grâce à un élastique qui montait les petites voitures sur le toit et une rampe recourbée pour les faire redescendre. Un Noël, il y avait eu une ferme, un *khutor* pareil à ceux qu'il avait connus en Ukraine – une plaque d'isorel peinte en vert entourée d'un mur peint, avec un portail monté sur des gonds, une ferme avec des fenêtres et une porte qui s'ouvraient, et une petite étable au toit en pente pour les vaches et les cochons miniatures. Le seul souvenir de ces cadeaux me plonge dans l'émerveillement. Il y avait longtemps que je ne m'étais pas rappelé ce que j'aimais autrefois chez mon père.

« Mais Valentina et Stanislav, peut-être qu'ils aimeraient des cadeaux, dit-il. Ils sont très traditionnels, tu sais. » Tiens donc ! Lui qui les prenait pour des intellectuels nietzschéens.

Je me délecte à choisir des cadeaux pour Valentina et Stanislav. Pour Valentina, j'emballe un flacon de parfum bon marché particulièrement immonde que j'ai eu gratuitement dans une promotion du supermarché. Pour Stanislav, je jette mon dévolu sur un pull en polyester mauve que ma fille a rapporté un jour d'une vente de charité à l'école. Je fais de beaux paquets avec des petits rubans. Nous prenons des chocolats et un livre sur les avions pour mon père. Il a beau prétendre le contraire, en fait il a toujours aimé les cadeaux.

Nous allons le voir l'après-midi de Noël. C'est une de ces journées de grisaille d'un froid perçant qui semble avoir remplacé les Noël enneigés d'autrefois. La maison est lugubre et sale, mais mon père a accroché quelques cartes de Noël (y compris quelques-unes qu'il a gardées de l'an dernier) sur une ficelle suspendue au plafond pour égayer l'atmosphère. Il n'y a rien à manger. Leur repas de Noël consistait en sachets de dinde surgelée accompagnée de pommes de terre, de petits pois et de sauce, le tout réchauffé au micro-ondes. Il n'y a même pas de restes. Au fond d'une casserole, sur la cuisinière, des pommes de terre froides grisâtres voisinent avec des reliefs d'œufs au plat.

Je me souviens de la grosse volaille rôtie qu'on nous servait à Noël, de sa peau croustillante de sel d'où s'échappait un jus bien gras qui embaumait l'ail, la marjolaine et le *kasha* dont sa panse dodue était farcie, entourée d'échalotes et de marrons rôtis, et accompagnée d'un vin maison qui nous faisait tourner la tête, de la nappe blanche ornée de fleurs, même en hiver, des cadeaux absurdes, des rires et des embrassades. Cette femme qui a pris la place de ma mère nous a volé Noël, pour le remplacer par des surgelés et des fleurs en plastique.

« Ça vous dirait d'aller manger dehors ? suggère Mike.

— Bonne idée, dit mon père. On peut aller au restaurant indien. »

Mon père aime la cuisine indienne. Il y a un restaurant du nom de Taj Mahal dans la morne galerie bétonnée qui a été annexée au village dans les années soixante. Pendant des mois, après la mort de notre mère, il s'était exclusivement nourri de plats que lui livrait le restaurant et avait fini par faire connaissance avec le propriétaire.

« C'est mieux que plateaux-repas de mairie, disait-il, meilleur goût. » Jusqu'au jour où il avait fait une overdose de *vindaloo*, avec des conséquences désagréables qu'il prenait un malin plaisir à détailler à qui voulait l'entendre. (« Brûlant quand ça entre, très, très brûlant quand ça sort. »)

Nous sommes les seuls convives du restaurant – Mike, Anna, moi, papa, Valentina et Stanislav. Le chauffage a été baissé et la salle est glaciale. Ça sent l'humidité rampante et les vieilles épices. Nous choisissons une table près de la fenêtre, mais il n'y a rien à voir dehors, à part le reflet du givre sur les toits des voitures et la lumière blafarde d'un réverbère de l'autre côté de la rue. Le restaurant est décoré d'un papier velouté bordeaux et d'abat-jour en parchemin ornés de motifs indiens. Une radio pop locale passe des reprises jazzy de chants de Noël en fond sonore.

Le propriétaire accueille mon père comme un vieil ami perdu de vue. Mon père nous présente tous trois, Mike, Anna et moi :

« Ma fille, son mari et ma petite-fille.

— Et là ? demande le propriétaire en indiquant Valentina et Stanislav. Qui est-ce ?

— Cette dame et son fils viennent d'Ukraine, dit papa.

— Et c'est qui ? La femme ? » Manifestement, le bruit a circulé dans le village et il cherche la confirmation du scandale. Il veut sa part des derniers potins.

« Ils sont d'Ukraine », j'interviens. Je ne peux me résoudre à lui dire : oui, sa femme. « Est-ce qu'on peut avoir le menu ? »

Désappointé, il va chercher le menu et le pose sur la table d'un geste brusque.

« Pouvons-nous avoir une bouteille de vin ? » demande Mike, mais le restaurant n'a pas de licence. Nous n'avons plus qu'à trouver un moyen de mettre de l'ambiance.

Nous commandons. Mon père adore l'agneau *bhuna*. Ma fille est végétarienne. Mon mari aime les plats très épicés. J'aime ceux qui sont cuits au four. Valentina et Stanislav n'ont jamais mangé indien. Ils sont sur leurs gardes, condescendants.

« Je veux juste viande. Beaucoup viande », déclare Valentina. Elle choisit un steak dans la sélection de plats anglais. Stanislav choisit du poulet rôti. Nous patientons. Nous écoutons les variétés ponctuées par les bavardages du DJ. Nous regardons le givre qui scintille sur les toits des voitures. Planté derrière le bar, le propriétaire nous observe discrètement. Qu'est-ce qu'il attend ?

Anna se serre contre Mike et entreprend de plier sa serviette en une savante fleur d'origami. Elle est très proche de son père, comme moi autrefois. À les voir ainsi, ensemble, j'éprouve un mélange de plaisir et de tristesse.

« C'est de nouveau Noël, dit Mike. C'est agréable de sortir au restaurant tous ensemble. On devrait le faire plus souvent.

— C'est super », je renchéris. Il n'est pas au courant de la lettre au Home Office.

« Tu as eu de beaux cadeaux, Stanislav ? » lance joyeusement Anna, surexcitée par les festivités. Elle non plus n'est pas au courant.

Stanislav a eu des chaussettes, du savon, un livre sur les avions et des cassettes. L'année dernière, il a eu une veste noire avec un col de fourrure. De la vraie fourrure. L'année d'avant, son père lui avait offert des patins.

« Mieux Ukraïna, Noël, dit Valentina.

— En ce cas, pourquoi ne ?... » Je me retiens, mais Valentina devine ce que je m'apprêtais à dire.

« Pourquoi ? Pour Stanislav. Tout pour Stanislav. Stanislav doit avoir bon avenir. Pas avenir Ukraïna. » Elle se met à glapir sous mon nez : « Ukraïna, juste avenir pour prostituée gangster. »

Mike hoche la tête, la mine compatissante. Anna se tait. Stanislav sourit de son charmant sourire ébréché. Derrière le bar, le propriétaire s'est figé. Mon père a l'air ailleurs, sur un tracteur quelque part loin d'ici.

« Est-ce que c'était mieux du temps du communisme ? je lui demande.

— Bien sûr, mieux. Belle vie. Tu pas comprendre quels gens diriger pays maintenant. »

Ses prunelles couleur de mélasse sont empreintes d'un regard lourd, vitreux. Aujourd'hui, c'est son premier jour de congé depuis deux semaines. Sous ses yeux, des bavures d'eye-liner se sont incrustées dans les rides. Si je n'y prends pas garde, je vais finir par avoir pitié d'elle. Traînée. Garce. Tout juste bonne à réchauffer des sachets de surgelés. Je repense à maman et m'endurcis le cœur.

« Mon école était mieux, dit Stanislav. Plus de discipline. Plus de devoirs. Mais maintenant, en Ukraïna, si on veut réussir ses examens, il faut payer les professeurs.

— En ce cas, c'est comme dans ta nouvelle école », je réplique sèchement. Mike me lance un coup de pied sous la table.

« C'est comme dans la mienne, renchérit Anna. On passe notre temps à acheter les profs avec des pommes. »

Stanislav la regarde d'un air abasourdi.

« Des pommes ?

— Je blaguais, dit Anna. Les élèves ne donnent pas de pommes aux professeurs chez vous ?

— Des pommes, jamais, répond Stanislav. De la vodka, oui.

— Toi professeur université ? me demande Valentina.

— Oui.

— Je vouloir aide pour Stanislav aller OxfordCambridge. Toi travailler OxfordCambridge. Alors aide ?

— Je travaille en effet à Cambridge, mais pas à Cambridge University. Je suis à l'Anglia Polytechnic University.

— Angella University ? C'est quoi ? »

Mon père se penche et lui chuchote : « L'Institut de technologie. »

Valentina hausse les sourcils et marmonne quelque chose qui m'échappe.

Notre dîner arrive. Le propriétaire rôde longuement autour de Valentina en posant les plats devant elle. Elle réussit à lui lancer une œillade de ses prunelles mélasse, mais elle n'a pas réellement le cœur à flirter. Il est tard et nous avons bien trop faim pour faire des politesses. L'agneau *bhuna* de mon père est si filandreux que nous sommes obligés de le lui couper en petits morceaux. Il n'y a pas de légumes dans le curry de légumes si ce n'est du chou. Le curry de Mike est trop épicé. Le poulet rôti de Stanislav est sec et coriace. Le steak de Valentina aussi dur que du bois.

« Tout va bien ? demande le propriétaire.

— Parfait », répond Mike.

Après le dîner Mike raccompagne mon père, Anna et Stanislav, tandis que je rentre à pied avec Valentina. Les trottoirs sont verglacés et dans un premier temps nous nous cramponnons l'une à l'autre pour garder l'équilibre, mais, chemin faisant, une certaine camaraderie finit par s'instaurer entre nous. Malgré la morosité du dîner, les circonstances ont déteint sur notre humeur. Paix sur terre et bienveillance envers les autres, chantent les anges de Noël dans le ciel glacé. Je me dis que c'est l'occasion ou jamais.

« Comment ça se passe ? je lui demande.

— Bien. Tout bien.

— Et les disputes ? Apparemment, vous vous disputez beaucoup. » Je garde un ton neutre, amical.

« Qui dire toi ?

— Valentina, ça crève les yeux. » Je refuse de trahir Stanislav et je ne veux pas mettre mon père dans le pétrin.

« Père toi pas facile, dit-elle.

— Je sais. » Je sais que je ne pourrais pas supporter mon père à longueur de journée comme elle. Je commence à regretter d'avoir écrit cette lettre au Home Office.

« Toujours causer moi problèmes, dit-elle.

— Mais vous travaillez dans une maison de retraite. Vous savez bien que les vieilles gens sont parfois difficiles. »

Qu'espérait-elle ? Un vieux monsieur raffiné qui la comblerait de cadeaux avant de s'éteindre paisiblement une nuit, et non cet intraitable grincheux têtu comme une mule qu'est mon père ?

« Père toi plus difficile. Problème tousser, tousser, tousser. Problèmes nerfs. Problème bain. Problème pipi. » Quand elle se tourne vers moi, le clair de lune saisit son beau profil slave, les hautes pommettes, la bouche incurvée. « Et toujours, tu sais, embrasse, embrasse, touche là, là, là... » De ses mains gantées elle se caresse les seins, les cuisses et les genoux à travers l'épais manteau. (Mon père, faire ça ?) Malgré la nausée qui me gagne, je garde une voix posée :

« Soyez gentille avec lui. C'est tout.

— Moi gentille, dit-elle. Comme père moi. Inquiète pas. »

Elle dérape sur la glace et se raccroche à mon bras. Je sens contre moi sa chaude masse sensuelle s'appuyer brièvement et le parfum sucré, capiteux, que je lui ai offert à Noël et dont elle s'est aspergé le décolleté. Cette femme qui a pris la place de ma mère.

10

Tout raplapla

Mon père est dans tous ses états. L'inspectrice des services de l'immigration est passée le voir. Bientôt le statut d'immigrante de Valentina sera confirmé, scellant leur amour à jamais. Une fois évacuée la menace d'expulsion qui pesait sur eux, le nuage d'incompréhension se dissipera et tout sera comme aux premiers jours de leur amour. Peut-être mieux encore. Peut-être auront-ils un enfant. La pauvre Valentina est si inquiète que ça la rend parfois irritable, mais bientôt tous ses ennuis seront finis.

L'inspectrice est une femme entre deux âges aux cheveux courts, chaussée de souliers plats à lacets. Elle a une mallette marron et refuse le thé que mon père lui offre. Il lui fait visiter la maison.

« Voilà ma chambre. La chambre de Valentina. La chambre de Stanislav. Vous voyez, plein place pour tout le monde. »

L'inspectrice note où vit chacun des habitants de la maison.

« Et voilà ma table. Je préfère manger seul. Stanislav et Valentina mangent dans la cuisine. Je me fais à manger – regardez, des pommes Toshiba. Cuites avec micro-ondes Toshiba. Plein de vitamines. Vous voulez goûter ? »

L'inspectrice refuse poliment et prend d'autres notes.

« Et quand est-ce que je pourrai rencontrer Mme Mayevskyj ? Quand est-ce qu'elle rentre de son travail ?

— Elle ne rentre jamais même heure. Des fois tôt, des fois tard. C'est mieux téléphoner avant. »

L'inspectrice note encore quelque chose, puis elle range son calepin dans sa mallette marron et serre la main de mon père. Il regarde la petite Fiat turquoise disparaître au détour de la rue et me téléphone pour m'apprendre la nouvelle.

Deux semaines plus tard, Valentina reçoit une lettre du Home Office. Sa demande de séjour en Grande-Bretagne a été refusée. L'inspectrice n'a rien trouvé qui puisse prouver l'authenticité du mariage. Elle entre dans une rage folle en s'en prenant à mon père :

« Idiot. Toi donner mauvaises réponses. Pourquoi pas montrer elle lettre poème amour toi ? Pourquoi pas montrer photo mariage ?

— Pourquoi montrer un poème ? Elle n'a pas demandé voir poème ; elle a demandé voir chambre.

— Ah ! Elle voit toi homme pas bien pour entrer chambre femme.

— Toi femme pas bien refuser mari entrer dans chambre.

— Pourquoi vouloir entrer chambre, hein ? Pfff ! Toi tout raplapla. Tout ramollo. Tout raplapla-tout ramollo ! » le nargue-t-elle. Elle lui colle son visage sous le nez et répète d'une voix de plus en plus assourdissante : « Tout raplapla ! Tout ramollo !

— Arrête ! Arrête ! s'écrie mon père. Va-t'en ! Va-t'en ! Retourne en Ukraïna !

— Tout raplapla, tout ramollo ! »

Il la repousse. Elle le pousse à son tour. Elle est plus corpulente que lui. Il trébuche et se cogne le bras contre la commode. Une ecchymose blême apparaît.

« Regarde ce que tu as fait !

« — Maintenant tu pleurer à fille ! Au secours, au secours, Nadia Verochka ! Femme battre moi ! Ah, ah, ah ! Mari devoir battre femme ! »

Peut-être la battrait-il s'il le pouvait, mais il ne peut pas. Pour la première fois, il se rend compte à quel point il est impuissant. Son cœur s'emplit de désespoir. Le lendemain, il profite qu'elle est au travail pour m'appeler et me raconter ce qui s'est passé. Il bafouille à mots trébuchants, boitillants, comme si la seule évocation de cette scène lui était pénible. Je lui fais part de mon inquiétude, mais j'éprouve une certaine autosatisfaction. N'avais-je pas raison dans l'idée que je me faisais de la conception officielle de la pénétration ?

« C'est question dysfonctionnement de érection, tu vois. Ça arrive quelquefois à l'homme.

— Mais, papa, ça n'y change rien. Elle ne devrait pas se moquer de toi comme ça. » Pauvre idiot, me dis-je. Qu'est-ce qu'il espérait ?

« Ne dis rien à Vera.

— Écoute, on va peut-être avoir besoin de l'aide de Vera. »

Je croyais que cette histoire allait être une farce grotesque, mais je me rends compte que c'est en passe de devenir une tragédie grotesque. Il ne m'en a pas parlé avant parce qu'elle écoute ses conversations téléphoniques. Et qu'il ne veut pas que Vera soit au courant. Je refrène l'envie de lui répondre : « Je t'avais prévenu, espèce d'idiot. » Mais je téléphone à Vera qui le dit à ma place.

« Mais, franchement, c'est de ta faute, ajoute-t-elle. Tu l'as empêché d'aller dans une résidence pour personnes âgées.

— Personne n'aurait pu prévoir…

— Moi, je l'avais prévu. » Dans sa voix, le triomphe de Grande Sœur est absolu.

« En ce cas, puisque tu es si maligne, comment va-t-on le sortir de ce pétrin ? » À l'autre bout du fil, j'esquisse un sourire ironique.

« Il y a deux solutions, répond Vera. Le divorce ou l'expulsion. La première est onéreuse et aléatoire. La seconde est tout aussi aléatoire, mais au moins papa n'aura pas à débourser d'argent.

— Pourquoi pas les deux ?

— Tu as bien changé, Nadia. Où sont passées toutes tes belles idées féministes ?

— Arrête de m'agresser comme ça. On devrait être alliées, mais tu es incapable de te montrer aimable avec moi, hein ? Je comprends pourquoi papa ne te raconte jamais rien.

— Lui aussi, comme imbécile, il se pose là. Maman et moi, on était les deux seules de la famille à être pragmatiques. »

Vous avez vu un peu comme elle revendique l'héritage de maman ? Ce qu'elle lorgne, ce n'est pas seulement le placard rempli de conserves et de pots, ni le médaillon en or, ni même l'argent du compte d'épargne. Non, plus que tout, c'est son caractère, sa personnalité dont nous nous disputons l'héritage.

« On n'a jamais été très pragmatiques comme famille.

— Comment dites-vous déjà, les assistantes sociales ? Une famille dysfonctionnelle. On devrait peut-être demander une aide à la mairie. »

Malgré un démarrage un peu difficile, nous réussissons à établir un partage des tâches. Vera, en sa qualité d'experte de la famille sur les questions du divorce, se chargera de contacter des avocats, tandis que je me renseignerai sur la législation relative à l'immigration et à l'expulsion. Au début j'éprouve un certain malaise à ôter mes confortables pantoufles de libérale pour enfiler les talons aiguilles de Mme Embarquez-moi-ça-et-renvoyez-tout-ce-beau-monde-d'où-il-vient, mais au bout de quelque temps mes pieds finissent par se sentir parfaitement à l'aise dans ces nouveaux souliers. Je découvre que Valentina a le droit de faire appel, et que si elle se voit opposer un nouveau refus, elle a le droit de refaire appel auprès d'un tribunal. Elle a également le droit de bénéficier d'une aide juridique. De toute évidence, elle est là pour un certain temps.

« On devrait peut-être écrire au *Daily Mail*. » Je commence à prendre mon rôle très à cœur.

« Bonne idée », me répond Vera.

Côté divorce, ma sœur a un plan ingénieux. S'il y a contestation, le divorce risque d'être aussi compliqué qu'onéreux, s'est-elle aperçue, aussi a-t-elle eu l'idée d'une annulation, en vertu de la conception si chère à la royauté européenne du seizième siècle qui veut que s'il n'y a pas eu consommation, il n'y a pas mariage.

« Voyez-vous, il n'y a jamais vraiment eu mariage, par conséquent il est inutile de passer par un divorce », explique-t-elle au jeune avocat stagiaire passablement inexpérimenté du cabinet de Peterborough. C'est la première fois qu'il a affaire à un cas de ce genre et il promet de se renseigner. Au téléphone, il demande en bafouillant à ma sœur de préciser en détail les éléments prouvant qu'il n'y a pas eu consommation.

« Seigneur ! Qu'est-ce qu'il vous faut au juste comme détail ? »

Mais bien que ça ait marché pour la royauté européenne, ça ne marche pas pour papa – c'est uniquement dans le cas où une des parties se plaint de l'incapacité ou du refus de l'autre de consommer le mariage que la non-consommation devient une cause d'annulation ou de divorce, écrit l'avocat stagiaire dans une lettre maladroitement formulée.

« Voilà ce que j'ignorais », dit Vera qui croyait pourtant tout savoir en matière de divorce.

Lorsque papa lui suggère de divorcer, Valentina lui rit au nez. « D'abord, moi obtenir visa passeport ; après, toi obtenir divorce. »

De son côté, papa n'a plus trop envie de divorcer non plus. Il a peur qu'on le questionne sur le tout raplapla. Il a peur que le monde entier soit au courant pour le tout ramollo.

« Il vaut mieux trouver une autre idée, Nadia », me dit-il.

Malgré le stress, il a réussi à terminer un nouveau chapitre de son histoire, mais le ton est plus sombre. Quand je viens lui rendre visite avec Mike début février, il nous emmène dans le salon encore rempli de la récolte de pommes de l'an dernier, où règne un froid si glacial qu'on se croirait dans une chambre frigorifique, et nous en lit un passage :

Les premiers constructeurs de tracteurs rêvaient de changer les épées en socs de charrue, mais l'esprit du siècle prend aujourd'hui une tournure sombre et nous voyons à la place les socs se transformer en épées. L'usine de locomotives de Kharkov, qui produisait autrefois un millier de tracteurs par semaine pour répondre à la demande de la Nouvelle Politique économique, a été relocalisée à Chelyabinsk, au-delà de l'Oural, et reconvertie pour produire des tanks par décret de K. J. Voroshilov, le commissaire du peuple à la Défense.

Le concepteur en chef, Mikhaïl Koshkin, avait fait ses études à l'Institut de Leningrad et travailla à l'usine Kirov jusqu'en 1937. C'était un élément modéré, cultivé, dont le génie fut utilisé, pour ne pas dire exploité, par Staline pour établir la suprématie militaire de l'Union soviétique. Le premier tank de Koshkin, l'A20, roulait sur les chenilles d'origine, avec un canon de 45 et un blindage capable de résister à un tir d'obus. Celui-ci fut rebaptisé T32 quand le calibre du canon passa à 76,2 mm et le blindage fut renforcé. Le T32 participa à la guerre civile espagnole, où il s'avéra vulnérable en raison de la légèreté de son blindage, bien que sa manœuvrabilité suscitât une grande admiration. C'est ainsi que naquit le légendaire T34, à qui bien des gens attribuent le tournant de la guerre. Son blindage avait été renforcé et, pour compenser le poids supplémentaire, il fut le premier engin de traction à être doté d'un moteur en fonte d'aluminium.

Il parle à présent d'une voix affaiblie, tremblante, et s'interrompt régulièrement pour reprendre son souffle.

Durant l'impitoyable hiver de février 1940, le premier T34 fut conduit à Moscou pour défiler devant les dirigeants soviétiques. Il fit une énorme impression, en particulier par sa capacité à rouler sans encombre dans les rues défoncées, pavées, enneigées de la capitale.

Cependant, le pauvre Koshkin ne vécut pas assez longtemps pour voir sa création sur les chaînes de montage. Ayant été exposé lors de ce voyage à ce temps abominable pendant plusieurs heures, il contracta une pneumonie et mourut quelques mois plus tard.

Son élève et collègue, le jeune et flamboyant ingénieur Aleksandr Morozov, acheva de le dessiner. Sous sa supervision, les premiers T34 sortirent des chaînes de montage en août 1940, puis ils furent bientôt produits par centaines de milliers. En hommage, la ville de Chelyabinsk, autrefois connue pour la production de tracteurs, fut rebaptisée Tankograd.

Par la fenêtre, le soleil plonge dans les sillons glacés qui n'ont pas dégelé de la journée. Le vent qui brûle les branches souffle des plaines de la côte d'East Anglia, et, par-delà, des steppes, et, par-delà encore, de l'Oural.

Mon père est emmitouflé dans un bonnet de laine, des mitaines et trois paires de chaussettes. Il lit penché en avant dans son fauteuil, derrière des lunettes aux verres épais. Derrière lui, sur la cheminée, trône un portrait de ma mère. Elle regarde par-dessus son épaule, vers les champs et l'horizon. Pourquoi l'a-t-elle épousé, cette jeune femme rêveuse aux yeux marron, avec ses nattes enroulées et son sourire mystérieux ? Était-ce un jeune et flamboyant ingénieur ?

L'a-t-il séduite en lui parlant de transmission automatique et en lui offrant de l'huile de moteur ?

« Pourquoi l'a-t-elle épousé ? » je demande à Vera.

Mme l'Experte en Divorce et sa consœur Embarquez-moi-ça-et-renvoyez-tout-ce-beau-monde-d'où-il-vient viennent d'échanger leurs notes au téléphone et désormais le ton est tout à fait cordial. Nous sommes passées du mariage de notre père avec Valentina à celui de nos parents, et, voyant s'entrouvrir la porte du passé, j'ai envie de la pousser.

« C'était après la mort du commandant de sous-marin à Sébastopol. Elle devait avoir peur d'être seule. C'était une époque terrifiante.

— Quel commandant de sous-marin ?

— De la flotte de la mer Noire. Celui à qui elle était fiancée.

— Maman était fiancée à un commandant de sous-marin ?

— Tu ne savais pas ? C'était l'homme de sa vie.

— Ce n'était pas papa ?

— À ton avis ?

— Je ne sais pas, moi, gémit Nez crotteux, on ne m'a jamais rien dit.

— Des fois, il vaut mieux ne pas savoir. »

Grande Sœur claque la porte du passé et la ferme à clé.

11

Sous la contrainte

La date de l'appel contre la décision des services de l'immigration a été fixée.

Mon père s'aperçoit soudain qu'il n'est pas si impuissant qu'il le croyait. L'appel doit avoir lieu à Nottingham en avril.

« Je n'y vais pas, dit papa.

— Si, tu vas, dit Valentina.

— Vas-y toute seule. Pourquoi j'irais à Nottingham ?

— Pauvre idiot. Si toi pas aller, *bureaucraczia* dire : "Où est mari toi ? Pourquoi toi pas mari ?"

— Dis à *bureaucraczia* que je suis malade. Dis-leur que j'irai pas. »

Valentina se renseigne auprès de son avocat de Peterborough. Celui-ci lui dit que l'affaire risque d'être sérieusement compromise si son mari ne vient pas, à moins qu'elle ne puisse prouver qu'il est réellement malade.

« Toi malade dans tête, dit Valentina à mon père. Trop délire. Trop embrasser. Pas bon quatre-vingt-quatre ans. Docteur devoir écrire lettre.

— Je ne suis pas malade, proteste mon père. Je suis poète et ingénieur. Au fait, Valentina, n'oublie pas que même Nietzsche était considéré comme fou par ceux qui lui étaient inférieurs intellectuellement. On va voir le Dr Figges. Elle va te dire que je suis pas fou dans la tête. »

Le médecin du village, une dame à la voix douce proche de la retraite, suit mon père et ma mère depuis vingt ans.

« Bien. Nous aller voir Dr Figges. Alors moi parler Dr Figges relations buccogénitales, dit Valentina. (Quoi ? Des relations buccogénitales ? Mon père ?)

— Non, non ! Valya, pourquoi parler de ça à tout le monde ? (Il ne se gêne pas pour m'en parler, à moi !)

— Moi dire mari quatre-vingt-quatre ans vouloir relations buccogénitales. Mari tout raplapla vouloir relations buccogénitales. (Papa, je t'en supplie – ça commence à me donner la nausée.)

— Valenka, je te supplie. »

Valentina se laisse fléchir. Ils iront voir un autre médecin. Valentina et Mme Zadchuk fourrent mon père dans la Poubelle. Elles sont tellement pressées d'arriver au cabinet avant qu'il ne change d'avis que son manteau est boutonné de travers et ses chaussures interverties. Il porte les lunettes qu'il met pour lire au lieu de celles qui lui permettent de voir de loin, si bien que tout est flou – la pluie, le mouvement des essuie-glaces, les vitres de voiture embuées, les haies qui défilent en une longue traînée. Valentina a pris le volant et, à la voir rouler comme une folle, il est manifeste qu'elle a appris toute seule. Mme Zadchuk est à l'arrière et tient Nikolaï au cas où lui viendrait l'idée d'ouvrir la portière pour sauter en marche. La voiture fonce ainsi à tombeau ouvert sur les petites routes de campagne, faisant gicler les flaques, affolant un couple de faisans qui sauvent leur peau de justesse.

Elles ne l'emmènent pas au cabinet du village consulter le Dr Figges, mais dans un village des environs où exerce un autre généraliste dépendant du même cabinet. Au lieu du médecin indien d'un certain âge qu'elles pensaient consulter, elles tombent sur sa remplaçante. Le Dr Pollock est une jeune femme rousse extrêmement jolie. Mon père refuse de discuter de ses soucis avec elle. Il la lorgne d'un œil myope au travers de ses lunettes de lecture embuées en essayant d'inverser ses chaussures sans qu'elle s'en aperçoive. Valentina monopolise la parole. Convaincue que la jeune femme compatira, elle décrit en détail le comportement étrange de mon père – la toux, les pommes Toshiba, les monologues sur les tracteurs, sa manière de la harceler en permanence de demandes sexuelles. Le Dr Pollock observe attentivement mon père, remarque les chaussures à l'envers, le regard fixe, le manteau mal boutonné, et lui pose un certain nombre de questions : « Depuis combien de temps êtes-vous marié ? Avez-vous des difficultés d'ordre sexuel ? Pourquoi êtes-vous venu me voir, au juste ? »

À toutes ces questions mon père se contente de répondre : « Je ne sais pas. » Puis il se tourne vers Valentina avec un geste théâtral : « Parce qu'elle m'a forcé ! Ce monstre infernal ! »

Le Dr Pollock refuse d'écrire une lettre aux services d'immigration attestant que mon père est trop malade pour assister à l'audience d'appel de Valentina. En revanche, elle annonce à mon père qu'elle va lui prendre rendez-vous avec un psychiatre de l'hôpital de Peterborough.

« Toi voir ! lance Valentina d'un ton triomphal. Docteur dire toi fou ! »

Mon père garde le silence. Ce n'est pas le résultat qu'il escomptait.

« Tu crois que je suis fou, Nadia ? me demande-t-il le lendemain au téléphone.

— Pour être honnête, un peu, oui. J'ai trouvé que tu étais fou d'épouser Valentina. Je te l'ai dit à l'époque. (Ah, ah ! Je te l'avais bien dit ! Mais je me mords la langue.)

— Mais ce n'était pas fou. C'était simplement une erreur. Tout le monde peut faire des erreurs.

— C'est vrai », j'acquiesce. Je lui en veux encore, mais j'ai de la peine pour lui.

« Qu'est-ce que c'est, cette histoire de relations buccogénitales ? » je demande à Vera. Nous échangeons de nouveau nos notes. Nous sommes de plus en plus copines.

« Oh, c'est une idée sordide de Margaritka Zadchuk. Apparemment, Valentina lui a dit qu'on cherchait à obtenir l'annulation du mariage pour non-consommation.

— Mais est-ce qu'il ?…

— Désolée, Nadezhda. Je ne préfère pas en parler, ça me dégoûte trop. »

Quoi qu'il en soit, papa finit par tout me raconter. Valentina a parlé à son amie Margaritka Zadchuk, qui en sait long. La vieille Mme Mayevska était finaude et économe, lui a-t-elle dit. À sa mort, elle avait amassé une immense fortune. Des centaines de milliers de livres. Le tout est caché quelque part dans la maison. Pourquoi mari radin pas lui donner, à elle ? Ledit mari radin me raconte la chose en pouffant de rire. Elle peut mettre la maison sens dessus dessous, elle ne trouvera pas un penny.

Mme Zadchuk a appris une nouvelle expression à Valentina : « relations buccogénitales. » Très appréciées Angleterre, dit Mme Zadchuk. Tous les journaux anglais parler ça. Bons Ukrainiens pas pratiquer relations buccogénitales. Mari radin vivre trop longtemps Angleterre, lire journaux anglais, mettre en tête idée anglaise relations buccogénitales. Relations buccogénitales être bien, dit Mme Zadchuk, parce que, avec relations buccogénitales, tout le monde savoir être vrai mariage, mari radin pas pouvoir dire pas vrai mariage.

Autre chose que lui dit Mme Zadchuk : si elle obtient le divorce de son radin de mari qui bat sa femme, elle est certaine de récupérer la moitié de la maison grâce à cette histoire de relations buccogénitales. En Angleterre, c'est la loi. Remontée par des rêves d'incommensurables richesses, elle attaque mon père de front :

« D'abord moi obtenir visa passeport, après obtenir divorce. Quand obtenir divorce, moi avoir moitié maison.

— Pourquoi ne pas commencer maintenant ? dit-il. On va diviser la maison. Stanislav et toi, vous aurez l'étage. J'aurai le bas. »

Mon père se met à dessiner – des plans du rez-de-chaussée, des plans du premier, des portes à condamner, des ouvertures à créer. Il couvre des feuilles entières de papier millimétré de dessins tremblotants. Avec l'aide des voisins, il descend son lit dans le salon rempli de pommes, là où maman est morte. Il explique à Vera que c'est parce qu'il a du mal à monter l'escalier.

Mais il fait trop froid dans la pièce et il rechigne à monter le chauffage à cause des pommes. Il se met à tousser et éternuer, et Valentina, craignant qu'il ne meure avant que sa demande de passeport britannique n'ait abouti (*dixit* papa), le conduit chez le Dr Figges. Le médecin lui conseille de dormir dans une pièce bien chauffée. Son lit est déplacé dans la salle à manger, à côté de la cuisine, où la chaudière peut rester en marche jour et nuit. Il demande à Mike de transformer la cuisine américaine en mettant une porte, car il a peur que Valentina ne l'assassine dans la nuit (*dixit* papa, encore). Il dort, mange, passe ses journées dans cette pièce. Il se sert de la petite douche avec des toilettes qui avait été installée pour maman. Mais si son univers s'est réduit à cette unique pièce, son esprit vagabonde en liberté dans les champs de labour du monde entier.

L'Irlande, comme l'Ukraïna, est un pays essentiellement rural qui souffre de sa proximité avec un voisin
industrialisé plus puissant. La contribution de
l'Irlande à l'histoire du tracteur est due à l'ingénieur
de génie Harry Ferguson, né en 1884 près de Belfast.

Ferguson était un homme intelligent et espiègle qui
était également passionné par l'aviation. On dit que
c'est le premier à avoir construit et fait voler son propre avion en Grande-Bretagne, en 1909. Mais bientôt
il estima que le seul service qu'il rendrait à l'humanité
serait d'améliorer la production alimentaire.

La première charrue à double lame de Harry
Ferguson fut attachée au châssis de la Ford T reconvertie en tracteur, baptisé fort à propos « Eros ». Cette
charrue était montée à l'arrière, et, grâce à l'utilisation
ingénieuse de ressorts de balance, elle pouvait être
relevée ou abaissée par le conducteur avec un levier
placé à côté du siège.

Pendant ce temps, Ford développait ses propres
tracteurs. Le modèle de Ferguson était plus innovant
et utilisait la transmission hydraulique. Ferguson
savait qu'en dépit de ses qualités d'ingénieur il ne pouvait pas réaliser son rêve seul. Il avait besoin d'une
grande entreprise pour produire son modèle. Aussi
conclut-il avec Henry Ford un accord informel scellé
par une simple poignée de main. L'alliance Ferguson-
Ford offrit au monde un nouveau type de tracteur dit
Fordson, bien supérieur à tout ce qui existait auparavant, qui fut le précurseur de tous les tracteurs de type
moderne.

Cependant, cet accord informel s'écroula en 1947,
quand Henry Ford II prit la tête de l'empire de son
père et commença à fabriquer un nouveau tracteur,
Ford 8N, utilisant le système Ferguson. D'une nature
confiante et enjouée, Ferguson n'était pas de taille à
lutter contre la mentalité impitoyable de l'entrepre-
neur américain. L'affaire se régla devant les tribunaux
en 1951. Ferguson demanda 240 millions de dollars,
mais ne reçut que 9,25 millions.

Loin de se laisser décourager, Ferguson eut une nouvelle idée. Il alla présenter à la Standard Motor Company à Coventry un nouveau projet pour reconvertir la Vanguard en tracteur. Mais ce projet dut être modifié car, après la guerre, l'essence était encore rationnée. Le plus grand défi de Ferguson fut de passer du moteur à essence au moteur à diesel, et sa réussite donna naissance au légendaire TE-20, qui fut fabriqué en Grande-Bretagne à plus d'un demi-million d'exemplaires.

Ferguson restera célèbre pour avoir rassemblé deux des plus grandes aventures de la construction mécanique de notre temps, le tracteur et la voiture familiale, l'agriculture et le transport, qui ont si largement contribué au bien-être de l'humanité.

Mon père décide finalement d'aller à Nottingham assister à l'audience d'appel de Valentina. Comment a-t-elle fait pour le convaincre ? L'a-t-elle menacé de raconter ses histoires de relations buccogénitales à la *bureaucraczia* ? Lui a-t-elle enfoui son crâne chétif entre ses deux ogives nucléaires pour lui chuchoter des mamours dans son sonotone ? Mon père se tait sur la question, mais il a une idée derrière la tête.

Ils se rendent en train à Nottingham. Valentina s'est acheté une nouvelle tenue pour l'occasion, un tailleur bleu marine doublé de soie polyester rose assortie à son rouge à lèvres et à son vernis. Ses cheveux sont empilés sur le sommet de sa tête en une choucroute jaune attachée par une pince et aspergée de laque pour la maintenir en place. Mon père a enfilé le costume qu'il avait le jour de son mariage et une chemise blanche froissée au col élimé dont les deux boutons du haut sont recousus avec du fil noir. Il porte la casquette verte qu'il a baptisée *lordovska kepochka*, autrement dit « casquette d'aristocrate », achetée il y a vingt ans à la

Co-op de Peterborough. Valentina lui coupe les cheveux avec les ciseaux de cuisine pour l'arranger un peu, redresse sa cravate et lui fait même une bise sur la joue.

On les fait entrer dans une salle morne aux murs beiges où deux hommes en complet gris et une femme en cardigan gris trônent derrière une table marron sur laquelle sont posées des liasses de papiers et une carafe d'eau avec trois verres. Valentina est invitée à parler en premier et essuie une batterie de questions, qui l'amènent à raconter sa rencontre avec mon père au club ukrainien de Peterborough, leur coup de foudre, leur mariage à l'église, les poèmes et les lettres d'amour que mon père lui a écrits quand il lui faisait la cour, leur bonheur.

Quand vient son tour de parler, mon père demande à voix basse si l'audience peut se dérouler dans une salle à part. Après avoir discuté un bon moment, la commission de l'immigration conclut que non, il doit parler devant tout le monde.

« Je parle sous la contrainte », dit-il. Ils lui posent les mêmes questions qu'à Valentina et il leur fait les mêmes réponses. Une fois l'interrogatoire fini, il déclare : « Merci. Je veux que vous notiez que tout ce que j'ai dit a été prononcé sous la contrainte. »

Il mise sur l'anglais approximatif de Valentina.

Les membres de la commission prennent fiévreusement des notes, mais pas une seule fois ils ne lèvent les yeux ni ne croisent le regard de mon père. Valentina hausse imperceptiblement un sourcil sans se départir de son sourire figé.

« Quoi dire, *kontraainnt* ? lui demande-t-elle tandis qu'ils attendent le train qui doit les ramener chez eux.

138

— Ça veut dire "amour", répond mon père. Comme "tendresse" en français.

— Ah, *holubchik*. Mon petit pigeon. » Elle tourne vers lui un visage radieux et lui fait une autre bise sur la joue.

12

Un sandwich au jambon
à moitié entamé

« Comment ça se fait que Mme Zadchuk ait été au courant pour le projet d'annulation ? » demande Vera.

Mme l'Experte en Divorce et Mme Embarquez-moi-ça-et-renvoyez-tout-ce-beau-monde-d'où-il-vient se consultent de nouveau.

« Valentina a dû voir la lettre de l'avocat.

— Elle lit son courrier ?

— Il y a des chances.

— Remarque qu'avec son penchant pour la délinquance ça ne m'étonne pas du tout.

— On lui revaudra ça. »

Quand nous retournons voir mon père, je laisse Mike seul aux prises avec le monologue des tracteurs dans le salon aux pommes pendant que je m'éclipse à l'étage pour fouiller la chambre de Valentina. Elle a pris possession de celle de mes parents. C'est une pièce hideuse et sombre avec un lourd mobilier en chêne des années cinquante, dont l'armoire est encore pleine des vêtements de ma mère, avec des lits jumeaux garnis de couvre-lits en chenille jaune, des rideaux mauve, jaune et noir ornés d'un surprenant motif moderniste choisi par mon père et un carré de moquette bleue au milieu du lino marron. Cette pièce, ce sanctuaire parental a toujours représenté à mes yeux un lieu de mystère et d'angoisse. Aussi, quelle n'est pas ma surprise de découvrir que Valentina l'a transformée en une sorte de boudoir hollywoodien, avec des coussins de fourrure synthétique rose, des boîtes à mouchoirs, à cosmétiques et à cotons capitonnées ornées de volants, des tableaux d'enfants aux yeux écarquillés sur les murs, des peluches sur le lit et des flacons de parfums, de lotions et de crèmes sur la coiffeuse. Le tout provenant apparemment de catalogues de vente par correspondance, dont plusieurs gisent ouverts à même le sol.

Mais le plus extraordinaire dans la chambre, c'est le désordre qui y règne. Ce n'est qu'un fouillis de paperasses, de chaussures, de tasses à thé, de vernis à ongles, de pots de cosmétiques, de croûtes de toasts, de brosses à cheveux, d'appareils électriques, de brosses à dents, de bas, de paquets de biscuits, de bijoux, de photos, de papiers de bonbons, de bibelots, d'assiettes sales, de sous-vêtements, de trognons de pommes, de sparadraps, de papier d'emballage, de bonbons collants – le tout amoncelé sur la coiffeuse, la chaise, le lit voisin, débordant par terre. Et du coton – partout des bouts de coton couverts de rouge à lèvres, de mascara noir, de fond de teint orange, de vernis rose, jonchant le lit, le sol, piétinés sur la moquette bleue, pêle-mêle avec les vêtements et les aliments.

Il flotte une drôle d'odeur, un mélange de parfum douceâtre, de produits chimiques et d'autre chose – quelque chose de biologique, de bactérien.

Par où commencer ? Je m'aperçois que je ne sais pas exactement ce que je cherche. J'ai une heure devant moi avant que Valentina rentre du travail et Stanislav de son job du samedi.

J'attaque par le lit. Il y a des photos et des papiers à l'air officiel – une demande de permis de conduire temporaire, une fiche de salaire de la maison de retraite (je remarque que le nom de famille est épelé différemment sur les deux documents) et un formulaire de demande d'emploi chez McDonald's. Les photos sont intéressantes. On y voit Valentina en robe du soir glamour découvrant les épaules, coiffée avec recherche, à côté d'un monsieur brun et râblé entre deux âges qui fait une demi-tête de moins qu'elle. Sur certaines il la tient par l'épaule, sur d'autres ils se tiennent la main ou sourient devant l'objectif. Qui est cet homme ? J'ai beau examiner la photo de près, il ne ressemble pas à Bob Turner. Je prends une des photos et la glisse dans ma poche.

Sous le lit, dans un sac de supermarché, je fais une autre découverte : une liasse de lettres et de poèmes rédigés de l'écriture en pattes de mouche de mon père. Ils sont accompagnés de traductions en anglais fournies par quelqu'un d'autre. Ma chérie... bien-aimée... belle déesse Vénus... des seins pareils à des pêches mûres (pour l'amour du ciel !)... une chevelure semblable à l'or des champs de blé d'Ukraine... tout mon amour et mon dévouement... je suis à toi jusqu'à ce que la mort nous sépare. À en juger d'après l'écriture, la traduction semble être l'œuvre d'un enfant, avec de grosses lettres rondes et des *i* avec des petits cercles en guise de points. Stanislav ? Pourquoi aurait-il fait ça ? Je remarque qu'une des lettres comporte des chiffres en plus des mots. Par curiosité, je la sors. Mon père a exposé ses revenus, détaillant toutes ses pensions et ses comptes d'épargne. La page est couverte de haut en bas de chiffres tremblés. « C'est une somme modeste, mais qui suffit pour vivre confortablement, et tout sera à toi, ma bien-aimée », a-t-il ajouté en dessous. La main enfantine a soigneusement retranscrit le tout.

Je relis la page, en proie à une irritation grandissante. Ma sœur a raison – c'est un imbécile. Je ne devrais pas en vouloir à Valentina de lui prendre son argent. Il le lui a quasiment fourré entre les mains.

Je me tourne à présent vers les tiroirs. Il y règne la même pagaille. Je passe en revue un fatras de sous-vêtements, de vestes, de manteaux, de papiers de bonbons collants, de flacons de lotions, de parfums bon marché. Dans un tiroir, je découvre un mot : « À samedi. Tendrement, Eric. » À côté, enfoui sous une culotte, se trouve un sandwich à moitié entamé, la croûte grisâtre, les bords racornis, laissant apparaître la vision obscène de la tranche de jambon d'un rose terne, desséchée.

Sur ce, j'entends une voiture qui se gare. Je sors précipitamment de la chambre de Valentina pour me faufiler dans celle de Stanislav. C'est mon ancienne chambre et j'ai encore des choses dans l'armoire, ce qui me fournit un prétexte. Stanislav est plus ordonné que sa mère. Je ne tarde pas à m'apercevoir que c'est un fan de Kylie Minogue et de Boyzone. Ce « génie de la musique » a une chambre pleine de cassettes de Boyzone ! Sur la table placée devant la fenêtre, je remarque quelques manuels et du papier à lettres. Il écrit une lettre en ukrainien. « Cher papa... »

Je distingue alors deux nouvelles voix – non pas Mike et mon père, mais Valentina et Stanislav qui discutent dans la cuisine. Je referme discrètement la porte de la chambre de Stanislav et descends sur la pointe des pieds. Valentina et Stanislav sont dans la cuisine, occupés à piquer du bout de la fourchette quelque délice en sachet bouillonnant sur le feu. Sous le gril, deux saucisses ratatinées commencent à fumer.

« Bonjour, Valentina, bonjour, Stanislav. (Je ne sais pas vraiment quelle est l'étiquette à respecter : comment doit-on s'adresser à une femme qui bat votre père et dont vous venez de fouiller la chambre ?

143

J'opte pour la formule anglaise : la conversation courtoise.) La journée a été dure ?

— Moi toujours travail dur. Beaucoup dur », répond Valentina d'un ton bougon.

Je remarque qu'elle a beaucoup grossi. Son ventre a enflé comme un ballon et ses joues distendues sont bouffies. Stanislav, quant à lui, a l'air d'avoir maigri. Mon père rôde sur le seuil de la porte, enhardi par la présence de Mike.

« Les saucisses brûlent, Valentina, dit-il.

— Toi pas manger, tu taire. »

Elle lui lance un torchon mouillé. Puis elle jette les sachets de surgelés sur une assiette et les coupe au couteau en déversant leur contenu indéterminé, flanque les saucisses à côté, asperge le tout de ketchup et remonte à pas lourds dans sa chambre. Stanislav la suit sans mot dire.

Le stylo est plus puissant que le torchon, et c'est par écrit que mon père exerce sa vengeance :

Jamais la technologie pacifique que représente le tracteur ne connut transformation plus barbare en arme de guerre qu'avec la création du tank Valentine. Conçu par les Britanniques, ce tank fut produit au Canada, où de nombreux ingénieurs ukrainiens étaient experts en construction de tracteurs. Le tank Valentine doit son nom au fait qu'il naquit le jour de la Saint-Valentin en 1938. Mais il n'avait rien de charmant. Lourd, peu maniable, doté d'une boîte de vitesse obsolète, c'était néanmoins un engin meurtrier, une véritable machine à tuer.

« Beurk ! s'exclame Vera quand je lui parle du sandwich au jambon. Mais que veux-tu, quand on a affaire à une traînée pareille… »

Je ne peux pas lui décrire l'odeur. Je lui parle des cotons.

« Mais c'est épouvantable ! Dans la chambre de maman ! Et tu n'as rien trouvé d'autre ? Aucune lettre de l'avocat concernant son statut d'immigrante, aucune recommandation sur le divorce ?

— Je n'ai rien trouvé. Peut-être qu'elle garde ça à son travail. Il n'y en a aucune trace à la maison.

— Elle a dû cacher tout ça quelque part. Quoi de plus normal de la part d'un escroc de haut vol comme elle ?

— Mais tu sais quoi ? J'ai jeté un œil dans la chambre de Stanislav et devine ce que j'ai trouvé !

— Aucune idée. De la drogue ? De la fausse monnaie ?

— Ne sois pas ridicule. Non, j'ai trouvé une lettre. Il écrit à son papa à Ternopil qu'il est très malheureux ici. Il veut rentrer là-bas. »

13

Des gants de caoutchouc jaunes

Naturellement, Valentina finit par découvrir la véritable signification de la contrainte. C'est Stanislav qui le lui dit. Pire encore, elle découvre le même jour qu'est arrivée une lettre des services de l'immigration lui apprenant que son appel a de nouveau été rejeté.

Elle coince mon père alors qu'il sort des toilettes, aux prises avec sa braguette.

« Espèce de cadavre vivant ! glapit-elle. Je vais t'en montrer, de la contrainte ! »

Elle porte des gants de caoutchouc jaunes et tient un torchon mouillé qui lui a servi à essuyer la vaisselle, avec lequel elle se met à le fouetter.

« Espèce de vieil âne bâté avec cerveau et sexe tout rabougris ! » Vlan, vlan. « Espèce de relique ratatinée de vieille crotte de bique ! »

Elle lui fouette les jambes et les mains, qu'il tend vers elle en guise de protection ou de supplication. Il recule et se retrouve plaqué contre l'évier de la cuisine. Derrière elle, il aperçoit une casserole de pommes de terre qui bout sur la cuisinière.

« Espèce d'insecte rampant, je vais t'écraser. » Vlan, vlan ! La vapeur des pommes de terre embue ses lunettes et il y a une légère odeur de brûlé.

« Contrainte ! Contrainte ! Je vais t'en montrer, moi, de la contrainte ! » Enhardie, elle se met à lui fouetter la figure. Vlan, vlan. Le coin du torchon heurte l'arête de son nez et envoie valser ses lunettes par terre.

« Valechka, je t'en prie…

— Espèce de vieux bout de nerf mâchouillé et craché par un chien ! Pfff ! » Elle lui enfonce dans les côtes un index couvert de caoutchouc jaune. « Pourquoi tu es toujours en vie ? Il y a longtemps que tu devrais reposer auprès de Ludmilla, les morts avec les morts. »

Il tremble de tout son corps et sent un frémissement de boyaux familier. Il a peur de faire sous lui. Une odeur nauséabonde de pommes de terre brûlées envahit la cuisine.

« Je t'en supplie, Valechka, ma chérie, mon petit pigeon… » Elle s'approche de lui, alternant les bourrades et les claques de ses doigts jaunes. La casserole de pommes de terre commence à fumer.

« Tu ne vas pas tarder à retourner d'où tu viens ! Sous terre. Sous la contrainte ! Ah ! »

Il est sauvé par Mme Zadchuk qui sonne à la porte. Elle entre, jauge la situation d'un coup d'œil et retient son amie en posant sur son bras une main potelée.

« Viens, Valya. Laisse ce bon à rien mari radin obsédé relations buccogénitales. Viens. On va faire shopping. »

Tandis que la Poubelle disparaît au détour de la rue, mon père se précipite à la rescousse des pommes de terre brûlées avant d'aller aux toilettes pour se soulager. Puis il me téléphone. Il a la voix perçante, essoufflée.

« Je crois qu'elle veut me tuer, Nadia.

— Elle a vraiment dit ça ? Elle a vraiment parlé de retourner au cimetière ?

— En russe. Tout ça en russe.

— La langue n'a pas d'importance, papa.

— Mais si, au contraire, la langue a une importance suprême. La langue renferme non seulement des idées, mais des valeurs culturelles…

— Écoute, papa. S'il te plaît. » Il continue à soliloquer sur les différences entre le russe et l'ukrainien,
alors que la seule chose qui m'intéresse, c'est
Valentina. « Écoute une seconde. Je sais que ce n'est
pas facile pour toi, mais la bonne nouvelle, c'est qu'on
ne lui a pas donné l'autorisation de rester. Ce qui
signifie que bientôt, peut-être, elle sera expulsée. Si
seulement on savait quand… Mais en attendant, si tu
as peur de rester sous le même toit qu'elle, viens t'installer chez nous. » Je sais qu'il ne viendra que s'il est
réellement désespéré – il déteste le moindre changement dans sa routine. Il n'a jamais passé la nuit sous
mon toit ou celui de ma sœur.

« Non, non. Je reste ici. Si je quitte maison, elle va
changer serrure. Je serai dehors, elle sera dedans.
C'est déjà ce qu'elle dit. »

Une fois que mon père a pris congé pour se replier
derrière sa porte verrouillée, je passe trois coups de
fil.

Le premier au Home Office à Lunar House, Croydon.
J'imagine un immense paysage lunaire criblé de
cratères où règnent le vide et le silence que seule vient
troubler la lugubre sonnerie de téléphones auxquels
on ne répond pas. Après une quarantaine de sonneries,
on décroche. Une voix de femme lointaine me conseille
de mettre ces renseignements par écrit et m'informe
que les dossiers sont confidentiels et ne peuvent faire
l'objet de discussion avec un tiers. Je tente d'expliquer dans quelle situation désespérée se trouve mon
père. Si seulement il pouvait avoir une petite idée de
ce qui se passe – si Valentina peut de nouveau faire
appel, quand elle doit être expulsée. Je supplie. La
voix lointaine se laisse fléchir et me suggère d'essayer
les services de l'immigration du secteur de Peterborough.

J'appelle ensuite le commissariat du village. Je
décris l'incident du torchon mouillé et explique que

mon père est en danger. L'agent n'a pas l'air impressionné. Il a déjà vu bien pire.

« On peut voir ça autrement, dit-il. C'est peut-être une simple dispute entre mari et femme. Ça arrive tout le temps. Si la gendarmerie intervenait à chaque fois qu'un couple se chamaille, ça n'arrêterait jamais. Sauf votre respect, j'ai l'impression que vous vous mêlez de ses affaires alors qu'il ne vous a rien demandé. Manifestement, vous ne voyez pas les choses du même œil que la dame qu'il a épousée. Mais s'il voulait déposer plainte, il aurait téléphoné lui-même, non ? Pour ce qu'on en sait, il ne s'est jamais autant amusé qu'avec elle. »

Je me représente mon père âgé, maigre comme un clou, plié en deux, se recroquevillant pour échapper aux coups de torchon mouillé sous les éclats de rire de la voluptueuse Valentina gantée de caoutchouc jaune qui se dresse, imposante, devant lui. Mais c'est une tout autre image que l'agent a à l'esprit. Soudain, ça me saute aux yeux.

« Vous croyez que c'est un jeu érotique – le torchon mouillé ?

— Je n'ai pas dit ça.

— Non, mais vous l'avez pensé, n'est-ce pas ? »

L'agent a appris comment s'y prendre avec les gens comme moi et noie poliment ma colère. Il finit par accepter de passer quand il fera sa ronde et nous en restons là.

Le troisième coup de fil est pour ma sœur. Vera comprend aussitôt. Elle est révoltée :

« La salope. La crapule, la garce. Mais quel imbécile ! Il l'a bien mérité.

— Peu importe ce qu'il mérite, Vera. Il faut qu'il parte.

— C'est elle qu'il faut déloger. Si jamais il part, il ne pourra jamais revenir et elle aura la maison.

— Certainement pas.

— Tu sais ce qu'on dit : la jouissance d'un bien fait loi à quatre-vingt-dix pour cent.

— On dirait une page du code civil de Mme Zadchuk.

— C'était pareil avec moi. Quand Dick s'est mis à être méchant, ma première réaction a été de vouloir partir, mais mon avocat m'a conseillé de rester dans les lieux, autrement je risquais de perdre la maison.

— Mais Dick n'essayait pas de te tuer.

— Tu crois vraiment que Valentina veut tuer papa ? À mon avis, elle veut seulement lui faire peur.

— Pour ça, elle a réussi. »

Silence. Dans le fond, j'entends du jazz à la radio. La musique s'arrête. Les applaudissements éclatent. Puis Vera prend son ton de Grande Sœur pour me lancer :

« Des fois, je me demande s'il n'y a pas une sorte de mentalité de victime – comme dans la nature, toutes les espèces ont une hiérarchie de domination. (La voilà repartie.) C'est peut-être dans sa nature d'être persécuté.

— Tu veux dire que c'est de la faute de la victime ?

— Si tu veux, oui.

— Mais quand Dick s'est mis à être méchant, ce n'était pas de ta faute.

— Ce n'est pas pareil. Avec les hommes, les femmes sont toujours les victimes.

— Là, tu es limite féministe, Vera.

— Féministe ? Comme tu y vas ! Pour moi, ça tombe sous le sens. Mais un homme qui se laisse brutaliser par une femme, tu admettras que ce n'est pas normal.

— Tu veux dire que c'est normal qu'un homme batte sa femme ? C'est exactement ce que dit Valentina. »

C'est plus fort que moi. Je la provoque. Si je continue, on va reprendre nos vieilles habitudes et l'une de nous va raccrocher au nez de l'autre et mettre fin à cette conversation. Je joue l'apaisement : « Tu n'as peut-être pas complètement tort, Vera. Mais je crois que ce n'est pas tant une histoire de personnalité ou de sexe qu'une affaire de taille et de force. »

Silence. Elle toussote.

« Je ne sais plus trop quoi penser. Mettons que ce ne soit pas une mentalité de victime. Peut-être que c'est juste que papa attire la violence. Est-ce que maman t'a raconté ce qui s'est passé quand ils se sont rencontrés ?

— Non. Dis-moi. »

Un dimanche de février 1926, mon père se rendait à l'autre bout de la ville avec ses patins autour du cou, et dans la poche un œuf dur et une tranche de pain. Le soleil brillait et une fine couche de neige fraîche recouvrait les balcons ornementés et les cariatides sculptées des demeures fin de siècle de l'avenue Melnikov, étouffait le bruit des cloches dominicales qui sonnaient au sommet des dômes dorés et reposait avec l'innocence d'un coussin de bébé sur les pentes de Babi Yar.

Il venait de traverser le pont Melnikov et se dirigeait vers le stade quand une boule-de-neige lancée du trottoir d'en face lui frôla l'oreille. Lorsqu'il se retourna pour voir d'où elle venait, il en reçut une autre en pleine figure. Le souffle coupé, Nikolaï chercha sa casquette dans la neige.

« Hé, hé, Nikolashka ! Espèce de petit malin ! Tu t'intéresses à qui, Nikolashka ? À qui tu penses quand tu te branles ? »

Ses tortionnaires étaient les Sovinko, deux frères qui avaient quitté l'école deux ans auparavant. Ils devaient avoir treize ou quatorze ans – le même âge que mon père. C'étaient deux grands gaillards au crâne rasé qui vivaient avec leur mère et leurs trois sœurs dans un deux-pièces derrière la gare. Leur père était mort dans un accident de forêt près de Gomel. Mme Sovinko joignait les deux bouts en faisant la lessive et les garçons portaient les vieilles frusques que leur mère récupérait dans les sacs de blanchisserie de ses clients.

« Hé, Ducon ! Tu t'intéresses à Lyalya ? À Ludmilla ? Je parie que tu t'intéresses à Katya. Tu lui as montré ta bite ? »

Le plus grand lui lança une autre boule-de-neige.

« Je ne m'intéresse à personne, répondit mon père. Je m'intéresse aux langues et aux mathématiques. »

Les garçons pointèrent sur lui leurs doigts rougis par le froid en hurlant de rire.

« Hé, il ne s'intéresse pas aux filles. Tu t'intéresses aux garçons, alors ?

— Ce n'est pas parce que je ne m'intéresse pas aux filles que la logique veut nécessairement que je m'intéresse aux garçons.

— T'entends ça ? La logique veut nécessairement ! T'entends ça ? Il a la bite logique ! Hé, Nikolashka, montre-nous ta bite logique ! »

Ils avaient traversé la rue et le suivaient de près sur le trottoir.

« On va lui rafraîchir un peu la bite ! »

Ils se mirent à courir sur la pointe des pieds. Le plus jeune s'approcha sans faire de bruit et glissa une poignée de neige à l'arrière de son pantalon. Nikolaï essaya de s'enfuir, mais le trottoir était traître. Il tomba tête la première. Les deux garçons le clouèrent au sol et se mirent à califourchon sur lui en lui fourrant de la neige sur la figure, dans le cou et le pantalon. Ils commencèrent à lui baisser son pantalon. L'aîné s'empara de ses patins et se mit à tirer. Terrifié, Nikolaï hurla en gesticulant dans la neige.

À cet instant précis, trois silhouettes apparurent au bout de la rue. Le nez dans la neige, il distingua une grande jeune fille qui tenait deux enfants par la main.

« À l'aide ! À l'aide ! » cria Nikolaï.

Les trois silhouettes hésitèrent en voyant la bagarre. Devaient-ils s'enfuir en courant ou s'interposer ? Puis le petit garçon se rua en avant.

« Lâchez-le ! » hurla-t-il en se jetant sur les jambes du cadet.

La grande intervint et tira l'aîné par les cheveux.

« Lâche-le, espèce de grosse brute ! Fiche-lui la paix ! »

L'aîné se débarrassa en un tournemain de son assaillante et la saisit par les poignets, tandis que Nikolaï en profitait pour se dégager.

« C'est ton petit ami ? Il t'intéresse ?

— Lâche-le ou j'appelle mon père et il te tranchera les doigts au sabre pour te les fourrer dans le nez. » Ses yeux lançaient des étincelles.

La petite fille leur frottait des poignées de neige dans les oreilles.

« Fourrer dans le nez ! Fourrer dans le nez ! » braillait-elle.

Les frères se débattaient en gesticulant, un grand sourire aux lèvres, attrapant les filles. Ils trouvaient qu'il n'y avait rien de tel qu'une bonne bagarre et ne craignaient pas le froid. Au-dessus d'eux, le ciel était aussi bleu qu'un œuf de rouge-gorge et le soleil scintillait sur la neige. Sur ce, des adultes firent leur apparition. Ils crièrent en brandissant des cannes. Les Sovinko enfilèrent leurs casquettes sur leurs oreilles et détalèrent à toute vitesse, aussi agiles que des lièvres des neiges, avant que quiconque n'ait eu le temps de les attraper.

« Ça va ? » demanda la grande. C'était sa camarade de classe Ludmilla Ocheretko accompagnée de sa petite sœur et de son petit frère. Eux aussi portaient leurs patins pendus autour du cou. (Naturellement, les Sovinko étaient trop pauvres pour avoir leurs propres patins.)

En hiver, le stade sportif de Kiev était arrosé d'eau qui gelait instantanément pour se transformer en patinoire extérieure, et tous les jeunes de Kiev enfilaient leurs patins. Ils filaient à toute allure, se pavanaient, tombaient, glissaient et tombaient dans les bras les uns des autres. Peu importe ce qui se passait à Moscou ou sur les innombrables fronts sanglants de la guerre civile : les gens se retrouvaient, faisaient quelques tours de patins ensemble et tombaient amoureux. C'est ainsi que Nikolaï et Ludmilla se prirent par les mitaines et virevoltèrent à n'en plus finir sur leurs patins – et avec eux le ciel, les nuages et les dômes dorés –, de plus en plus vite, riant comme des enfants (car ce n'étaient encore que des enfants), jusqu'au moment où ils s'écroulèrent en tas sur la glace, pris de vertige.

14

Une petite
photocopieuse portative

Je repasse voir mon père, cette fois en milieu de semaine, dans la matinée et sans Mike. C'est une belle journée de printemps, douce et lumineuse, peuplée de tulipes qui jaillissent dans les jardins et de jeunes pousses qui verdissent l'extrémité des branches. Dans le jardin de maman, les pivoines ont déjà éclos, transperçant de leurs poings écarlates les mauvaises herbes rampantes des parterres de fleurs.

Quand je me range devant la maison, je remarque une Panda de la police garée là. En entrant dans la cuisine, je trouve Valentina et l'agent du village échangeant une blague en buvant un café. Après la fraîcheur de l'air printanier, il fait une chaleur intenable dans la maison, où la chaudière à gaz a été montée à fond et toutes les fenêtres fermées. Ils me regardent tous deux d'un œil hostile, comme si je venais troubler un tête-à-tête amoureux. Vêtue d'une minijupe en jean lycra et d'un chandail pelucheux rose layette orné d'un cœur de satin blanc en guise de poche, Valentina est juchée sur un haut tabouret, les jambes croisées, ses mules découvertes pendant négligemment sur ses orteils nus. (Traînée !) L'agent, quant à lui, est vautré sur une chaise adossée au mur, les jambes allongées. (Plouc !) À mon arrivée, ils se taisent. Quand je me présente, l'agent se lève pour me serrer la main. C'est l'agent du village, celui à qui j'ai raconté l'incident du torchon mouillé au téléphone.

« Je suis juste passé voir si votre père allait bien, dit-il.

— Où est-il ? » je demande.

Valentina indique la porte de fortune que Mike a installée entre la cuisine et la salle à manger, devenue sa chambre. Mon père s'y est enfermé et refuse de sortir.

« Papa, c'est moi, Nadia. (J'essaie de l'amadouer.) Tu peux ouvrir. Tout va bien. Je suis là. »

Au bout d'un long moment, on entend le grincement d'un verrou que l'on tire et mon père jette un œil dans l'embrasure de la porte. J'ai un choc en le voyant. Il est d'une maigreur épouvantable – il est décharné – et ses yeux sont si enfoncés dans l'orbite qu'on dirait quasiment une tête de mort. Ses cheveux blancs tombent en longues mèches éparses dans sa nuque. Il n'a aucun vêtement sous la ceinture. Je contemple l'effrayante nudité rachitique de ses jambes et de ses genoux exsangues.

À cet instant précis, je surprends Valentina et l'agent qui échangent un regard. Vous voyez ce que je veux dire ? dit le regard de Valentina. Et celui du gendarme : Oh, la vache !

« Papa, je murmure, où est ton pantalon ? S'il te plaît, enfile ton pantalon. »

Il montre un tas de vêtements par terre et il n'a pas besoin d'en dire plus car, à l'odeur, je devine déjà ce qui s'est passé.

« Il chier sur lui », dit Valentina.

L'agent s'efforce de dissimuler un sourire involontaire.

« Qu'est-ce qui s'est passé, papa ?

— Elle... » Il montre Valentina du doigt. « Elle... »

Valentina hausse un sourcil, recroise les jambes et se tait.

156

« Qu'est-ce qu'elle a fait ? Dis-moi ce qui s'est passé, papa.

— Elle jeter eau sur moi.

— Il crier moi, se défend Valentina en faisant la moue. Il crier choses méchantes. Parler pas bien. Je dire taire. Lui pas taire. Moi jeter eau. Juste eau. Eau pas mal. »

L'agent se tourne vers moi.

« À mon avis, c'est blanc bonnet et bonnet blanc, dit-il. C'est souvent le cas dans les histoires de famille. Je ne peux pas prendre parti.

— Mais vous voyez bien ce qui se passe ?

— En ce qui me concerne, il n'y a pas eu délit.

— Mais votre devoir n'est-il pas de protéger les plus vulnérables ? Regardez un peu, ouvrez les yeux. Vous voyez bien qu'il y a une différence de taille et de force, ne serait-ce que ça. Vous n'allez pas me dire qu'ils sont bien assortis, hein ? » Je constate une fois de plus à quel point Valentina a grossi, mais malgré ça, ou peut-être pour cette raison, elle dégage un certain magnétisme.

« On ne peut tout de même pas arrêter les gens à cause de leur taille. » L'agent est quasiment incapable de détacher le regard de Valentina. « Bien entendu, si votre père le souhaite, je vais garder l'œil. » Il regarde tour à tour Valentina, puis moi, et enfin mon père.

« Vous êtes pareil police de Staline, éclate soudain mon père d'une voix tremblotante au timbre strident. Tout le système appareil d'État seulement défendre puissants contre faibles.

— Je suis désolé que vous pensiez ça, M. Mayevskyj, répond poliment l'agent. Mais nous vivons en pays libre et vous êtes libre d'exprimer vos opinions. »

Valentina descend lourdement du tabouret.

« Moi heure aller travail, dit-elle. Toi nettoyer merde papa toi. »

L'agent prend également congé.

Mon père s'enfonce dans son fauteuil, mais je ne lui laisse pas de répit.

« Enfile ton pantalon, s'il te plaît », je lui demande. Sa nudité cadavérique est si horrifiante que je ne supporte pas de le regarder. Je ne supporte pas son regard – un regard de défaite mêlée d'obstination. Je ne supporte pas la puanteur de sa chambre. Je ne doute pas que Valentina ne la supporte pas non plus, mais je me suis endurcie. C'est elle qui l'a voulu.

Pendant que mon père se lave, je fouille de nouveau la maison. Il doit y avoir quelque part des lettres de son avocat, des informations sur sa demande d'appel. Où range-t-elle sa correspondance ? Il faut qu'on sache quelles sont ses intentions, combien de temps elle va rester. À ma grande surprise, je trouve sur la table du salon, au milieu des pommes en décomposition, une petite photocopieuse portative. Je n'y avais pas prêté attention avant, pensant que ça faisait partie d'un ordinateur qui appartenait peut-être à Stanislav.

« C'est quoi, ça ?

— Oh, ça, c'est nouveau jouet Valentina. Elle se sert pour copier lettres.

— Quel genre de lettres ?

— C'est sa dernière manie. Copier ci, copier ça.

— Elle copie tes lettres ?

— Ses lettres. Mes lettres. Elle doit trouver ça très moderne. Toutes les lettres elle copie.

— Mais pourquoi ? »

Il hausse les épaules.

« Peut-être elle trouve ça plus prestigieux de photocopier que écrire avec la main.

— Prestigieux ? C'est idiot. Ça ne peut pas être ça.

— Tu connais théorie du système panoptique ? Le philosophe anglais Jeremy Bentham. Conçu pour prison parfaite. Gardien voit tout, de tous les angles, alors que lui reste invisible. Valentina sait tout de moi et moi je sais rien d'elle.

— Qu'est-ce que tu me racontes, papa ? Où sont toutes les lettres et les photocopies ?

— Peut-être dans sa chambre.

— Non, j'ai regardé. Ni dans la chambre de Stanislav.

— Je ne sais pas. Peut-être dans voiture. Je la vois tout mettre dans voiture. »

La Poubelle est dans l'allée. Mais où sont les clés ?

« Pas besoin clés, dit mon père. Serrure cassée. Elle a enfermé clés dans coffre. J'ai cassé serrure avec tournevis. »

Je constate également que la voiture n'a pas de vignette. Elle a peut-être hésité à prendre le volant en présence du gendarme. Dans le coffre, je trouve un carton plein à craquer de papiers, de dossiers et de photocopies. C'est ce que je cherchais. Je l'emporte dans le salon et m'installe pour les lire.

Il y a tellement de paperasses là-dedans que je croule dessous. Je suis passée d'une absence totale d'informations à une pléthore de documents en tout genre. Pour autant que je puisse en juger, les lettres ne sont aucunement classées, que ce soit en fonction de la date, du correspondant ou du contenu. Je les sors au hasard. Vers l'avant du carton, mon attention est attirée par une lettre des services de l'immigration. On lui détaille les motifs de leur refus de lui accorder une autorisation de séjour après son appel. Il n'est fait aucune mention de la déclaration de mon père affirmant parler sous la contrainte. En revanche, il y a un paragraphe lui expliquant qu'elle a le droit de se pourvoir de nouveau en appel. Je suis démoralisée. Moi qui croyais qu'on en aurait fini après le dernier appel ! Combien d'appels, combien d'audiences y aura-t-il encore ? Je copie la lettre sur la petite photocopieuse portative pour pouvoir la montrer à Vera.

Puis viennent des copies des poèmes et des lettres que mon père lui a adressés, dont celle dans laquelle il détaille ses économies et ses pensions. Les originaux ukrainiens et les traductions ont été photocopiés et agrafés ensemble. Pour quelle raison ? Pour qui ? Voilà une lettre adressée à mon père par le psychiatre de l'hôpital de Peterborough qui lui propose un rendez-vous. Le rendez-vous est fixé à demain. Mon père ne m'en a pas parlé. A-t-il reçu la lettre ? Elle l'a photocopiée (pourquoi ?), mais n'a pas rendu l'original.

Il y a des lettres d'Ukraine, de son mari probablement, mais je suis obligée de déchiffrer l'ukrainien mot à mot et je n'ai pas le temps de les lire pour le moment.

Puis encore du courrier de mon père – voici la lettre de l'avocat stagiaire exposant les difficultés d'obtention d'une annulation. Une autre, qu'il a écrite au Home Office, adressée à qui de droit, où il affirme aimer Valentina et insiste sur la sincérité de leur mariage. Elle est datée du 10 avril – peu de temps avant l'audience d'appel de Nottingham. A-t-elle également été rédigée sous la contrainte ? Là, c'est une lettre de sa généraliste, le Dr Figges, lui suggérant de passer la voir pour qu'elle lui établisse une nouvelle ordonnance.

Dans une enveloppe kraft je trouve des exemplaires des photos de mariage – Valentina souriant devant l'objectif, penchée en avant en étalant son fabuleux décolleté sous le nez de mon père qui écarquille les yeux, le sourire béat. Dans la même enveloppe se trouvent une copie du certificat de mariage et un dépliant d'information du Home Office sur la naturalisation.

Je tombe enfin sur ce que je cherchais – une lettre de l'avocat de Valentina datée d'il y a une semaine à peine, acceptant de la représenter lors de l'audience du tribunal de l'immigration qui doit se tenir à Londres le 9 septembre et lui conseillant de faire une demande d'aide juridique. Septembre ! Mon père ne tiendra jamais jusque-là. La lettre s'achève sur un avertissement :

> Je vous conseille d'éviter à tout prix de donner à votre mari le moindre motif de divorce, faute de quoi votre cas pourrait être sérieusement compromis.

Je suis tellement absorbée que c'est de justesse que j'entends la porte de derrière s'ouvrir. Il y a quelqu'un dans la cuisine. Je ramasse à toute vitesse toutes les lettres et les documents, les fourre dans le carton et cherche un endroit où les cacher. Dans un coin de la pièce, j'aperçois le grand congélateur où ma mère conservait tous ses légumes et ses herbes, et dont Valentina se sert à présent pour entreposer ses plats surgelés. Je range le carton dedans. La porte s'ouvre.

« Oh, toi encore là, dit Valentina.

— Je fais juste un peu de rangement. »

Malgré mon ton apaisant (inutile de l'énerver – je ne vais pas tarder à partir en la laissant seule avec mon père), elle s'offusque :

« Moi trop travail. Pas temps ménage.

— C'est sûr. » Je m'appuie négligemment au congélateur.

« Ton père pas donner moi argent.

— Mais il vous donne la moitié de sa pension.

— Pension pas bon. Quoi pouvoir acheter avec pension ? »

Je n'ai aucune envie de discuter avec elle. Je veux seulement qu'elle s'en aille pour pouvoir continuer à compulser les papiers. Sur ce, je me dis qu'elle est peut-être revenue chercher un plat surgelé pour son déjeuner.

« Voulez-vous que je vous prépare à déjeuner, Valentina ? Vous pouvez aller vous reposer là-haut pendant que je m'occupe du déjeuner. »

Surprise, elle s'adoucit, mais décline toutefois mon offre.

« Moi pas temps manger. Juste sandwich (elle prononce *sanviche*). Chercher voiture. Après travail, aller shopping Peterborough avec Margaritka. »

Elle claque la porte et s'en va au volant de la voiture, et je reste avec mon carton de documents gelés.

Je fais une copie de la lettre de l'avocat, mais je m'aperçois qu'il ne reste plus que deux feuilles de papier à photocopier et je m'arrête. Je glisse une des photos de mariage dans mon sac, ainsi que les photocopies que j'ai faites. Puis je remets le reste des papiers dans le carton.

C'est alors qu'un autre document attire mon attention. C'est une lettre de l'Institut de beauté féminine de Budapest, dactylographiée sur du beau papier ivoire encadré d'un liséré en relief doré, adressée à Mme Valentina Dubova, Hall Street, Peterborough. On la remercie, en anglais, de compter parmi sa clientèle estimée et accuse réception du paiement de trois mille dollars pour la pose d'implants mammaires. La lettre porte la signature paraphée d'un certain *doktor* Pavel Nagy. À en juger d'après la date, l'opération a dû se dérouler quelques mois avant leur mariage, à l'occasion de son voyage en Ukraine. Je repense à la grosse enveloppe kraft. Trois mille dollars représentent un peu plus de mille huit cents livres. Mon père devait donc savoir à quoi ils étaient destinés. Non seulement devait-il être au courant, mais désireux de payer.

« Papa ? » Je parle avec douceur pour ne pas lui montrer combien je suis furieuse. « Papa, qu'est-ce que c'est que ça ?

— Hmm… Oui. » Il jette un œil à la lettre et hoche la tête. Que voulez-vous qu'il dise ?

« Tu es vraiment complètement fou. Heureusement que tu as rendez-vous chez le psychiatre demain. »

Je glisse le carton de lettres gelées sous le lit de mon père avec la consigne stricte de le remettre à la première occasion dans le coffre de la voiture sans qu'elle le voie. Il vaudrait peut-être mieux que je reste pour m'en charger moi-même, mais le soir tombe et j'ai envie de m'en aller, de rentrer chez moi retrouver Mike, sa gentillesse, son bon sens, retrouver ma maison bien rangée. Je prépare des macaronis en gratin – fades, blanc asticot – qu'il peut manger sans ses fausses dents. Nous dînons en silence. Quand il a terminé, je lui dis au revoir. À l'instant même où je sors de la ruelle pour rejoindre la grande rue, une voiture déboule à toute allure en sens inverse au détour du virage. Elle a un phare cassé. À l'avant, deux têtes à la mine réjouie : Valentina et Margaritka revenant de leur virée dans les boutiques.

15

Dans le fauteuil du psychiatre

La visite de mon père chez le psychiatre est un triomphe. La consultation dure une heure et le médecin ne réussit quasiment pas à placer un mot. C'est un élément extrêmement cultivé et très intelligent, m'assure mon père. Un Indien, entre parenthèses. Il est fasciné par la théorie chère à mon père du rapport entre la construction mécanique appliquée aux tracteurs et la psychologie mécanique appliquée à l'esprit humain prônée par Staline. Il est sensible à l'observation de Schopenhauer établissant un lien entre la folie et le génie, mais se refuse à polémiquer sur la question d'une éventuelle influence de la syphilis sur la folie supposée de Nietzsche, tout en concédant que mon père n'a pas tout à fait tort d'affirmer que le génie de Nietzsche était tout simplement incompris par des éléments moins intelligents que lui. Il demande à mon père s'il se croit persécuté. « Non, non ! s'exclame mon père. Seulement par elle ! » Il indique la porte derrière laquelle se tapit Valentina. (« Le docteur voulait savoir si je souffrais de paranoïa, mais, bien sûr, je ne suis pas tombé dans le piège », me dit-il.)

Valentina est vexée de ne pas avoir le droit d'assister à la consultation, estimant être la première à avoir signalé la folie de mon père aux autorités. Elle l'est plus encore lorsque mon père en ressort en affichant un sourire triomphal.

« Docteur très intelligent. Il dit moi pas fou. Toi folle ! »

Elle fait irruption dans le cabinet du psychiatre et se met à vociférer dans diverses langues. Puis elle ressort en furie, lançant par-dessus son épaule des remarques désobligeantes sur les Indiens.

« Bon, d'accord, papa, ta visite chez le psychiatre s'est très bien passée. Mais qu'est-ce qui t'est arrivé à la tête ? D'où vient cette blessure ?

— Ah oui, ça aussi, c'est Valentina. Comme elle n'avait pas réussi à me faire interner, elle a tenté m'assassiner. »

Il me décrit une autre scène épouvantable sous le porche de l'hôpital, alors qu'ils continuent à se jeter des injures à la figure. Elle le repousse, il perd l'équilibre et tombe sur les marches en pierre, se heurtant la tête. Il se met à saigner.

« Viens, dit Valentina. Pauvre idiot tombé par terre. Monte voiture, vite vite rentrer maison. »

Les gens commencent à s'attrouper autour d'eux.

« Non, va-t'en, meurtrière ! s'écrie mon père en gesticulant. Je ne veux pas rentrer à la maison avec toi ! » Ses lunettes sont tombées et un verre est cassé.

Une infirmière émerge de la foule et examine la plaie que mon père s'est faite à la tête. Bien qu'elle soit peu profonde, elle saigne abondamment. L'infirmière le prend par le bras.

« Il vaut mieux passer aux urgences pour leur montrer ça. »

Valentina le prend par l'autre bras.

« Non, non ! Lui mari moi. Lui OK. Il rentrer maison voiture. »

S'ensuit une lutte acharnée entre les deux femmes, tandis que mon père, pris entre les deux, continue à protester : « Meurtrière ! Meurtrière ! » La foule des curieux ne cesse de grossir. L'infirmière appelle les vigiles de l'hôpital et mon père est emmené aux urgences où on lui panse sa plaie, Valentina obstinément cramponnée à son bras. Elle ne veut pas le lâcher.

Mais mon père refuse de quitter l'hôpital avec Valentina. « Elle veut m'assassiner ! » braille-t-il à qui veut l'entendre. On finit par appeler une assistante sociale et mon père est admis pour la nuit dans un foyer. Le lendemain, il est escorté chez lui dans une voiture de police.

À son arrivée, Valentina l'attend, le sourire et le sein engageants.

« Viens, *holubchik*, petit pigeon. Mon chéri. » Elle lui tapote la joue. « Nous plus disputer. »

Les agents sont sous le charme. Ils acceptent le thé qu'elle leur offre et s'attardent dans la cuisine bien plus que nécessaire en discutant de la vulnérabilité et de la sottise des vieilles gens et de l'importance de bien s'en occuper. Les gendarmes citent des gens âgés qui se sont laissé duper par des escrocs qui faisaient du porte-à-porte et renverser dans la rue par des agresseurs. Tous n'ont pas la chance d'avoir une femme aimante pour s'occuper d'eux. Valentina se déclare horrifiée par ces exemples de brutalité gratuite.

Et peut-être son repentir est-il sincère, dit mon père, car une fois les gendarmes partis, au lieu de se jeter sur lui comme une furie, elle lui prend la main pour la poser sur sa poitrine, puis la caresse du bout des doigts en lui reprochant avec douceur de ne pas lui faire confiance et de laisser cette ombre les séparer. Elle ne le gronde même pas d'avoir pris son carton de paperasses et de l'avoir caché sous son lit. (Bien entendu, elle l'a trouvé ; bien entendu, mon père n'a pas réussi à le remettre dans le coffre de la voiture.) À moins qu'une bonne âme (Mme Zadchuk ?) ne lui ait expliqué ce que signifiait la dernière phrase de la lettre de l'avocat.

J'ai envoyé une copie de cette lettre à Mme l'Experte en Divorce, qui à son tour a expédié une coupure de journal à Mme Embarquez-moi-ça-et-renvoyez-tout-ce-beau-monde-d'où-il-vient. Il y est question d'un Congolais qui vient d'être expulsé après quinze ans passés au Royaume-Uni au motif qu'il était entré clandestinement, et ce, bien qu'il ait fait sa vie, ait créé une entreprise et soit devenu une figure de la communauté. L'église locale a lancé une campagne en sa faveur.

« Le vent tourne, dit Vera. Les gens commencent enfin à se réveiller. »

J'aboutis à la conclusion diamétralement opposée : là-dessus, les gens sont en train de s'endormir et non de se réveiller. Endormies, les voix distantes de Lunar House. Endormies également, celles, si distinguées, des vastes consulats. Endormi, le trio de la commission de l'immigration de Nottingham. Ils accomplissent leur tâche machinalement, comme des somnambules. Il ne va rien se passer.

« Tu sais, Vera, toutes ces histoires d'expulsion, ces cas médiatiques avec campagnes et lettres aux journaux, ça ne sert qu'à donner une illusion d'activité. En fait, dans la plupart des cas, il ne se passe rien. Rien du tout. Ce n'est qu'une vaste rigolade.

— Ça ne m'étonne pas de toi, Nadezhda. On a toujours su de quel bord tu étais.

— Ce n'est pas une question de bord, Vera. Écoute-moi un peu. On a eu le tort de croire qu'ils allaient la déloger. Mais c'est une erreur. C'est à nous de nous en charger. »

Je ne marche plus de la même façon depuis que je porte les talons de Mme Embarquez-moi-ça-et-renvoyez-tout-ce-beau-monde-d'où-il-vient. Jusque-là, j'avais des idées relativement libérales en matière d'immigration. Je trouvais normal que les gens puissent vivre où ils le voulaient. Mais, désormais, j'imagine des hordes de Valentina se bousculant aux douanes de Ramsgate, de Felixstowe, de Douvres, de Newhaven, se déversant des bateaux, fermes, déterminées, comme des forcenés.

« Mais tu prends toujours son parti.

— C'est fini.

— Ça doit être ton côté assistante sociale. C'est plus fort que toi.

— Je ne suis pas assistante sociale, Vera.

— Ah bon ? » Silence. Le téléphone grésille. « Qu'est-ce que tu fais, alors ?

— Je suis professeur.

— Soit, professeur ! Professeur de quoi ?

— Sociologie.

— Voilà ! C'est bien ce que je disais.

— La sociologie n'a rien à voir avec le travail d'assistante sociale.

— Ah bon ? C'est quoi, alors ?

— Ça traite de la société – des divers forces et groupes en présence dans la société, des raisons qui expliquent leur comportement. »

Silence. Elle toussote.

« Mais c'est passionnant !

— Oui. C'est bien mon avis. »

Nouveau silence. J'entends Vera qui allume une cigarette à l'autre bout du fil.

« Alors qu'est-ce qui explique d'après toi le comportement de Valentina ?

— Le désespoir.

— Ah oui. Le désespoir. » Elle aspire longuement la fumée.

« Tu te souviens, l'époque où on était désespérées, Vera ? »

Le foyer. Le centre de réfugiés. Le petit lit que nous partagions et les toilettes au fond du jardin avec les carrés de papier journal déchirés.

« Mais jusqu'à quel point faut-il être désespéré pour devenir un escroc ? Ou se prostituer ?

— Les femmes ont toujours été capables des pires extrémités pour leurs enfants. Je ferais la même chose pour Anna. J'en suis sûre. N'en ferais-tu pas autant pour Alice ou Lexi ? Et maman, n'aurait-elle

168

pas fait la même chose pour nous ? Si nous étions au désespoir ? S'il n'y avait pas d'autre solution ?

— Tu ne sais pas de quoi tu parles, Nadia. »

Au petit jour, dans mon lit, je repense au Congolais. J'imagine les coups frappés à la porte en pleine nuit, le cœur qui cogne dans la poitrine, le prédateur et sa proie qui se regardent droit dans les yeux. Je t'ai eu ! J'imagine les amis et les voisins rassemblés sur le trottoir, les Zadchuk agitant des mouchoirs qu'ils pressent sur leurs yeux. J'imagine le café encore chaud laissé sur la table dans la précipitation du départ, qui refroidit, puis se couvre d'une pellicule de moisi avant de sécher en formant une croûte marron.

Mike n'aime pas Mme Embarquez-moi-ça-et-renvoyez-tout-ce-beau-monde-d'où-il-vient. Ce n'est pas la femme qu'il a épousée.

« L'expulsion est une manière cruelle, brutale, de traiter les gens. Ça ne résout rien.

— Je sais, je sais. Mais... »

Le lendemain matin, j'appelle le numéro qui se trouve sur l'en-tête de la lettre que Valentina a reçue du service de renseignements de l'immigration. On me donne un numéro à l'aéroport d'East Midlands. Curieusement, je tombe sur la dame à la mallette marron et à la Fiat bleue qui était venue à la maison peu après le mariage. Elle s'étonne de mon appel, mais se souvient parfaitement de mon père.

« Au fond de moi, je sentais que quelque chose ne tournait pas rond, dit-elle. Votre père avait l'air si, comment dire...

— Je sais. »

Elle a l'air sympathique – bien plus que le portrait qu'en avait donné mon père.

« Ce n'était pas que la chambre, mais plutôt le fait qu'ils avaient l'air de ne rien faire ensemble.

— Mais que va-t-il se passer maintenant ? Comment ça va finir ?

— Ça, je ne peux pas vous dire. »

J'apprends que l'expulsion, si expulsion il y a, sera effectuée non pas par les services de l'immigration, mais par la gendarmerie locale, sur ordre du Home Office. Chaque région a des agents de police basés dans les commissariats locaux qui sont spécialisés dans les questions d'immigration.

« C'est intéressant de parler avec vous, dit-elle. On va voir les gens, on joint les rapports aux dossiers et puis ils disparaissent dans la nature. C'est rare qu'on sache ce qui s'est passé.

— En fait, pour l'instant, il ne s'est rien passé. »

J'appelle la gendarmerie centrale de Peterborough en demandant à parler à l'officier chargé de l'immigration. On me dit de téléphoner à la gendarmerie de Spalding. L'officier dont on m'a donné le nom n'est pas de permanence aujourd'hui. Je rappelle le lendemain. Je pensais tomber sur un homme, mais il s'avère que Chris Tideswell est une femme. Quand je lui raconte l'histoire de mon père, elle se montre très directe :

« Votre pauvre papa. Il y a de sacrées crapules. » Elle a une voix juvénile et enjouée, avec un fort accent du Norfolk. Elle paraît bien jeune pour avoir procédé à beaucoup d'expulsions.

« Écoutez, quand tout sera fini, j'écrirai un livre dessus et vous pourrez être la jeune inspectrice héroïque qui l'amène enfin devant les tribunaux. »

Elle éclate de rire. « Je vais faire de mon mieux, mais il va vous falloir être patiente. » Elle ne peut rien faire tant que l'audience n'a pas eu lieu. Ensuite il se peut qu'on l'autorise à faire appel pour raisons de famille. Ce n'est qu'après qu'il y aura une demande d'expulsion, si tout va bien.

« Rappelez-moi une semaine ou deux après l'audience.

— Vous pourriez avoir le rôle principal dans le film. Joué par Julia Roberts.

— Vous ne seriez pas un peu désespérée, vous ? »

Valentina réussira-t-elle à maintenir le régime rou-
coulades de petit pigeon et autres caresses de seins
jusqu'en septembre ? J'en doute. Mon père, maigre
comme un clou, aussi frêle qu'une ombre, pourra-t-
il survivre à son régime de jambon en conserve,
carottes bouillies et pommes Toshiba, le tout ponctué
de raclées ? Ça me semble peu probable.

J'appelle ma sœur :

« On ne peut pas attendre jusqu'en septembre. Il
faut la virer.

— Oui. Ça fait trop longtemps qu'on tolère cette
situation. Franchement, je t'en v... » Elle s'interrompt. J'ai l'impression de l'entendre piler sec dans
un grincement de freins.

« On doit s'y mettre toutes les deux, Vera. »
J'adopte un ton apaisant. Nous nous entendons si
bien. « Il faut seulement convaincre papa de reconsi-
dérer ses objections au divorce.

— Non, nous devons agir dans l'immédiat. Il faut
qu'on fasse une demande d'expulsion pour la déloger
de la maison au plus vite. Il pourra toujours divorcer
plus tard.

— Mais tu crois qu'il va accepter ? Maintenant
qu'elle le laisse de nouveau lui peloter les seins, il est
plutôt imprévisible.

— Il est fou. Complètement fou. Quoi qu'en dise le
psychiatre. »

Ce n'est pas la première fois qu'un psychiatre
déclare que mon père est parfaitement sain d'esprit.
Ne serait-ce déjà qu'il y a trente ans, à l'époque où
j'étais dans ce qu'il appelait ma phase trotskiste. Je
l'avais appris par hasard. Mes parents étaient sortis
et je fouillais leur chambre – cette même chambre au
lourd mobilier en chêne et aux rideaux à motifs
criards que Valentina a convertie en boudoir. Je ne

sais plus ce que je cherchais, mais j'avais fait deux découvertes qui m'avaient choquée.

Tout d'abord, traînant par terre sous un des lits, une poche de caoutchouc pleine d'un liquide visqueux couleur blanchâtre. J'étais horrifiée. Cette sécrétion si intime. Cette preuve éhontée que mes parents avaient eu d'autres rapports sexuels que lorsqu'ils nous avaient conçues, Vera et moi. Le sperme de mon père !

La seconde découverte était un compte rendu de l'hôpital de Peterborough datant de 1961. Il était rangé parmi d'autres papiers cachés dans un tiroir de la coiffeuse. Il mentionnait que mon père avait demandé à consulter un psychiatre car il pensait souffrir d'une haine pathologique de sa fille (moi, et non pas Vera !). Une haine si obsessionnelle, si dévorante qu'il craignait qu'elle ne soit le signe d'une maladie mentale. Après s'être longuement entretenu avec mon père, le psychiatre avait conclu qu'étant donné ce que mon père avait vécu sous le communisme il n'était guère étonnant, pour ne pas dire normal qu'il déteste sa fille pour ses opinions communistes.

Je l'avais lu avec un mélange d'étonnement croissant, puis de colère envers mon père et ce psychiatre anonyme qui avait opté pour la solution de facilité et n'avait pas entendu l'appel à l'aide de mon père. Ils étaient aussi bêtes l'un que l'autre. Ma mère, dont la famille avait souffert à l'époque de manière indescriptible et qui avait cent fois plus de raisons de m'en vouloir d'être communiste, n'avait jamais cessé de m'aimer, et ce, au plus fort de mes années de crise, bien qu'elle ait dû être blessée au plus profond d'elle-même par certaines de mes déclarations.

J'avais remis les papiers dans le tiroir. Enveloppé la capote usagée dans un journal que j'avais jeté à la poubelle, comme si je cherchais ainsi à protéger ma mère de son abject contenu.

16

Ma mère a un chapeau

C'est tante Shura qui mit au monde le premier bébé de ma mère. Vera est née à Luhansk (Voroshilovgrad) en mars 1937. C'était un bébé grincheux qui s'époumonait en hurlements stridents, ce qui avait le don de rendre Nikolaï complètement fou. Tante Shura adorait Ludmilla, mais elle n'aimait pas Nikolaï, pas plus que le membre du parti communiste et ami du maréchal Voroshilov qu'elle avait épousé. Les disputes éclataient, les portes claquaient, le ton montait, retentissant dans la maison en bois qui faisait caisse de résonance. Au bout de quelques semaines, Ludmilla, Nikolaï et la petite Vera levèrent le camp pour aller habiter à l'autre bout de la ville chez la mère de Ludmilla (maintenant qu'elle était grand-mère, ils l'appelaient *baba* Sonia), dans son nouveau trois-pièces bétonné.

Ils étaient à l'étroit dans l'appartement. Nikolaï, Ludmilla et le bébé étaient installés dans une pièce, *baba* Sonia en occupait une autre et la troisième était louée à deux étudiants. La sœur et le frère cadets étaient pensionnaires au collège, mais quand ils revenaient, ils partageaient la chambre de leur mère. Il n'y avait pas d'eau chaude – parfois même pas d'eau froide – et bien que la famine ne fût plus aussi sévère, il était encore difficile de se procurer de la nourriture. Le nouveau-né passait son temps à geindre et pleurnicher. Elle tétait goulûment, mais Ludmilla était si souffrante et anémiée qu'elle avait peu de lait à lui offrir.

Baba Sonia prenait le bébé en pleurs et le faisait sauter sur ses genoux en chantant :

Par-delà le Caucase nous avons défendu nos droits,
Défendu nos droits. Hé !
Sous l'avancée des Magyars,
L'avancée des Magyars. Hé !

Tante Shura disait : « Prenez une pomme, piquez-la de clous, attendez une nuit, puis enlevez les clous et mangez-la. Comme ça, vous aurez à la fois de la vitamine C et du fer. »

Nikolaï, qui n'avait pas réussi à trouver à Luhansk un emploi qui lui convienne, passait ses journées à écrire ses poèmes et à traînailler dans les jambes de tout le monde. Les pleurs constants du bébé lui tapaient sur les nerfs ; quant à lui, il tapait sur les nerfs de Ludmilla. À l'hiver 1937, il finit par retourner à Kiev.

La même année, Ludmilla fut enfin acceptée à l'école vétérinaire de Kiev. Certes, les mois passés à conduire des grues avaient peut-être réussi à faire d'elle une prolétaire, mais le fait est qu'elle trouvait la plaisanterie cruelle. Avec un nouveau-né et un mari qui travaillait, c'était impossible.

« Vas-y, vas-y, lui dit tante Shura. Je m'occuperai de Verochka. »

Ludmilla dut choisir : soit son mari et l'école vété-rinaire, soit sa petite fille. Tante Shura lui acheta un manteau neuf et un billet de train, et lui offrit un cha-peau extravagant à voilette et fleurs en soie. Ludmilla fit ses adieux à sa mère et à sa tante sur le quai de la gare. La petite Verochka se cramponnait à elle en sanglotant. Quand Ludmilla monta dans le train, les deux femmes durent retenir le bébé.

« Et quand est-ce que tu l'as revue ?

— Presque deux ans plus tard, me dit Vera. Elle est restée à Kiev jusqu'au début de la guerre. Et puis elle est venue me chercher. Kharkov était trop dangereux. On est allées s'installer à Dashev chez *baba* Nadia. Le village était plus sûr.

— Tu devais être contente de la revoir.

— Je ne l'ai pas reconnue. »

Un beau jour, une femme maigre tout échevelée était apparue à la porte et s'était emparée de Vera pour la serrer dans ses bras. L'enfant s'était mise à hurler en donnant des coups de pied.

« Tu ne reconnais pas ta mère, Verochka ? lui avait demandé tante Shura.

— Ce n'est pas ma mère ! s'était écriée Vera. Ma mère a un chapeau. »

Nous avons encore la photo de maman avec son chapeau, la voilette relevée, le sourire juvénile. Mon père a dû la prendre peu de temps après son arrivée à Kiev. Je l'ai trouvée dans une liasse de vieilles photos et de lettres dans ce même tiroir où j'avais trouvé la lettre du psychiatre. La lettre a disparu depuis longtemps, mais les photos sont au fond d'une ancienne boîte à chaussures dans le salon, en compagnie des pommes odorantes en voie de décomposition, du congélateur rempli de plats surgelés, de la petite photocopieuse et du Hoover civilisé, qui, étant d'une marque étrangère, nécessite des sacs introuvables dans ce pays et gît abandonné dans un coin, le couvercle ouvert, déversant des déchets de ses boyaux non moins civilisés.

Cette pièce est toujours un territoire litigieux. Quand Valentina est là, elle s'y installe avec la télévision à fond et un chauffage électrique (mon père a trafiqué le radiateur pour l'empêcher de s'allumer afin de protéger ses pommes). Mon père ne comprend pas la télévision ; les trois quarts du contenu des émissions lui échappent totalement. Il reste dans sa chambre à lire ou écouter de la musique classique à la radio. Mais quand elle est au travail, il aime bien s'y attarder avec ses pommes, ses photos et la vue sur les champs de labour.

C'est là que nous nous trouvons en cet après-midi humide du mois de mai, à boire du thé en regardant la pluie ruisseler sur les vitres et fouetter les lilas du jardin, pendant que je m'efforce de détourner la conversation de l'avènement de la propulsion par réaction en Ukraine dans les années trente pour l'amener sur le terrain du divorce.

« Je sais bien que tu n'en as pas envie, papa, mais c'est le seul moyen de retrouver ta liberté. »

Il s'interrompt pour me regarder en fronçant le sourcil. « Pourquoi tu te mets à parler divorce, Nadia ? C'est Vera la folle de divorce. Cigarettes et divorce. Pff ! » Il a la mâchoire serrée, ses doigts pleins d'arthrite noués sur les genoux.

« Là-dessus on est du même avis, avec Vera. On est persuadées que Valentina va continuer à te maltraiter et on craint que tu sois en danger.

— Tu savais que la première fois Vera a entendu parler divorce, elle a tout de suite voulu convaincre Ludmilla divorcer avec moi ?

— Ah bon ? » Première nouvelle. « Je suis sûre qu'elle ne parlait pas sérieusement. Les enfants racontent souvent n'importe quoi.

— Elle parlait sérieusement. Je t'assure. Elle a passé sa vie à essayer de faire divorce entre Millochka et moi. Et maintenant entre Valentina et moi. Et voilà que toi aussi, Nadia. »

Il me fixe de son air obstiné. Manifestement, cette conversation ne mène à rien.

« Mais, papa, tu as vécu soixante ans avec maman. Tu vois bien que Valentina est différente d'elle.

— Valentina appartient à une autre génération, c'est clair. Elle ne connaît rien histoire, encore moins histoire récente. C'est enfant de l'ère Brejnev. Sous Brejnev, tout le monde rêvait d'enterrer ce qui appartenait passé et faire comme à l'Ouest. Pour construire cette économie, les gens doivent acheter tout le temps. Il faut inculquer nouveaux désirs à mesure qu'on enterre anciens idéaux. C'est pour ça qu'elle veut toujours acheter quelque chose moderne. Ce n'est pas sa faute ; c'est la mentalité d'après-guerre.

— Mais papa, ce n'est pas une raison pour te maltraiter. Elle ne peut pas te traiter comme ça.

— On pardonne beaucoup de choses aux belles femmes.

— Enfin, bon sang, papa ! Pour l'amour du ciel ! »

Ses lunettes ont glissé de son nez et menacent de tomber. Sa chemise déboutonnée en haut laisse apparaître les poils blancs qui poussent autour de sa cicatrice. Il dégage l'odeur aigre de quelqu'un qui ne se lave pas. Il n'a rien d'un don Juan, mais il ne s'en rend pas compte.

« Cette Valentina, elle est belle comme Milla, et comme Milla elle a du caractère, mais elle a dans sa nature un élément de cruauté étranger à Ludmilla, ce qui, entre parenthèses, est caractéristique du type russe.

— Comment peux-tu la comparer à maman ? Ne serait-ce que les associer dans une même phrase ? »

Ce que je ne lui pardonne pas, c'est sa déloyauté.

« Tu as gâché la vie de maman et maintenant tu insultes sa mémoire. Vera avait raison, maman aurait dû divorcer il y a longtemps.

— Gâché sa vie ? Sa mémoire ? Pourquoi il faut toujours que tu dramatises tout ? Millochka est morte. C'est triste, bien sûr, mais c'est du passé. Le temps est venu nouvelle vie, nouvel amour.

— Ce n'est pas moi qui dramatise, papa. C'est toi. Maman et moi, on a passé notre vie à supporter tes idées absurdes, tes drames. Tu te souviens du choc de maman quand tu as décidé d'inviter tous les

Ukrainiens à venir vivre chez nous ? Tu te souviens du jour où tu t'es racheté une Norton alors que maman avait besoin d'une machine à laver ? Tu te souviens quand tu es parti de la maison pour rentrer en Russie par le premier train ?

— Mais ce n'était pas à cause de Millochka. C'était à cause de toi. À l'époque tu étais une trotskiste enragée.

— Je n'étais pas trotskiste. Et quand bien même, je n'avais que quinze ans. Tu étais un adulte – enfin, soi-disant. »

C'est pourtant vrai que c'est à cause de moi qu'il a failli retourner en Russie par le premier train. Il a bouclé sa valise en carton marron – celle-là même avec laquelle il était venu d'Ukraine – et attendu sur le quai de la gare de Witney. Je l'imagine d'ici faire les cent pas en marmonnant dans sa barbe, jetant de temps à autre des coups d'œil impatients à sa montre.

Maman a dû aller le supplier :

« Nikolaï ! Kolya ! Kolyusha ! Reviens ! Kolka, où vas-tu ?

— J'attends le train pour la Russie ! » Imaginez le mouvement de tête théâtral, le regard flamboyant. « Pourquoi pas ? C'est pareil. Maintenant qu'ils importent le communisme ici, je ne sais même pas pourquoi j'ai quitté Russie. Je ne sais pas pourquoi j'ai tout risqué. Même ma fille aide à importer le communisme. »

Oui, c'était entièrement de ma faute. En 1962, j'étais allée à Greenham Common avec mon amie Cathy manifester contre le projet de déploiement de bombes H à la base nucléaire et on s'était fait arrêter. On était là, tranquillement assises sur la voie d'accès fraîchement goudronnée, avec nos pantalons cigarettes, nos bandeaux et nos lunettes de soleil dernier cri. Je lisais le *De bello gallico* de Jules César, au programme du bac, quand les policiers sont arrivés et nous ont tous embarqués un par un. J'avais beau m'attaquer à l'État en pratiquant la désobéissance civile, je faisais mes devoirs de latin en digne fille de mon père. Des manifestants grattaient leurs guitares et tout le monde s'était mis à chanter en chœur :

N'entendez-vous pas le grondement des bombes H
Qui résonnent comme la trompette du Jugement dernier ?
À mesure qu'elles déchirent les cieux,
Les retombées transforment la Terre en cimetière.

J'entendais les bombes. Je voyais les retombées miroiter dans l'atmosphère, je sentais les étranges gouttes de pluie. J'étais persuadée que je mourrais avant même d'avoir atteint l'âge adulte si nous ne nous débarrassions pas de ces bombes H. Mais je ne voulais pas prendre de risques et préparais tout de même mon bac.

Cathy et moi, on était les plus jeunes. Certains manifestants étaient pieds nus, avec de longs cheveux raides, des jeans délavés et des lunettes de soleil. D'autres avaient des allures de quakers et manifestaient en cardigans et chaussures confortables. Ils continuaient à chanter tandis que les policiers les attrapaient par les pieds et les bras pour les embarquer dans des camions de déménagement (visiblement, ils étaient à court de fourgons). Avec Cathy, on ne chantait pas, on ne voulait pas avoir l'air d'idiotes.

Ils avaient improvisé un tribunal dans l'école primaire du quartier. On s'est assis sur des chaises d'enfant et on nous a appelés un par un à la barre. Chacun des manifestants a fait un discours sur l'horreur de la guerre et s'est vu infliger une amende de cinq livres. Quand ça a été mon tour, je n'ai pas su quoi dire et n'ai reçu qu'une amende de trois livres. (Une affaire !) J'avais menti sur mon âge pour éviter que mes parents soient au courant, ce qui ne les a pas empêchés de l'apprendre.

« Kolya, l'a supplié ma mère, elle n'est pas communiste, ce n'est qu'une idiote. Allez, rentre. »

Mon père ne disait rien et gardait le regard fixé au loin sur les rails. Le prochain train était dans quarante minutes et il n'allait que jusqu'à Eynsham puis Oxford, et non en Russie.

« Kolyusha, c'est loin, la Russie. Écoute, rentre à la maison manger un morceau, d'abord. J'ai une bonne soupe de betterave. Et puis du *kotletki* – ton plat préféré – avec des épinards, des haricots du jardin et des petites pommes de terre. Viens te mettre quelque chose dans le ventre, après tu pourras partir en Russie. »

C'est ainsi qu'il a accepté de la suivre sans cesser de ronchonner sur le chemin boueux bordé de ronces et d'orties menant à la maison jumelée que nous occupions. Il a plongé le nez à contrecœur sur le bol de soupe fumant. Puis elle a réussi à le persuader d'aller se coucher. Et, finalement, il n'a pas quitté la maison.

C'est moi qui suis partie. Je me suis enfuie pour aller m'installer chez Cathy. Sa famille habitait à White Oak Green, dans un cottage en pierre de Costwold tout en longueur, plein de livres, de chats et de toiles d'araignées. Les parents de Cathy étaient des intellectuels de gauche. Ils ne voyaient pas d'inconvénient à ce que Cathy aille manifester ; en fait, ils l'encourageaient. Ils avaient des conversations d'adultes sur l'entrée de la Grande-Bretagne dans le Marché commun et l'invention de Dieu. Mais chez eux il faisait froid, la nourriture avait un drôle de goût et les chats vous sautaient dessus au milieu de la nuit. Au bout de quelques jours, ma mère est venue et m'a persuadée, moi aussi, de revenir à la maison.

Malgré toutes ces années, je me souviens encore de l'odeur du soleil brûlant sur la route fraîchement goudronnée de Greenham Common et des relents de moisi de la chambre de Cathy. Seule l'image de mon père reste floue, comme si quelque chose aussi obscur que vital avait été gommé, ne laissant apparaître que la surface déchaînée. Qui est-il, cet homme que j'ai toujours connu sans le connaître ?

« Mais tout ça, c'est du passé, Nadia. Pourquoi cette obsession bourgeoise pour l'histoire personnelle ?

— Parce que c'est important... ça définit... ça nous aide à comprendre... parce qu'on peut apprendre... Oh, je ne sais pas. »

17

Lady Di et la Rolls-Royce

On a offert un chat à Valentina et Stanislav. Ils l'ont appelé Lady Di, en hommage à la princesse de Galles pour laquelle ils ont la plus grande admiration. Elle vient du voisin de Mme Zadchuk et ce n'est encore qu'un chaton, qui est loin d'être aussi mignon que son homonyme. Elle est noire tachetée de blanc, avec des yeux cerclés de rose pâle et une truffe humide de la même couleur.

Lady Di (ils prononcent *Laïé Dee Dee*) entreprend de déchiqueter tous les tissus d'ameublement de la maison. Au bout de quelques semaines, il s'avère qu'il s'agit en réalité d'un chat et non d'une chatte (ma mère n'aurait jamais fait pareille erreur), qui se met à faire pipi partout. Désormais, à l'odeur de pommes pourries, de plats surgelés à moitié entamés en train de moisir, de parfum bon marché et de chambre de vieux monsieur mal aérée viennent s'ajouter les relents de pisse de matou. Et pas seulement de pisse. Personne ne lui a appris à se servir de la litière, pas plus que quiconque ne nettoie sur son passage lorsque les jours de pluie son altesse refuse de condescendre à aller dans le jardin.

Mon père, Valentina et Stanislav adorent Lady Di, qui grimpe aux rideaux avec une parfaite agilité et peut sauter à plus d'un mètre pour attraper un bout de papier accroché au bout d'une ficelle. Nous sommes les seules à ne pas l'aimer, Vera et moi, et comme nous n'habitons pas là, notre avis ne compte pas.

Lady Di est devenue pour eux un enfant de substitution. Ils le contemplent des heures main dans la main en s'émerveillant de son intelligence et de sa beauté. Il ne saurait tarder à apprendre à démontrer de A à Z le théorème de Pythagore.

« Il refuse même d'envisager de divorcer, Vera. Ils passent leur temps à se pâmer d'admiration main dans la main devant cette horrible bestiole.

— Cette fois, c'en est trop ! Je t'avais bien dit qu'on aurait dû le faire interner, m'assène Grande Sœur.

— C'est ce que pense Valentina.

— Ça a beau être une garce, elle a raison. Manifestement, elle s'est débrouillée pour qu'il recommence à faire ses quatre volontés jusqu'à ce qu'elle obtienne son passeport. Les hommes sont tellement idiots.

— Au fait, Vera, il paraît que tu voulais que maman divorce. C'est quoi, cette histoire ?

— Que veux-tu dire ?

— D'après lui, tu as essayé de convaincre maman de divorcer.

— Ah oui ? Je ne m'en souviens pas. Dommage que je n'aie pas réussi.

— En tout cas, le résultat, c'est que ça l'a dissuadé une fois pour toutes de divorcer.

— Bon, il va falloir que je vienne lui parler moi-même. »

Cependant un événement imprévu ne tarde pas à le faire changer d'avis. De bonne heure un matin, il téléphone et se lance dans une histoire abracadabrante de grosse Rolls. Comme je suis en retard pour aller travailler, je lui demande de me rappeler plus tard. Mais il finit par trouver ses mots :

« C'est la Rolls dans le jardin, sur la pelouse.

— Mais qu'est-ce que tu me racontes ? Quelle Rolls ?

— La Rolls ! La Rolls-Royce ! »

Valentina a atteint le summum de ses rêves de vie à l'occidentale – elle possède une Rolls-Royce. C'est une berline quatre litres qui lui a été vendue pour le prix imbattable de cinq cents livres (réglées par mon père). Elle a désormais une Lada au garage, une Rover dans l'allée et une Rolls sur la pelouse. Aucune de ces voitures n'a de vignette ni d'assurance. Elle n'a toujours pas passé son permis de conduire.

« C'est qui au juste, cet Eric Pike, papa ? » Je revois le mot que j'ai trouvé dans le tiroir à culottes en compagnie du sandwich au jambon à moitié entamé.

« C'est un élément très intéressant. Ancien pilote de la RAF. Pilote avions de combat. Maintenant, il vend voitures d'occasion. Il a des moustaches superbes.

— Et c'est un grand ami de Valentina ?

— Non, non. Je crois pas. Ils ont rien en commun. Elle a aucun intérêt pour les voitures, seulement comme véhicules d'exposition. En fait, c'est une très belle voiture. Elle vient de succession de Lady Glaswyne. Je crois qu'elle a longtemps servi véhicule de ferme pour transporter foin, sacs d'engrais, tout ce que tu veux. Presque comme tracteur. Maintenant elle a besoin être réparée. »

En voyant la Rolls, Mike éclate de rire. Elle gît de travers sur l'herbe, sous la fenêtre du salon, comme un cygne à l'aile cassée. Visiblement, la suspension est morte. Un liquide brunâtre s'échappe par-dessous, polluant la pelouse. La carrosserie, blanche à l'origine, n'est plus qu'un patchwork de retouches de peinture, de mastic et de rouille. Mike en fait le tour avec mon père, palpant, tapotant ici et là, secouant la tête.

« Elle veut que je répare, dit mon père en haussant légèrement les épaules d'un air désemparé, comme un prince de conte de fées que la belle princesse met au défi d'accomplir quelque impossible tâche pour éprouver son amour.

— Je ne pense pas qu'elle soit réparable, objecte Mike. Et, de toute façon, où voulez-vous trouver les pièces détachées ?

— C'est vrai qu'il faut pièces détachées, et même avec ça, c'est aucune certitude qu'elle marchera, répond mon père. Quel dommage ! Normalement, voiture comme ça marcher une éternité, mais elle a manifestement subi mauvais traitements dans le passé. Mais quelle beauté... »

Sur ces entrefaites, Valentina émerge de la maison. Bien qu'on soit en juin et qu'il fasse chaud, elle est enveloppée dans un énorme manteau de fourrure cintré rembourré aux épaules, qu'elle porte les mains dans les poches, à la manière d'une star de cinéma. Elle a tellement grossi que les deux pans du manteau se rejoignent à peine. À son cou scintillent des perles brillantes qu'on pourrait prendre pour des diamants sous un faible éclairage. En chemisette, Stanislav la suit en portant son sac.

Elle s'arrête en nous voyant plantés tous les trois devant la Rolls.

« Belle voiture, oui ? » Elle a beau s'adresser à nous trois, elle attend que Mike lui réponde.

« Oui, très belle, dit Mike, mais c'est peut-être davantage une pièce de musée ou de collection qu'un véhicule destiné à rouler.

— Bonjour, Valentina. » J'esquisse un sourire hypocrite. « Vous êtes très élégante. Vous sortez ?

— Travail. » Un mot. Elle ne prend même pas la peine de se tourner vers moi.

« Et toi, Stanislav, qu'en dis-tu ? Elle te plaît, cette voiture ?

— Oh, oui. C'est mieux qu'une Zill. » Éclat furtif de dent ébréchée. « Valentina finit toujours par obtenir ce qu'elle veut.

— Voiture *kaput*, observe mon père.

— Toi réparer voiture », lui rétorque-t-elle sèchement. Puis, se rappelant qu'elle est censée être gentille avec lui, elle se penche et ajoute en lui tapotant la joue : « Monsieur Ingénieur. »

M. Ingénieur redresse fièrement sa carcasse voûtée.

« Rolls-Royce *kaput*. Lada *kaput*. Bientôt Rover *kaput*. Seulement marcher pas *kaput*. Ah, ah ! »

— Bientôt toi *kaput* », annonce Valentina. Puis elle surprend mon regard et se met à rire, l'air de dire : « Je plaisante. »

Elle démarre au volant de la Rover en compagnie de Stanislav, laissant derrière elle un nuage de fumée et une odeur de brûlé. Tandis que Mike et mon père continuent à examiner la Rolls, je vais chercher les *Pages jaunes*.

« Allô, c'est bien M. Eric Pike ?

— Qu'est-ce que je peux pour vous ? » Il a la voix visqueuse, comme de l'huile de vidange.

« Je suis la fille de M. Mayevskyj. Vous lui avez vendu une voiture.

— Ah oui. » Rire graveleux. « La Rolls de Valentina. Elle vient de la succession Glaswyne, vous savez.

— Monsieur Pike, comment avez-vous pu faire une chose pareille ? Vous savez que la voiture ne démarre même pas.

— C'est-à-dire que mademoiselle euh... madame euh... voyez-vous, Valentina m'a dit que son mari était un ingénieur de génie. Aéronautique. Il se trouve que j'en connais un bout sur les avions. » La voix visqueuse poursuit sur le ton de la confidence : « Voyez-vous, dans les années trente, certaines des plus grandes figures de l'aéronautique venaient d'Ukraine. Sikorsky – il a inventé l'hélicoptère –, Lozinsky – il a travaillé sur le Mig. Je les ai vus en action en Corée. De sacrés avions de combat. Alors, quand Valentina m'a parlé de son mari et m'a dit qu'il lui avait promis de la faire redémarrer en un rien de temps... croyez-moi, j'ai eu des doutes, mais elle s'est montrée très persuasive. Vous la connaissez.

— Mon père l'a regardée et il dit qu'il ne peut pas la réparer. Vous pourriez peut-être la reprendre et lui rendre son argent.

— Cinq cents livres, c'est un très bon prix pour une Rolls d'époque.

— Pas si elle ne marche pas. »

Silence à l'autre bout du fil.

« Monsieur Pike, je sais tout. Je suis au courant pour vous et Valentina. »

Nouveau silence, suivi d'un petit clic. Puis la tonalité.

Lady Di aime la Rolls. Il se faufile à l'intérieur par une vitre qui ne ferme pas complètement, côté passager. Il invite également ses copains et ils font la java toute la nuit sur les somptueuses banquettes de cuir avant de les asperger de pisse un peu partout pour marquer leur passage. La fiancée de Lady Di est une timide petite chatte tigrée maigrichonne qui s'avère bientôt être enceinte et adore se lover sur le siège du conducteur en enfonçant ses griffes dans le cuir souple.

Le temps est humide pour un mois de juin. Il ne cesse de pleuvoir et la pelouse n'est plus qu'un océan de boue. La Rolls s'enlise de plus en plus au milieu d'une jungle de gazon et de mauvaises herbes qui poussent tout autour. La fiancée de Lady Di donne naissance à ses chatons sur le siège avant de la Rolls – quatre boules de poil soyeuses et aveugles qui passent leur temps à miauler et téter leur mère efflanquée en pétrissant son ventre en cadence. Papa, Valentina et Stanislav, qui sont tombés sous le charme, essaient de les emmener dans la maison, mais la fiancée les prend un à un par le cou pour les ramener dans la Rolls.

Vera se décide à rendre visite à papa juste après la naissance des chatons. Elle débarque de Putney dans la Golf GT décapotable toute cabossée que lui avait offerte son gros con de mari du temps où il l'aimait encore (naturellement, à l'époque elle était en meilleur état). Quand elle arrive au milieu de l'après-midi, Stanislav et Valentina ne sont pas là et papa somnole dans son fauteuil avec la radio à fond. En se réveillant, il la trouve campée devant lui et pousse un cri involontaire :

« Non ! Non !

— Mais enfin, papa, tais-toi. Question mélodrame, on a été servis cette semaine, aboie Vera en prenant son ton de Grande Sœur. Bon ! lance-t-elle en regardant autour d'elle comme si Valentina était cachée dans un coin, où est-elle ? »

Papa se redresse dans son fauteuil et agrippe les accoudoirs sans dire un mot.

« Où est-elle ? »

Il serre les lèvres d'un air théâtral en gardant les yeux rivés devant lui.

« Mais bon sang, papa, je suis venue exprès de Putney pour essayer de te sortir du pétrin dans lequel tu t'es fourré et tu ne veux même pas me parler.

— Tu dis de me taire, alors je me tais. » Et, sur ce, il pince les lèvres.

Grande Sœur fait le tour des chambres d'un pas décidé en claquant les portes les unes après les autres. Elle va même jeter un œil dans la remise et la serre. Puis elle revient dans la pièce où se trouve mon père. Il n'a pas bougé. Il a toujours les lèvres scellées.

« Franchement, Nadia, me dit-elle, je comprends que Valentina lui ait jeté une tasse d'eau à la figure. J'ai eu envie de faire pareil. Il voulait peut-être me montrer qu'il était très fort. » Je ne dis rien. Je pince les lèvres. Je m'efforce de ne pas rire. « Évidemment, ça n'a pas été difficile de le faire parler. Il a suffi de le lancer sur Korolev et le programme spatial.

— Et qu'est-ce qui s'est passé finalement ? Tu as rencontré Valentina ?

— Je l'ai trouvée fabuleuse. Elle est tellement… dynamique. »

Apparemment, Grande Sœur et Valentina se sont entendues comme larrons en foire. Valentina a été éblouie par la classe et le panache de Vera. Vera, elle, a été conquise par la sexualité franche et le côté impitoyable de Valentina. Elles sont toutes les deux tombées d'accord pour dire que papa était pitoyable, fou et méprisable.

« Et le vernis pêche nacrée ? Les mules découvertes à hauts talons ? La Rolls sur la pelouse ?

— Je te l'accorde. C'est une traînée et une crapule finie, bien sûr. Mais je n'ai pas pu m'empêcher de l'admirer. »

Je suis accablée. Il y a si longtemps que j'attendais cette confrontation : l'Épouse modèle version Zadchuk opposée à l'Experte en Divorce ; le lance-roquettes de satin vert opposé au sac Gucci. Je me rends compte à quel point je comptais sur Grande Sœur pour se lancer à l'attaque de Valentina. Et je m'aperçois à présent qu'elles se ressemblent.

« Pauvre papa. Je sais bien qu'il est un peu excentrique, mais de là à dire qu'il est méprisable…

— Tu as vu un peu comme il a embêté tout le monde – nous, les autorités, même Valentina. Elle finira par se rendre compte qu'elle aurait mieux fait de mettre le grappin sur un autre. Il aurait mieux valu qu'il dise non dès le début. Il se croit un bon parti pour une greluche de trente-six ans. Si ce n'est pas méprisable, dis-moi ce que c'est.

— Mais elle l'a mené en bateau. Elle l'a flatté. Il s'est cru jeune et sexy.

— Il s'est laissé faire parce que, au fond de lui, il se croit supérieur. Il se croit suffisamment malin pour vaincre le système. Ce n'est pas la première fois qu'il nous fait un coup pareil.

— Comment ça ?

— Il y a beaucoup de choses que tu ignores. Il a failli faire expédier *baba* Sonia en Sibérie, tu savais ça ?

— Je me souviens vaguement d'une histoire que papa m'a racontée – il était question des pionniers ukrainiens de la conception aéronautique. Et je me rappelle comment maman racontait que *baba* Sonia s'était fait casser les dents de devant. »

Après avoir décroché son diplôme de l'Institut aéronautique de Kiev en 1936, mon père voulait aller à l'université de Kharkov, où Lozinsky et d'autres contribuaient à l'essor de la propulsion par réaction. Mais il avait été envoyé à Perm, sur les contreforts de l'Oural, enseigner dans une école d'entraînement de l'armée de l'air soviétique. Il détestait Perm. C'était un désert intellectuel et culturel, peuplé de soldats ivres morts à tous les coins de rue, à des milliers de kilomètres de chez lui, des milliers de kilomètres de Ludmilla qui attendait leur premier enfant. Comment se faire renvoyer chez lui ? Nikolaï avait sa petite idée. Il se ferait recaler au contrôle de sécurité. Sur un des innombrables formulaires qu'il devait remplir, il déclara que sa femme était une ennemie du peuple. Et pour se présenter sous un jour plus défavorable encore, il inventa à Ludmilla un frère aîné terroriste contre-révolutionnaire qui vivait en Finlande où il œuvrait au renversement de l'État soviétique.

Pour les autorités, c'était une incroyable aubaine. Naturellement, elles avaient voulu en savoir plus sur ce frère contre-révolutionnaire. Elles avaient arrêté *baba* Sonia et lui avaient fait subir un interrogatoire poussé accompagné de brutalités. Où était ce fils aîné ? Pourquoi n'était-il pas mentionné sur ses papiers ? Qu'avait-elle d'autre à cacher ? Était-elle une perfide ennemie du peuple comme son défunt mari ?

Sonia Ocheretko avait eu la chance de pouvoir s'échapper en 1930, quand son mari avait été emmené pour être fusillé. Mais à l'époque les purges n'en étaient qu'à leurs débuts. À partir de 1937, les vagues d'arrestations s'étaient multipliées. C'était désormais faire trop d'honneur aux ennemis du peuple que de les exécuter – ils devaient être envoyés en Sibérie dans des camps de rééducation par le travail.

Tante Shura vint à la rescousse. Elle expliqua à l'inspecteur comment en 1912, alors qu'elle était une jeune interne en médecine, elle était allée à Novaya Aleksandria accoucher sa sœur de son premier bébé, ma mère Ludmilla. Elle signa une attestation sous serment affirmant que Sonia Ocheretko était primipare. Les liens d'amitié qu'entretenait le mari de Shura avec Voroshilov favorisèrent les choses.

Mais Sonia, qui jusque-là ne s'était jamais laissé abattre, ne se remit jamais de ces six jours d'interrogatoire. Elle avait une cicatrice sur le front, juste au-dessus de l'œil, et les dents de devant cassées. Elle qui avait toujours été si vive et agile se déplaçait désormais difficilement, d'un pas lourd, et ses yeux étaient en permanence agités d'un tic nerveux. Elle était abattue.

« Après ça, évidemment, tante Shura l'a mis à la porte. Comme ils ne savaient plus où aller, ils sont retournés habiter chez *baba* Sonia. Franchement, c'était impardonnable.

— *Baba* Sonia lui a bien pardonné.

— Elle lui a pardonné pour maman. Mais maman, elle, ne lui a jamais pardonné.

— Elle a bien dû finir par lui pardonner. Elle est restée soixante ans avec lui.

— Si elle est restée, c'est pour nous. Pour toi et moi, Nadia. Pauvre maman. »

Je me demande si c'est vrai. Ou Vera projette-t-elle sur le passé les drames qu'elle a vécus ?

« Mais attends, est-ce à dire que tu comptes rester là à ne rien faire en laissant Valentina maltraiter notre père ? Le dévaliser ? Peut-être même l'assassiner ?

— Non, bien sûr que non. Franchement, comment veux-tu que je reste à ne rien faire dans une situation pareille ? Nous nous devons de le protéger, pour maman. Même si ce n'est qu'un minable, il fait partie de la famille. On ne peut pas la laisser gagner. »

(Si je comprends bien, Grande Sœur est encore des nôtres !)

« Pourquoi papa est-il si préoccupé que tu fumes ? Ça le turlupine, les cigarettes.

— Les cigarettes ? Il t'a parlé de cigarettes ?

— Il dit que tu es obsédée par le divorce et la cigarette.

— Qu'est-ce qu'il a dit d'autre ?

— Rien. Pourquoi ça ?

— Laisse tomber. Ça n'a pas d'importance.

— Visiblement si.

— Pourquoi faut-il toujours que tu ailles fouiner dans le passé ? » Elle a la voix tendue, crispée. « Le passé est sordide. C'est comme un égout. Il ne faut pas jouer avec ça. Ne t'en occupe pas. Laisse tomber. »

18

L'écoute-bébé

Valentina a reçu une invitation de mariage de sa sœur qui vit à Selby. Elle l'a brandie sous le nez de mon père en lui lançant quelques sarcasmes venimeux. La lettre qui l'accompagne décrit le futur mari sous les traits d'un médecin de quarante-neuf ans, marié (enfin, précédemment marié, cela va de soi), avec deux enfants en âge d'aller à l'école (privée pour les deux) et une belle maison avec un beau jardin et un double garage. Femme pas nichons faire beaucoup ennuis, mais mari très amoureux, pas problème.

Dans double garage il y avoir Jaguar et deuxième voiture Renault. Jaguar être bien, dit Valentina, mais pas aussi bien que Rolls-Royce. Renault être un peu mieux que Lada. Cependant la lettre de sa sœur a déclenché chez Valentina un regain d'insatisfaction à l'égard de son bon à rien mari radin beaucoup argent et de la vie médiocre à laquelle il l'a condamnée.

Pendant que mon père continue à marmonner dans sa barbe à l'autre bout du fil en s'interrompant de temps à autre pour tousser violemment, je ne peux m'empêcher de jeter un œil à Mike, qui regarde les informations de Channel 4, confortablement installé les pieds en l'air et la bière à la main. Il est si sympathique, si charmant, si séduisant malgré les tempes grisonnantes et la bedaine qui commence à poindre, si cher à mon cœur... le mari rêvé. Mais... une angoisse me traverse l'esprit.

Qu'est-ce qui ne va pas chez les hommes ?

Après une nouvelle quinte de toux, mon père en vient enfin au but de son appel : Valentina a encore besoin d'argent et il se voit dans l'obligation de liquider certains de ses biens. Mais quels biens lui reste-t-il ? Il n'y a plus que la maison. Ah ! À l'arrière de la maison, il y a un grand terrain dont il n'y a rien à tirer. Il pourrait le vendre. (Il parle du jardin de maman !)

Il a discuté avec le voisin et ce dernier est prêt à l'en débarrasser pour la somme de trois mille livres.

J'ai le cœur qui bat et les yeux tellement embués de rage que je n'y vois presque plus, mais il ne faut pas que cela s'entende.

« Ne prends pas de décision précipitée, papa. Rien ne presse. Peut-être que le futur mari va s'avérer radin, lui aussi. Après tout, il va avoir à entretenir sa femme et ses enfants avec leur école privée. Peut-être que c'est la femme qui récupérera la Jaguar et la sœur qui se retrouvera avec la Renault. Peut-être que Valentina s'apercevra qu'elle a de la chance. Attends un peu, tu verras.

— Hmm... »

Pour ce qui est de vendre le jardin de maman – j'ai la mâchoire tellement serrée que c'est à peine si je peux articuler un mot –, ces choses-là sont souvent plus compliquées qu'il n'y paraît. Il faudrait remanier les contrats. Les trois quarts de l'argent seraient probablement engloutis par les honoraires du notaire. Et quant à l'offre du voisin, franchement, elle est dérisoire. S'il obtenait un permis de construire pour bâtir une nouvelle maison, le terrain vaudrait dix fois plus que ça. Imagine un peu comme Valentina serait contente. (Et il faut une éternité pour obtenir un permis de construire.)

Veut-il que je demande à un notaire ? Veut-il que je prenne contact avec la mairie pour la question du permis de construire ? Faut-il que j'en parle à Vera ?

« Hmm. Notaire oui. Mairie oui. Vera non.

— Mais Vera va bien finir par l'apprendre. Imagine, elle va être triste (il sait pertinemment que je n'ose pas dire "furieuse"). »

Vera l'a appris. C'est moi qui le lui ai dit. Elle a été aussi triste que furieuse.

Elle a mis deux heures à faire la route de Putney à Peterborough. En arrivant, elle était encore en pantoufles (une négligence du détail inhabituelle de sa part). Elle a filé droit chez le voisin (qui habite une affreuse maison imitation Tudor bien plus vaste que celle de mes parents), tambouriné à la porte, et lui a dit sa façon de penser. (« Tu aurais dû voir sa tête. ») Le voisin en question, un homme d'affaires à la retraite et jardinier amateur adepte des pépinières, a reculé face à l'attaque.

« Je voulais seulement l'aider. Il m'a dit qu'il avait des difficultés financières.

— Vous ne l'aidez pas. Vous ne faites qu'aggraver les choses. Bien sûr qu'il a des difficultés financières, avec cette sangsue qu'il a épousée. Vous devriez veiller sur lui au lieu de l'encourager. Vous parlez d'un voisin ! »

En entendant les éclats de voix, sa femme sort sur le seuil tout en perles et twin-set, un gin tonic à la main (ce sont eux qui ont fait office de témoins pour le codicille du testament de maman).

« Que se passe-t-il, Edward ? »

Edward explique. Sa femme hausse le sourcil.

« Première nouvelle. Je croyais que nous étions censés mettre de l'argent de côté pour faire une croisière. » Sur ces mots, elle se tourne vers Vera. « Nous nous faisions du souci pour M. Mayevskyj, mais nous ne voulions pas nous en mêler. N'est-ce pas, Edward ? »

Edward fait oui et non de la tête en même temps.

Soucieuse de s'assurer leur soutien, Vera s'adoucit.

« Je suis sûre que ce n'est qu'un malentendu.

— Oui, un malentendu. »

Saisissant la perche, Edward s'abrite derrière sa femme qui s'est avancée sur le seuil pour prendre la place de son mari.

« Ce n'est pas une dame très convenable, dit-elle. Elle se fait bronzer dans le jardin toute… toute… » Elle jette un œil à son mari par-dessus son épaule et se met à chuchoter : « Je l'ai surprise qui regardait par la fenêtre d'en haut. Et ce n'est pas tout… (Sur le ton de la confidence :) Je crois qu'elle a un amant. J'ai vu un homme… (lèvres pincées) qui vient la chercher en voiture. Il se gare sous le frêne – de la fenêtre, M. Mayevskyj ne peut pas le voir –, il klaxonne et l'attend. Elle sort en courant, sur son trente et un. Toute en fourrure et sans culotte, comme disait ma mère.

— Merci de m'avoir prévenue, dit Vera. Votre aide est extrêmement précieuse. »

Valentina a dû voir la voiture de Vera car elle l'attend sur le seuil, lui barrant le passage, les bras croisés, prête pour la bagarre. Elle toise Vera des pieds à la tête. Son regard s'attarde brièvement sur les pantoufles et un sourire furtif glisse sur ses lèvres. Vera baisse à son tour les yeux. (« C'est là que j'ai compris mon erreur. ») Valentina porte des talons aiguilles qui font saillir ses mollets musclés comme des biceps de boxeur.

« Toi fourre-nez. Pourquoi toi aller voisin ? » somme Valentina.

Vera l'ignore et l'écarte pour aller dans la cuisine transformée en étuve, les fenêtres tout embuées. La vaisselle sale s'entasse dans l'évier et ça empeste. Papa rôde sur le seuil, vêtu d'une salopette de nylon bleu dont les bretelles s'entrecroisent sur son dos maigre et voûté.

« J'ai parlé avec les voisins, papa. Ils ne veulent plus acheter le jardin de maman.

— Mais pourquoi tu fais ça, Vera ? Pourquoi tu peux pas me laisser tranquille ?

— Parce que si je te laisse tranquille, ce vautour te rongera le foie.

— Aigle. Aigle.

— Aigle ? Mais de quoi tu parles ? ("Franchement, Nadia, j'ai bien cru qu'il avait complètement perdu la boule.")

— C'est aigle rongé foie Prométhée parce qu'il a apporté feu.

— Tu n'es pas Prométhée, papa, tu n'es qu'un pitoyable vieux monsieur désorienté tellement stupide qu'il est devenu la proie de cette louve... »

Sur ce, les traits fulminants de rage, Valentina, qui a tout entendu, émet un mugissement sourd, fléchit le bras et pousse violemment Vera en pleine poitrine. Celle-ci titube, mais elle ne tombe pas.

« Valya, je te prie, pas de violence », implore papa en essayant de s'interposer. Il est complètement dépassé.

« Toi vieux bâton tordu chien ronger cerveau, va dans chambre et tu taire. » Valentina le pousse à son tour et il part à la renverse en venant s'avachir contre le chambranle de la porte que Mike a montée. Valentina sort une clé de sa poche et l'agite sous le nez de papa.

« Moi avoir clé chambre, ah, ah, moi avoir clé chambre ! »

Papa essaie de l'attraper, mais elle la tient hors de sa portée.

« Pourquoi toi besoin clé ? le nargue-t-elle. Toi aller chambre. Moi ouvrir fermer.

— Valya, s'il te plaît, donne clé ! » Il essaie de s'en emparer d'un petit bond pitoyable, puis retombe en sanglotant.

Vera tente également de l'attraper – « Comment osez-vous ! » –, mais Valentina la repousse.

« J'ai un micro ! s'écrie Vera. Je vais avoir la preuve de vos agissements criminels. »

Sur ces mots, elle extirpe de son sac un petit dictaphone à main (là, j'admire !) et le branche en le tenant au-dessus de la tête de Valentina.

« Maintenant, Valentina, voulez-vous rendre à mon père la clé de sa chambre et essayer de vous conduire de manière calme et civilisée ? » lance-t-elle d'un ton clair et péremptoire.

Elle est plus grande que Valentina, mais celle-ci a l'avantage des talons hauts. Elle essaie d'attraper le dictaphone. Cependant, à l'instant où elle va s'en emparer, papa tente de lui prendre la clé de son autre main, détournant son attention. Attaquée sur les deux fronts, elle fait un bond en poussant un cri (« On se serait crus dans un de ces films de kung-fu que Dick regardait toujours »), puis s'écrase par terre, en plantant un talon aiguille dans un des pieds pantouflés de Vera tandis que l'autre va percuter le tibia de papa, juste sous le genou. Papa et Vera sont pliés en deux. Le dictaphone tombe et glisse sous la cuisinière. Vera plonge pour le rattraper. Valentina pousse papa dans sa chambre, lui arrache la clé et ferme la porte à double tour. Vera se jette sur Valentina, se tortille (elles sont toutes les deux au sol à présent), tire, tente de lui arracher la clé à son tour, mais Valentina est plus forte qu'elle et se relève, la main dans le dos, en serrant la clé au creux de son poing.

Vaincue, Vera brandit le dictaphone.

« Tout est enregistré ! Tout ce que vous avez dit est enregistré !

— Bien ! réplique Valentina. Voilà : je dire toi sale mégère pas nichons. Toi pas avoir nichons, toi jalouse. » Elle met les mains sous ses seins, puis les soulève en les plaquant l'un contre l'autre de façon obscène, et fait mine de bécoter, la moue aguichante. « Homme aimer nichons. Papa toi aimer nichons.

— Je vous en prie, calmez-vous. Inutile de parler grossièrement. »

Pourtant elle sait qu'elle a perdu. Elle garde la tête haute, mais, au fond d'elle-même, elle est écrasée par le poids de l'humiliation.

De l'autre côté de la porte fermée à clé, papa gratte en gémissant comme un chien battu.

« Mais, Vera, tu as fait de ton mieux. Tu es formidable. Tu as la cassette ? »

Sa voix trahit l'âpreté de l'humiliation :

« Il n'y avait pas de cassette dans le dictaphone. C'était du bluff. Que voulais-tu que je fasse ? »

Par la suite, avant de partir, Valentina a ouvert la porte de papa tout en gardant la clé.

Papa avait de nouveau fait sous lui.

« Il n'y peut rien. Il ne devrait pas mettre de salopette.

— Oh, oui ! Je ne parle pas de l'incontinence, bien sûr, mais de cette obsession qu'il a. Il s'y raccroche envers et contre tout – le côté excitant, glamour. Il continue à la défendre face à moi, tu sais.

— Je sais.

— Et tu sais ce que j'ai trouvé d'autre ? Il y avait un écoute-bébé branché sur la prise qui est sous son lit.

— Mince alors ! À quoi ça peut bien lui servir ?

— À elle, pas à lui. L'autre est branché là-haut, dans sa chambre à elle. C'est un de ces appareils astucieux qui fonctionnent sur le circuit général. Ça signifie qu'elle entend tout ce qu'il dit dans la pièce.

— Mais il parle tout seul ?

— Mais non, espèce d'andouille, quand il nous téléphone.

— Ah. »

19

La charrue rouge

Je crois bien que c'est le coup de l'écoute-bébé qui a fait déborder le vase. Papa a accepté de divorcer. Je suis chargée de trouver un bon avocat – quelqu'un qui ait suffisamment d'autorité pour tenir tête à l'armée d'avocats de l'aide juridique de Valentina, quelqu'un qui prendra réellement fait et cause pour mon père et ne se contentera pas de faire acte de présence et d'encaisser les honoraires.

« Pas le petit jeune à qui j'ai parlé d'annulation. C'est un incapable, déclare Mme l'Experte en Divorce. Il faut prendre une femme – elle sera scandalisée par ce qui s'est passé. Éviter les gros cabinets, ils refilent les petites affaires aux débutants. Les petits également, ils n'ont pas la compétence nécessaire. »

J'arpente le quartier des avocats de Peterborough en parcourant les noms inscrits sur les plaques de cuivre. Difficile de tirer la moindre conclusion au vu d'un simple nom. C'est ainsi que je trouve Mlle Laura Carter.

Lors de notre première rencontre, j'ai bien failli me lever et partir aussitôt. Je suis convaincue de m'être trompée. Elle est bien trop jeune, bien trop gentille. Je me vois mal évoquer devant elle les caresses sur les seins, les relations buccogénitales, le tout ramollo. Mais j'ai tort. Mlle Carter est une tigresse : une ravissante tigresse blonde aux yeux bleus, avec un teint de rose et un nez mutin. À mesure que je lui parle, je vois le nez mutin frétiller de colère. Une fois mon récit terminé, elle est littéralement hors d'elle.

« Votre père est en danger. Il faut la déloger de là aussi vite que possible. Nous allons immédiatement faire une demande d'injonction et entamer simultanément la procédure de divorce. L'histoire des trois voitures est un bon point. Le mot d'Eric Pike est également un bon point. L'épisode de l'hôpital est excellent, car il s'est déroulé dans un lieu public en présence de nombreux témoins. On devrait pouvoir mettre quelque chose en place avant l'audience d'appel de septembre. »

La première fois que j'emmène mon père voir Mlle Carter dans son cabinet, il porte le vieux costume dépenaillé qu'il avait le jour de son mariage et la même chemise blanche aux boutons recousus au fil noir. Il s'incline si bas devant sa main tendue, à la manière russe, qu'il manque de basculer en avant. Elle tombe sous le charme.

« C'est un monsieur si gentil, me chuchote-t-elle de sa voix de rose. Quelle honte de vouloir profiter de lui ! »

Lui, en revanche, est plus réservé. Au téléphone, il déclare à Vera :

« On dirait jeune fille. Elle n'y connaît rien.

— Et toi alors ? rétorque Grande Sœur. Si tu étais si malin que ça, tu ne te retrouverais pas dans ce pétrin. »

Mlle Carter éclaircit également le mystère de la petite photocopieuse portative et des rendez-vous de médecin manquants.

« Elle veut peut-être montrer que votre père est malade – trop malade pour assister à une audience. À moins qu'elle ne cherche à prouver qu'il ne jouit pas de toutes ses facultés mentales – qu'il est désorienté, qu'il ne sait pas ce qu'il fait.

— Et les traductions de poèmes ?

— Ça sert à établir que c'est une véritable relation.

— Quelle sale intrigante !

— Oh, ça doit être son avocat qui lui a dit de le faire.

— Les avocats font ça ? »

Mlle Carter hoche la tête. « Et bien pire encore. »

On est à la mi-juillet et l'audience d'appel de septembre, qui semblait être dans une éternité, paraît soudain toute proche. Mlle Carter s'arrange pour que les documents soient remis à Valentina par un détective privé.

« Il faut veiller à ce que la demande de divorce lui soit remise en mains propres. Autrement, elle risque de prétendre qu'elle ne l'a jamais reçue. »

Vera s'est proposée pour être sur place ce jour-là afin de s'assurer que Valentina l'a bien reçue. Maintenant que les choses bougent, elle ne veut rien manquer. Mon père a beau répéter qu'il est inutile qu'elle vienne, qu'il est assez grand pour se débrouiller tout seul, elle a le dernier mot. Le piège est tendu.

À l'heure prévue, le détective, un grand brun mal rasé à l'allure louche, débarque chez mon père et tambourine à la porte.

« Ça doit être le facteur ! s'écrie Vera, qui est debout depuis six heures du matin, surexcitée à l'idée de ce qui se prépare. C'est peut-être un paquet pour vous, Valentina. »

Valentina se précipite à la porte. Elle a encore le tablier à volants et les gants de caoutchouc jaunes qu'elle a mis pour faire la vaisselle du petit déjeuner.

Le détective lui fourre les documents dans les mains. Valentina a l'air déconcertée.

« Demande divorce ? Moi pas vouloir divorce.

— Non, le demandeur est M. Nikolaï Mayevskyj. C'est lui qui demande le divorce. »

Elle reste un moment abasourdie. Puis elle explose dans une rage folle.

« Nikolaï ! Nikolaï ! Quoi être ça ? hurle-t-elle à l'adresse de mon père. Nikolaï, toi fou que chien ronger cerveau, toi mort cimetière ! »

Mon père s'est enfermé à clé dans sa chambre avec la radio à fond. Elle fait volte-face pour prendre le détective à partie, mais déjà il claque la portière de sa BMW noire et démarre dans un crissement de pneus. Elle fond sur Vera.

« Toi sale chienne sorcière manger chair !

— Je suis désolée, Valentina, répond Grande Sœur d'une voix qu'elle me décrit par la suite comme calme et raisonnable, mais vous l'avez bien mérité. Vous ne pouvez pas venir dans ce pays pour escroquer et abuser ainsi les gens, si bêtes soient-ils.

— Moi pas escroquer. Toi escroquer ! Moi aimer papa toi ! Moi aimer !

— Ne soyez pas ridicule, Valentina. Allez voir votre avocat. »

« Mais c'est fantastique, Vera ! Ça s'est si bien passé que ça ? »

Si j'éprouve une vague pitié à l'égard de Valentina désemparée de se trouver prise au piège, elle n'est que de courte durée.

« Jusqu'ici tout va bien », décrète Mme l'Experte en Divorce.

Mais l'avocat nous réserve une mauvaise surprise que Mlle Carter n'a pas vue venir. La première audience, lors de laquelle Valentina doit se voir signifier l'injonction qui permettra de la déloger de la maison, a été ordonnée à la demande de Mlle Carter. Comme ma sœur et moi n'avons pu y assister, nous n'avons que le compte rendu de Laura. Mon père et elle arrivent en avance. Suivis du juge. Puis de Valentina et de Stanislav. Le juge ouvre la séance. Valentina se lève.

« Je pas comprendre anglais. Je devoir interprète. »

Le tribunal est plongé dans la consternation. Les greffiers se précipitent ; on s'empresse de téléphoner à droite, à gauche. Mais impossible de trouver un interprète parlant ukrainien. Le juge ajourne l'audience et fixe une nouvelle date. Nous avons perdu deux semaines.

« Et zut ! s'exclame Mlle Carter. J'aurais dû y penser. »

Au début du mois d'août, on prend les mêmes et on recommence, mais cette fois une dame d'un certain âge du club ukrainien de Peterborough a accepté de faire office d'interprète. C'est mon père qui paiera la note. Elle est certainement au courant de l'histoire de Valentina et mon père – tous les Ukrainiens à des kilomètres à la ronde sont au courant –, mais elle a l'air sérieux comme un pape et ne trahit rien. J'ai pris un jour de congé pour assister à l'audience et soutenir Laura et papa. Il fait une chaleur étouffante ce jour-là. Ça fait un peu plus d'un an qu'ils sont mariés. Valentina est en tailleur bleu marine doublé de rose – peut-être celui qu'elle avait choisi pour la commission de l'immigration. Mon père a remis son costume de mariage, avec la chemise blanche aux boutons recousus au fil noir.

Mlle Carter relate les incidents du torchon mouillé, du verre d'eau et des marches de l'hôpital. Elle parle doucement, d'une voix claire et vibrante d'émotion contenue, empreinte de solennité devant les horreurs qu'elle décrit. Et c'est presque l'air de s'excuser, inclinant la tête, les yeux baissés, qu'elle porte le coup de grâce : un rapport du psychiatre.

Valentina proteste avec une vigueur pour le moins imagée que mon père n'a raconté qu'un ignoble tissu de mensonges, qu'elle aime son mari, et qu'avec son fils elle n'a nulle part ailleurs où aller.

« Moi pas femme mauvaise. Lui avoir paranoïa ! »

Elle implore l'auditoire, balançant sa crinière d'un côté puis de l'autre, gesticulant dans tous les sens.

L'interprète traduit le tout d'un ton monotone à la troisième personne.

Puis mon père se lève à son tour et répond aux questions d'une voix si frêle et tremblante que le juge doit lui demander de répéter à plusieurs reprises. Il s'exprime dans un anglais correct, soigné, un anglais d'ingénieur, non dénué d'une subtile touche théâtrale lorsqu'il lève une main tremblante pour désigner Valentina en déclarant : « Je crois qu'elle veut m'assassiner ! » Il a l'air si chétif, si ratatiné, si désemparé avec son costume froissé et ses épaisses lunettes ; sa fragilité parle d'elle-même. Le juge ordonne que Valentina et Stanislav quittent la maison sous quinze jours en emportant toutes leurs affaires.

Ce soir-là, je célèbre l'événement avec mon père en ouvrant une bouteille du vin de prune de quatre ans d'âge de ma mère. Le bouchon saute en claquant contre le plafond, creusant une marque dans le plâtre. Le vin a le goût de sirop contre la toux et monte instantanément à la tête. Mon père commence à me parler de l'époque où il travaillait à l'usine de la Charrue rouge à Kiev, la plus heureuse de sa vie, me dit-il, à l'exception d'aujourd'hui. Une demi-heure plus tard, nous dormons tous les deux comme des loirs, mon père dans son fauteuil et moi affalée sur la table de la salle à manger. Très tard dans la soirée, je suis réveillée par Valentina et Stanislav qui rentrent et montent à l'étage sur la pointe des pieds en parlant à voix basse.

Bien que le psychiatre ait déclaré que mon père était parfaitement sain d'esprit, Valentina était peut-être plus proche de la vérité qu'elle n'en avait conscience, car il faut avoir vécu dans un État totalitaire pour mesurer réellement ce qu'est la paranoïa. Lorsque, en 1937, mon père quitta Luhansk pour retourner à Kiev, le pays entier baignait dans les miasmes de la paranoïa.

Elle s'infiltrait partout, s'insinuant dans les recoins les plus intimes de la vie des gens, affectant les rapports entre amis et collègues, professeurs et étudiants, parents et enfants, maris et femmes. L'ennemi était partout. Si vous n'appréciez pas la façon dont on vous avait vendu un porcelet ou celle dont on regardait votre amie, ou encore le fait qu'on vous ait demandé de rembourser vos dettes ou qu'on vous ait mal noté à un examen, il suffisait d'en toucher un mot au NKVD pour que le sort du fautif soit réglé. Si vous convoitiez la femme d'un autre, un petit mot au NKVD, un séjour en Sibérie et vous aviez la voie libre. Si brillant, si talentueux, si patriote que vous soyez, il y avait toujours quelqu'un pour vous considérer comme une menace. Si vous étiez trop intelligent, vous étiez certainement un dissident ou un saboteur, et si vous ne l'étiez pas assez, tôt ou tard vous commettriez forcément une maladresse. Personne n'échappait à la paranoïa, des plus humbles aux plus grands. En fait, le plus paranoïaque d'entre tous n'était autre que l'homme le plus puissant du pays, Staline. La paranoïa s'échappait sous les portes fermées du Kremlin, paralysant toute vie.

En 1937, l'arrestation du célèbre ingénieur aéronautique Tupolev, soupçonné de sabotage, choqua le monde de l'aviation. Il fut emprisonné non pas dans un goulag, mais dans son propre institut de Moscou, ainsi que toute son équipe d'ingénieurs, et forcé de continuer à travailler dans des conditions d'esclavage. Ils dormaient dans des dortoirs sous la surveillance de gardes armés. Cependant ils avaient droit à de la viande de premier choix et beaucoup de poisson car on estimait que le fonctionnement du cerveau nécessitait une bonne alimentation. On autorisait les ingénieurs à se détendre une heure ou deux par jour dans une cour entourée de grillages aménagée sur le toit de l'institut. De là-haut, ils voyaient parfois les avions qu'ils avaient conçus tournoyer au-dessus d'eux dans le ciel.

« Et pas seulement Tupolev, poursuit mon père, mais aussi Kerber, Lyulka, Astrov, Bartini, Lozinsky, et même le génie Korolev, le père des vols spatiaux. » L'aviation était soudain devenue une entreprise dangereuse.

« Et à la tête on avait mis une bande d'imbéciles ! Quand les ingénieurs ont proposé construire petit moteur à essence à deux temps à la place gros moteur à quatre temps pour alimenter système électrique de l'avion si générateurs tombaient en panne, on leur a interdit en disant c'était trop risqué passer d'un coup de quatre temps à deux temps. On leur a ordonné construire moteur à trois temps ! Un moteur à trois temps ! Ah ah ah ! »

Peut-être était-ce l'arrestation de Tupolev ou encore l'effet pernicieux de la paranoïa, mais c'est à cette époque que mon père changea son fusil d'épaule et renonça aux hautes sphères de l'avionique pour rejoindre le monde terre à terre des tracteurs. Et c'est ainsi qu'il prit le chemin de l'usine de la Charrue rouge à Kiev.

La Charrue rouge était une zone libre de toute paranoïa. Nichée dans un méandre du Dniepr, à l'écart des principaux centres urbains, l'usine poursuivait son humble tâche de production de machines agricoles, d'engins de chantier, de chaudières et de cuves. Elle n'avait aucune portée militaire. Rien de secret, rien de révolutionnaire. Et c'est ainsi qu'elle devint le refuge d'une multitude de scientifiques, d'ingénieurs, d'artistes, de poètes et de gens qui voulaient simplement vivre librement. Le premier engin que conçut mon père était une bétonnière. Une pure merveille. (Il fait tournoyer ses mains pour me montrer son mouvement.) Puis une charrue à double soc. (Il lève et baisse les mains, paumes ouvertes.) Les soirs d'été, après le travail, ils se déshabillaient pour aller nager dans le large fleuve au lit sablonneux qui s'enroulait autour de l'usine. (Il se lance dans une vigoureuse démonstration de brasse. Le vin de prune lui est vraiment monté à la tête.) Et ils mangeaient bien, car ils réparaient en douce les vélos, les voitures, les pompes, les charrettes – tout ce qu'on leur apportait en cachette – en se faisant payer avec du pain et des saucisses.

Mon père travailla à la Charrue rouge de 1937 jusqu'au début de la guerre, en 1939, tandis que ma mère faisait ses études à l'école vétérinaire, non loin de Kiev. Ils vivaient dans un deux-pièces au rez-de-chaussée d'une maison de stuc Art nouveau de la rue Dorogozhitska, qu'ils partageaient avec Anna et Viktor, deux anciens camarades d'université. Leur rue donnait sur l'avenue Melnikov, un grand boulevard longeant le vieux cimetière juif qui débouchait sur les abruptes pentes boisées du ravin de Babi Yar.

En me réveillant, le lendemain matin, j'ai le torticolis et un mal de tête atroce. Mon père, déjà debout, est en train de tripoter la radio. Il est d'excellente humeur et veut aussitôt reprendre là où il en était resté et repartir sur le destin de Tupolev, mais je lui cloue le bec et mets la bouilloire à chauffer. Le silence qui règne dans la maison a quelque chose de prémonitoire. Stanislav et Valentina sont sortis et la Rover n'est plus dans l'allée. Je parcours la maison en serrant ma tasse de thé et m'aperçois que la chambre de Valentina a été débarrassée d'une partie de son fouillis, qu'il manque des casseroles dans la cuisine et que la petite photocopieuse portative a disparu.

20

Le psychologue était un escroc

Une fois l'injonction délivrée par le tribunal, je téléphone tous les jours à mon père pour voir si Valentina et Stanislav ont enfin déménagé, ce sur quoi j'obtiens toujours la même réponse : « Oui. Non. Peut-être. Je ne sais pas. »

Ils ont emporté certaines de leurs affaires, mais en ont laissé d'autres. Ils passent une ou deux nuits ailleurs, puis ils reviennent. Mon père ne sait ni où ils vont, ni où ils dorment, ni quand ils repassent. Leurs mouvements sont mystérieux. Quand elle le croise dans l'escalier ou la cuisine, Valentina ne lui adresse plus la parole – elle fait comme s'il n'était pas là. Quant à Stanislav, il détourne le regard en sifflotant.

Cette guerre du silence est pire que la guerre des mots. Mon père commence à craquer.

« Peut-être je vais lui demander rester, finalement. Elle n'est pas si méchante que ça, Nadia. Elle a des qualités. Seulement des idées erronées.

— Papa, ne sois pas ridicule. Tu ne vois pas que ta vie est en danger ? Même si elle ne te tue pas, si tu continues comme ça, tu vas finir par avoir une attaque ou une crise cardiaque.

— Hmm. Peut-être. Mais est-ce qu'il ne vaut pas mieux mourir des mains quelqu'un qu'on aime que mourir seul ?

— Mais bon sang, papa ! Comment peux-tu imaginer une seule seconde qu'elle t'ait jamais aimé ? Souviens-toi un peu comment elle te traitait – les horreurs qu'elle te disait, cette façon de te bousculer, de te hurler à la figure.

— C'est vrai, c'est un défaut caractère typique entre parenthèses du psychisme russe, avec cette tendance à croire violence premier et non dernier ressort.

— Papa, on s'est démenés de tous les côtés pour obtenir cette injonction et là, soudain, tu veux changer d'avis. Que va dire Vera ?

— Ah, Vera. Si Valentina me tue pas, Vera s'en chargera.

— Personne ne va te tuer, papa. Tu vas vivre très vieux et finir ton livre.

— Hmm. Oui. » Subitement, il s'anime. « Pendant Deuxième Guerre mondiale, il y a eu autre innovation intéressante, invention semi-tracteur. En fait, c'est invention française d'une élégance et d'une ingéniosité remarquables.

— Écoute-moi bien, papa. Si tu choisis de rester avec Valentina, je me désintéresse de toi. La prochaine fois, ça sera inutile de nous appeler au secours, que ce soit Vera ou moi. »

Je suis tellement en colère que je ne lui téléphone pas le lendemain, mais en fin d'après-midi il m'appelle :

« Écoute ça, Nadezhda ! s'exclame-t-il à l'autre bout du fil d'une voix surexcitée. Résultats examen du Stanislav ! B en anglais ! B en musique ! C en mathématiques ! C en sciences ! C en technologie ! D en histoire ! D en français ! A seulement en études religieuses ! »

J'entends Stanislav qui proteste mollement derrière et mon père qui le nargue : « C ! Ah, ah, ah ! C ! »

Sur ce, Valentina s'en mêle et j'entends un hurlement strident, suivi d'un fracas, puis la ligne est coupée. Je rappelle, mais ça sonne occupé. Je réessaie plusieurs fois. Je commence à paniquer. Puis, au bout de vingt minutes, ça sonne, mais pas de réponse. J'enfile mon manteau et j'attrape les clés de la voiture. Il vaut mieux que j'aille à la rescousse. J'essaie une dernière fois, et là mon père décroche :

« Allô, Nadezhda ? Oui, bonne chose d'avoir découvert la vérité. Le psychologue qui a rédigé rapport QI était un escroc. Stanislav n'est pas un génie, pas même très intelligent. Tout juste médiocre.

— Enfin, papa…

— Il n'y a pas d'excuses. En anglais, oui ; en sciences même, peut-être maîtrise de la langue joue un rôle. Mais mathématiques c'est pur test d'intelligence. C ! Ah, ah !

— Tu es sûr que ça va, papa ? C'était quoi, ce fracas que j'ai entendu ?

— Oh, juste un tout petit coup. Elle ne supporte pas regarder vérité en face. Son fils n'est pas génie, mais elle refuse de croire.

— Est-ce que Stanislav et Valentina sont encore là ? »

Il faut à tout prix le faire taire avant qu'elle ne le blesse sérieusement.

« Non, sortis. Faire des courses.

— Ça fait plus de deux semaines que le tribunal t'a accordé l'injonction. Comment se fait-il qu'ils habitent encore là ? Ils auraient dû avoir déménagé à l'heure qu'il est. »

Il est clair que Valentina s'est trouvé une autre base, peut-être même un autre domicile où elle s'est installée avec Stanislav et la petite photocopieuse portative. Comment se fait-il que mon père l'ait encore sur le dos ?

« Des fois là, des fois pas là. Un jour elle part, un jour elle rentre. Tu sais, cette Valentina, c'est pas une méchante femme, mais elle ne peut pas accepter que le garçon n'est pas un génie.

— Elle a déménagé ou non ? Où habite-t-elle ? »

Il y a un long silence.

« Papa ? »

Puis doucement, presque à regret, il murmure : « C ! »

Vera était en vacances en Toscane et je l'appelle pour la mettre au courant de ce qui s'est passé les deux dernières semaines. Je décris la scène du tribunal, la plaidoirie de Laura Carter et le témoignage de mon père pointant le doigt sur elle.

« Bravo ! » s'écrie Vera.

Je lui décris la déclaration d'amour aussi passionnée qu'inintelligible de Valentina et la bouteille de vin de prune que nous avons débouchée pour fêter ça.

« On était tous les deux un peu éméchés et il s'est mis à parler de l'époque où il travaillait à la Charrue rouge.

— Ah oui, la Charrue rouge. » Vera a pris son ton de Grande Sœur et j'appréhende vaguement ce qui va suivre. « Tu sais sans doute qu'ils ont fini par être trahis. Un type dont ils avaient réparé le vélo les a dénoncés au NKVD. Le directeur et les trois quarts du personnel ont été déportés en Sibérie.

— Non !

— Heureusement, c'était après le départ de papa. Et un des voisins a trahi Anna et Viktor, et ils ont fini à Babi Yar. Tu savais qu'ils étaient juifs, n'est-ce pas ?

— Je ne savais pas.

— Au bout du compte, tout le monde a été trahi. »

Je croyais que par bien des côtés la vie de mes parents se résumait à une histoire heureuse, une histoire de triomphe sur la tragédie, de victoire de l'amour sur l'impossible, mais je me rends compte à présent que le bonheur n'est fait que d'instants fugitifs qu'il faut saisir avant qu'ils ne s'échappent.

« Ce que j'ai du mal à comprendre, c'est ce besoin qu'avaient les gens de se trahir les uns les autres. On aurait pu penser qu'ils se montreraient solidaires face à l'oppression.

— Mais non, Nadezhda, là tu es très naïve. Vois-tu, c'est le côté sombre de la nature humaine. Quand quelqu'un a du pouvoir, les autres courtisent ses faveurs. Regarde comme papa s'efforce toujours de faire plaisir à Valentina, même quand elle le maltraite. Regarde un peu comment tes politiciens du *Labour* rampent devant les capitalistes (elle prononce *kaapitalistes*) en leur rendant hommage (elle prononce *hoommâââge*), alors qu'ils ont juré de les renverser. Bien entendu, il n'y a pas que les politiciens ; c'est fréquent aussi dans tout le règne animal. »

(Ah, Grande Sœur, tu as un tel flair pour débusquer toutes les bassesses, les turpitudes, les corruptions, les compromissions ! D'où te vient cette vision si sombre des choses ?)

« Ce ne sont pas mes politiciens du *Labour*, Vera.

— Et encore moins les miens, ni ceux de maman, tu le sais bien. »

Le fait est qu'avec son cœur sur la main et sa manie de gaver tout son monde à lui en faire éclater la panse ma mère était une partisane dévouée de Mme Thatcher.

« Évitons de parler politique, Vera. Ça finit toujours en dispute.

— C'est vrai, il y a des sujets si déplaisants qu'il vaut mieux ne pas les aborder. »

Au lieu de cela, nous élaborons un plan de campagne pour l'audience du tribunal de l'immigration qui se profile subitement dans deux semaines à peine sans que nous l'ayons vue venir. Nous avons spontanément échangé les rôles. Je suis désormais Mme l'Experte en Divorce ou, du moins, je suis chargée de m'occuper de tout ce qui concerne le divorce. Vera, quant à elle, joue Mme Embarquez-moi-ça-et-renvoyez-tout-ce-beau-monde-d'où-il-vient. Le rôle est taillé sur mesure pour elle.

« Tu vois, Nadia, le secret, c'est une organisation méticuleuse. »

Vera est allée visiter la salle d'audience, inspecter la topographie des lieux et faire ami-ami avec l'huissier. Elle a contacté le bureau du tribunal et, sans véritablement prétendre qu'elle était envoyée par Mme Mayevskyj, elle s'est assuré qu'il y aurait un interprète.

Je fais le voyage jusqu'à Londres pour l'audience, car je ne veux pas rater ça. Je retrouve Vera dans un café situé en face du bâtiment d'Islington où elle doit avoir lieu. Bien que nous nous soyons souvent parlé au téléphone, c'est la première fois que nous nous revoyons depuis l'enterrement de maman. Nous nous observons des pieds à la tête. J'ai fait un effort et mis une veste de la saison dénichée chez Oxfam, un chemisier blanc et un pantalon sombre. Vera porte un tailleur de lin grège savamment froissé. Nous nous penchons avec précaution pour nous faire la bise sans même nous effleurer la joue.

« Ravie de te voir, Nadia.

— Moi aussi, Vera. »

Nous marchons sur des œufs.

Nous arrivons en avance et nous nous installons au fond de la salle lambrissée de chêne sombre, éclairée par des rayons de soleil obliques que dispensent des fenêtres trop hautes pour qu'on puisse voir dehors. Quelques minutes avant l'ouverture de l'audience, Valentina et Stanislav font leur entrée. Valentina s'est surpassée : disparu le tailleur en polyester marine doublé de rose. Elle porte une robe blanche assortie d'une veste pied-de-poule noir et blanc très échancrée qui laisse voir son décolleté tout en étant habilement cintrée pour dissimuler sa corpulence. Sa choucroute blonde est surmontée d'un petit calot blanc orné de fleurs découpées en soie noire. Le tout avec un rouge à lèvres et un vernis rouge sang. Stanislav a mis l'uniforme et la cravate de son école de riches et s'est fait couper les cheveux.

Elle nous aperçoit dès qu'elle entre et pousse un cri étouffé. Elle est accompagnée d'un jeune homme blond qui doit être son avocat. Ce dernier suit son regard, puis ils prennent place en se consultant à voix basse. Il est vêtu d'un costume si chic et une cravate de couleur si vive qu'il ne peut pas venir de Peterborough.

Tout le monde s'est mis sur son trente et un à l'exception des trois membres du tribunal, qui font leur entrée quelques instants plus tard en vieux pantalons trop larges et vestes fripées. Ils se présentent et l'avocat de Valentina se lève aussitôt en demandant un interprète pour sa cliente. Les membres du tribunal se consultent, puis une dame replète avec des cheveux frisés entre par une porte latérale, s'assied devant Valentina et Stanislav, et se présente à eux. Ils en ont le souffle coupé. Le jeune avocat se lève à nouveau et pointe le doigt sur ma sœur et moi en s'élevant contre notre présence. Son objection est rejetée. Puis le voici qui se relève pour se lancer dans un long récit éloquent du mariage d'amour de mon père et Valentina, décrivant leur coup de foudre au club ukrainien de Peterborough, les lettres et les poèmes dont il l'a bombardée – le jeune homme brandit en l'air un paquet de photocopies – et le bonheur qui était le leur avant que les deux filles – il nous montre toutes deux du doigt – ne viennent s'en mêler.

Il parle depuis une dizaine de minutes déjà lorsque se produit une soudaine agitation, et l'huissier se précipite avec une liasse de documents à la main qu'il pose devant le président. Ce dernier les parcourt rapidement avant de les faire passer aux deux autres membres.

« Et il serait ici en personne pour témoigner de l'amour qu'il porte à ma cliente si une infection des voies respiratoires, ajoutée à son grand âge et à son extrême faiblesse, ne l'avait pas empêché de se rendre jusqu'ici aujourd'hui. » La voix du jeune homme prend des accents vibrants. Le président attend poliment qu'il ait fini, puis il lève les documents apportés par l'huissier.

« Je trouverais votre plaidoirie fort convaincante, maître Ericson, dit-il, si nous ne venions pas de recevoir à l'instant un fax de l'avocat du mari de Mme Mayevskyj à Peterborough nous informant de la procédure de divorce qu'il a engagée à l'encontre de votre cliente. »

Valentina bondit et se tourne dans notre direction.

« Ça être sœur méchante sorcière ! s'écrie-t-elle en labourant le vide de ses ongles écarlates. Je prier écoute M. Sir, poursuit-elle les mains jointes en un geste de prière et de supplication au président, je aimer mari. »

Vexée d'être exclue du drame qui se joue, l'interprète intervient :

« Elle dit que les sœurs sont des méchantes sorcières. Elle tient à dire qu'elle aime son mari. »

Vera et moi nous taisons, la mine compassée.

« Maître Ericson ? » demande le président.

Le jeune homme est devenu cramoisi sous ses cheveux pâles.

« Serait-il possible d'ajourner la séance de dix minutes pour que je consulte ma cliente ?

— Accordé. »

À l'instant où ils sortent l'un derrière l'autre de la salle, je l'entends qui prend Valentina à partie en fulminant entre ses dents : « Vous m'avez complètement ridiculisé… », ou quelque chose d'approchant.

Dix minutes plus tard, M. Ericson revient seul.

« Ma cliente retire sa demande d'appel », déclare-t-il.

« Tu as vu le clin d'œil qu'il nous a fait ? me lance Vera.

— Qui ça ?

216

— Le président. Il nous a fait un clin d'œil.

— Non ? Je n'ai pas remarqué. Tu es sûre ?

— Je l'ai trouvé tellement sexy.

— Sexy ?

— Le type même de l'Anglais toujours fripé. J'aime tellement les Anglais.

— Sauf Dick.

— Dick était le type même de l'Anglais toujours fripé quand on s'est rencontrés. À l'époque, il me plaisait. C'était avant qu'il ne rencontre Perséphone. »

Nous sommes assises côte à côte, les pieds surélevés, dans un vaste canapé de son appartement de Putney. Devant nous, deux verres et une bouteille de vin blanc frais presque vide sont posés sur une table basse. Un disque de Dave Brubeck passe en fond sonore. Après avoir été ainsi alliées au tribunal, il m'a paru tout à fait normal d'aller chez elle. C'est un appartement calme peint en blanc, avec d'épaisses moquettes claires et un mobilier aussi restreint qu'inabordable. Je n'étais jamais venue avant.

« J'aime bien ton appartement. C'est tellement mieux que là où tu habitais avec Dick.

— Tu n'étais jamais venue ? Non, bien sûr. Peut-être que tu reviendras.

— Je l'espère. Ou peut-être que tu viendras un week-end à Cambridge.

— Peut-être. »

À l'époque où Vera vivait avec Dick, j'étais allée une ou deux fois chez eux – un mélange sinistre et prétentieux de meubles cirés et de papier peint alambiqué.

« Qu'est-ce que ça signifie à ton avis, Vera, le fait qu'elle retire sa demande d'appel ? Qu'elle renonce une fois pour toutes ? Ou ça veut juste dire qu'elle va solliciter une nouvelle date ?

— Peut-être qu'elle va simplement s'évanouir dans le monde de la pègre d'où elle vient. Après tout, pour l'expulser, encore faut-il la trouver. »

Vera a allumé une cigarette et ôté ses chaussures.

« À moins que ça veuille seulement dire qu'elle va retourner là-bas pour manipuler papa. Le pousser à renoncer au divorce. Si elle sait s'y prendre, je suis sûre qu'il acceptera.

— Il est tellement stupide qu'il en serait bien capable. » Vera contemple un long doigt de cendre au bout de sa cigarette. « Mais je crois qu'elle va disparaître quelque temps. Se terrer quelque part dans un repaire secret. Vivre de fraude aux allocations et de prostitution. » La cendre tombe en silence dans un cendrier en verre. Vera soupire. « Elle ne tardera pas à se trouver une nouvelle victime.

— Mais papa peut divorcer en son absence.

— Espérons. La question est de savoir combien faudra-t-il qu'il la paie pour en être débarrassé. »

Tout en discutant, je parcours la pièce des yeux. Il y a un vase de pivoines roses sur la cheminée et, juste à côté, une rangée de photos, essentiellement de Vera, Dick et les enfants, les unes en couleur, les autres en noir et blanc. Mais il y en a une dans un cadre argenté qui est couleur sépia. Je la fixe. Est-ce possible ? Mais oui. C'est la photo de maman avec son chapeau. Vera a dû la prendre dans la boîte du salon. Mais quand ? Et pourquoi ne m'a-t-elle rien dit ? Je sens la colère me monter au visage.

« Vera, la photo de maman…

— Ah, oui. Ravissante, n'est-ce pas ? Ce chapeau est si charmant.

— Mais ce n'est pas à toi.

— Quoi donc ? Le chapeau ?

— La photo, Vera. Elle n'est pas à toi. »

Je me lève d'un bond en renversant mon verre de vin. Une flaque de sauvignon blanc se forme sur la table et commence à goutter sur la moquette.

« Que se passe-t-il ? Mais enfin, ce n'est qu'une photo.

218

— Je dois y aller. Je ne veux pas rater le dernier train.

— Mais tu ne veux pas rester dormir ? Le lit est fait dans la petite chambre.

— Je suis désolée. Je ne peux pas rester. »

Quelle importance ? Ce n'est qu'une photo. Mais cette photo-là ! Est-ce que ça vaut la peine cependant de reperdre une sœur que je viens à peine de retrouver ? Dans le dernier train qui me ramène chez moi, ces pensées m'assaillent tandis que je contemple mon reflet dans la vitre derrière laquelle défilent les champs et les bois qui plongent peu à peu dans l'obscurité. Le visage aux couleurs fanées par la pénombre a la même forme, les mêmes contours que celui de la photo sépia. Quand il sourit, le sourire est le même.

Le lendemain, j'appelle Vera.

« Désolée d'avoir dû partir précipitamment. J'avais oublié que j'avais rendez-vous de bonne heure. »

21

Madame disparaît

Quelques jours après l'audience sabotée, Eric Pike débarque chez mon père au volant d'un gros break Volvo bleu. Il se met à discuter aimablement aviation avec papa dans la pièce de derrière, tandis que Valentina et Stanislav montent et descendent l'escalier en courant pour aller empiler leurs affaires réunies dans des sacs poubelles noirs à l'arrière de la voiture. J'arrive avec Mike au moment même où ils s'apprêtent à partir. Après avoir serré la main de mon père, Eric Pike s'installe à la place du conducteur, et Valentina et Stanislav se tassent sur le siège passager. Mon père s'attarde sur le seuil. Valentina baisse la vitre, sort la tête et crie : « Toi croire très intelligent, monsieur Ingénieur, mais attends. Rappeler je toujours obtenir quoi je veux. »

Elle crache. « Pfout ! » La voiture s'éloigne déjà. Le crachat atterrit sur la portière, reste un instant collé, puis dégouline mollement par terre. Ensuite ils disparaissent.

« Est-ce que ça va, papa ? Tout va bien ? » Je le serre contre moi. À travers le gilet, ses épaules sont squelettiques.

« Ça va. Oui, tout va bien. Bonne chose. Peut-être un jour je téléphonerai Valentina pour réconciliation. »

C'est alors que, pour la première fois, je perçois dans la voix de mon père un ton que je ne lui connaissais pas et je me rends compte à quel point il est esseulé.

Je téléphone à Vera. Il faut qu'on s'organise pour trouver un moyen de s'occuper de papa maintenant qu'il est seul. Grande Sœur penche pour le faire interner dans une institution.

« Il faut voir la vérité en face, Nadezhda, même si elle n'est pas belle à voir. Notre père est fou. Un jour ou l'autre, il se relancera dans un de ses projets délirants. Mieux vaut le mettre dans un endroit où il ne risquera pas de causer des ennuis.

— Je ne crois pas qu'il soit fou, juste excentrique. Trop excentrique pour vivre dans une institution. »

J'imagine mal mon père, avec ses pommes, ses histoires de tracteur et ses curieuses manies, se couler aisément dans la routine d'une institution. Je lui suggère qu'une résidence pour personnes âgées où il aurait davantage d'indépendance serait peut-être plus adaptée et Vera l'admet, ajoutant lourdement que c'est ce qu'on aurait dû faire depuis le début. Elle est persuadée d'avoir marqué un point. Je laisse courir.

Une fois Valentina et Stanislav partis, j'ai fait le vide dans leurs chambres et évacué de quoi remplir quatorze sacs poubelles noirs. *Exit* les vieux cotons sales, les emballages froissés, les flacons et les pots de cosmétiques, les collants filés, les journaux et les magazines, les catalogues de vente par correspondance, les publicités, les chaussures et les vêtements qui ne servaient plus. *Exit* le sandwich au jambon à moitié entamé, quelques trognons de pommes et une tourte au porc en décomposition que j'ai découverte sous le lit, là où j'avais trouvé une capote usagée. Dans la chambre de Stanislav, une petite surprise m'attendait – un sac en plastique plein de revues porno caché sous le lit. Tss, tss.

Je me suis alors tournée vers la salle de bains, où, à l'aide d'un cintre métallique, j'ai enlevé une pelote visqueuse de cheveux blonds emmêlés et de poils pubiens bruns qui bouchaient l'évacuation de la baignoire. Comment pouvait-elle créer à elle seule une pagaille et une saleté pareilles ? Tout en astiquant, je me suis subitement rendu compte que toute sa vie ou presque Valentina avait dû avoir quelqu'un pour nettoyer sur son passage.

Je me suis ensuite attaquée au garde-manger et à la cuisine, récurant la graisse accumulée sur la cuisinière et les murs autour – il y en avait une couche si épaisse que j'ai dû la gratter au couteau –, jetant des débris de nourriture, nettoyant des taches gluantes sur le sol, les étagères et les plans de travail, où de mystérieux liquides renversés n'avaient jamais été épongés. Des multitudes de bocaux, de pots, de boîtes de conserve et de paquets avaient été ouvertes et entamées, puis laissées à pourrir. Dans le garde-manger, un pot de confiture resté ouvert, au contenu craquelé et dur comme de la pierre, était tellement collé à l'étagère qu'il s'est brisé dans ma main quand j'ai voulu l'enlever. Les éclats de verre sont tombés par terre au milieu d'un fatras de journaux, de sacs de surgelés vides, de sucre répandu, de coquillettes, de miettes de biscuits et de petits pois racornis.

Sous l'évier, j'ai trouvé un stock de maquereaux en conserve – j'en ai compté quarante-six en tout.

« C'est quoi, ça ? » ai-je demandé à mon père.

Il a haussé les épaules. « Deux pour le prix un. Elle aime. »

Que faire de quarante-six boîtes de maquereaux ? Je ne pouvais pas les jeter. Qu'aurait fait maman à ma place ? Je les ai distribuées à tous les gens que nous connaissions dans le village, puis j'ai donné le reste au pasteur, pour les pauvres. Des années durant, on devait voir des petits tas de maquereaux en conserve resurgir au pied de l'autel lors de la fête de la Moisson.

Au fond d'un carton, dans la remise, j'ai trouvé plusieurs paquets de biscuits. Ils avaient tous été ouverts et le sol était jonché de miettes et de bouts de paquets déchiquetés. Dans un angle, je suis tombée sur quatre pains de mie en tranches complètement moisis. Là encore, tous les paquets avaient été déchirés et leur contenu éparpillé. Pourquoi faire une chose pareille ? Soudain, j'ai aperçu une masse brune qui détalait dans un coin. Mon Dieu ! Vite, appeler la mairie !

Dans le salon, la cuisine et le garde-manger, on avait également laissé pourrir sous la chaleur estivale des soucoupes de nourriture et de lait destinés à Lady Di, que ce dernier n'avait pas trouvés à son goût. L'une d'elles était couverte d'excroissances brunâtres. Une autre grouillait d'asticots. Le lait s'était transformé en une pâte visqueuse d'apparence verdâtre qui sentait le fromage. Je les ai mises à tremper dans de l'eau de Javel.

D'habitude je ne suis pas du genre à trouver au ménage des vertus thérapeutiques, mais là ça m'a fait l'effet d'une purge symbolique, l'éradication d'un envahisseur ennemi qui avait essayé de coloniser notre famille. Ça m'a fait du bien.

Je prends garde de ne pas raconter à Vera que mon père a parlé de réconciliation avec Valentina, car je sais que s'il y a bien une chose qui le précipitera à coup sûr dans ses bras, c'est une dispute avec Grande Sœur. Mais ça finit par m'échapper.

« Quel imbécile ! » Je l'entends prendre son souffle en choisissant ses mots. « Évidemment, vous autres, les assistantes sociales, vous connaissez bien ce syndrome des femmes battues qui s'accrochent à leur tortionnaire.

— Je ne suis pas assistante sociale.

— Non, bien sûr, tu es sociologue. J'oubliais. Mais si tu étais assistante sociale, c'est ce que tu dirais.

— Peut-être.

— C'est pour ça qu'il faut à tout prix le mettre à l'abri du danger. C'est pour son bien. Autrement, il tombera entre les griffes de la première personne sans scrupules qui croisera son chemin. Tu ne devais pas chercher une résidence pour personnes âgées ? Franchement, j'estime qu'il serait temps que tu commences à prendre les choses un peu en main, comme je l'ai fait pour maman. »

Mais mon père est bien décidé à profiter de sa liberté fraîchement acquise. Quand je soulève la question de la résidence, il me répond qu'il a l'intention de rester où il est. Il est bien trop occupé pour songer à déménager. Il va remettre de l'ordre dans la maison et peut-être même louer l'ancienne chambre de Valentina, en haut, à une dame respectable d'un certain âge. Sans compter qu'il doit travailler à son livre.

« Est-ce que j'ai fini de raconter histoire du semi-tracteur ? »

Il attrape le bloc-notes A4 à petits carreaux quasiment rempli par son chef-d'œuvre et lit :

Le semi-tracteur fut inventé par un ingénieur français du nom d'Adolphe Kegresse, qui avait été directeur technique de la flotte automobile du tsar, en Russie, jusqu'à la révolution de 1917, date à laquelle il était rentré en France, où il avait continué à perfectionner ses plans. Le semi-tracteur est basé sur le principe simple de roues pneumatiques normales à l'avant du véhicule et de chenilles à l'arrière. Les tracteurs semi-chenillés, les voitures de cavalerie et les voitures blindées étaient particulièrement appréciés par l'armée polonaise, qui les trouvait adaptés aux routes mal entretenues du pays. L'union historique d'Adolphe Kegresse avec André Citroën a vraisemblablement donné naissance au phénomène des véhicules tout-terrain. À l'époque, ces derniers semblaient être la promesse d'une révolution dans l'agriculture et les transports, mais ils sont, hélas, devenus un des fléaux du monde moderne.

Après mon grand nettoyage, il ne restait que deux souvenirs susceptibles de lui rappeler Valentina, et il n'était pas facile de s'en débarrasser : Lady Di (ainsi que sa fiancée et ses quatre chatons) et la Rolls sur la pelouse.

Nous étions tous d'avis qu'il fallait garder Lady Di et sa famille, qui tiendraient compagnie à mon père, mais corriger leurs habitudes alimentaires et hygiéniques. J'ai suggéré d'acheter une litière, mais Grande Sœur a mis son veto :

« Ce n'est pas pratique du tout. Qui va la vider ? Il n'y a qu'une solution : il faut leur apprendre à ne pas faire leurs saletés dans la maison.

— Mais comment ?

— Tu les attrapes par la peau du cou et tu leur colles le museau dedans. C'est la seule solution.

— Mais je ne peux pas faire ça. Et papa encore moins.

— Arrête de faire ta chochotte, Nadia. Bien sûr que tu peux. Maman l'a fait à tous les chats qu'on a eus. C'est pour ça qu'ils étaient aussi propres et obéissants.

— Mais comment savoir lequel a fait des saletés ?

— À chaque fois qu'il y en a un qui a fait des saletés, tu leur mets *tous* le museau dedans.

— Tous les six ? (On se croirait dans la Russie des années trente.)

— Tous les six. »

Et c'est ce que j'ai fait. On ne leur donnait plus à manger que sous la véranda de derrière, deux fois par jour ; et s'ils ne mangeaient pas ce qu'on leur donnait, il fallait le jeter au bout d'une journée.

« Tu t'en souviendras, papa ?

— Une journée. Je laisse seulement une journée.

— S'ils ont encore faim, tu peux leur donner des croquettes. Ça ne sentira pas mauvais.

— Approche systématique. Alimentation technologique de pointe. C'est bonne chose. »

La mairie passa mettre de la mort-aux-rats et on ne tarda pas à découvrir quatre cadavres à poil marron gisant le ventre en l'air dans la remise. Mike les enterra dans le jardin. Les chats reçurent l'interdiction formelle de dormir dans la maison ou la Rolls-Royce, et on leur installa un carton garni d'un vieux pull de Valentina dans la remise. Lady Di protesta contre le nouveau régime et essaya de me griffer une ou deux fois pendant les séances de frottage de museau, mais il finit par apprendre à obéir.

La fiancée de Lady Di s'avéra être une perle – gentille, affectueuse et propre. Mon père décida de l'appeler Valyusia, en hommage à Valentina. L'après-midi, elle se lovait sur ses genoux en ronronnant pendant qu'il somnolait, comme il aurait sans doute rêvé que la vraie Valentina le fasse. On mit une annonce à la poste du village, indiquant qu'on cherchait un foyer accueillant pour de ravissants petits chatons. C'eut pour avantage inattendu d'inciter de vieilles dames qui avaient été amies avec ma mère à passer admirer les chatons, puis à s'attarder pour bavarder avec mon père et continuer à lui rendre visite de temps à autre, attirées peut-être par le parfum de scandale qui entourait encore la maison. Bien qu'il ait confié à Vera, non sans mauvaise grâce, qu'il trouvait leur conversation ennuyeuse, il se montrait toutefois poli avec elles et elles gardaient un œil sur lui. Le pasteur passa le remercier pour les boîtes de maquereaux qui avaient été données à une famille de demandeurs d'asile d'Europe de l'Est. Peu à peu il fut réintégré dans la communauté.

Côté voitures, ce n'était pas aussi simple. La Poubelle avait mystérieusement disparu une nuit, mais la Rolls était toujours sur la pelouse. Malgré les cinq cents livres que mon père avait déboursées en échange de la voiture, Valentina avait conservé les clés et les papiers, sans lesquels elle ne pouvait être vendue ni même emmenée à la fourrière. Je retéléphonai à Eric Pike.

« Pourrais-je parler à Valentina, je vous prie ?

— Qui est à l'appareil ? demande la voix visqueuse.

— Je suis la fille de M. Mayevskyj. Nous nous sommes déjà parlé. (J'aurais dû préparer un faux nom et un mensonge quelconque.)

— J'aimerais que vous arrêtiez de m'appeler, madame euh… mademoiselle euh… Je ne vois pas ce qui vous fait penser que Valentina est ici.

— Vous êtes parti à la tombée de la nuit avec elle. Et toutes ses affaires. Vous vous souvenez ?

— Je lui rendais juste un petit service. Elle n'habite pas ici.

— Où l'avez-vous déposée, en ce cas ? »

Pas de réponse.

« S'il vous plaît ! Comment puis-je la contacter ? Elle a laissé des choses qui pourraient lui être utiles. Et elle a du courrier qui continue à arriver. »

Il y eut un instant de silence, puis il me dit :

« Je lui ferai la commission en lui disant de vous contacter. »

Quelques jours plus tard, mon père reçut une lettre de l'avocat de Valentina l'informant que le courrier devait être adressé au cabinet et que, pour entrer en contact avec elle, il fallait passer par son intermédiaire.

Je comprenais la détresse de mon père, car, étrangement, je la partageais. Valentina avait pris une telle place dans ma vie que sa disparition laissait un gouffre béant où les questions tournoyaient comme des oiseaux effarouchés. Où s'était-elle envolée ? Où travaillait-elle ? Qu'avait-elle l'intention de faire ? Qui étaient ses amis ? Qui était son ou ses amants ?

Couchait-elle avec une série de types minables ramassés au hasard des rencontres ou avait-elle un soupirant régulier – un brave Anglais un brin naïf subjugué par son exotisme mais trop timide pour lui faire des avances ? Et Stanislav – où rangeait-il son nouveau stock de revues porno ?

J'étais rongée par ces questions. Mon imagination échafaudait toutes sortes de scènes : Valentina et Stanislav croupissant dans une misère noire, terrés au milieu des meubles en aggloméré d'une modeste chambre de Peterborough ; ou encore s'entassant avec leurs sacs poubelles dans le grenier d'une vieille pension de famille délabrée ; ou peut-être – qui sait ? – menant grand train dans un luxueux nid d'amour aux crochets de quelque amant, environnés des vapeurs de plats surgelés en sachets bouillonnant dans les casseroles qui avaient appartenu à ma mère, mangeant à côté de la petite photocopieuse portative perchée sur la table. Sortaient-ils après le dîner ? Avec qui ? Et s'ils ne sortaient pas, qui venait frapper à leur porte au milieu de la nuit ?

Je passe et je repasse devant la maison des Zadchuk pour vérifier si la Poubelle n'y est pas garée. Aucune trace. Je demande aux voisins s'ils ont vu Valentina et Stanislav. Aucune trace non plus. Le postier et l'épicière du coin ne l'ont pas vue. Ni le laitier pendant sa tournée.

Je veux à tout prix retrouver Valentina. C'est devenu une obsession. À chaque fois que je descends au village ou que je traverse Peterborough en voiture, je crois voir la Poubelle disparaître à chaque coin de rue. Je pile net ou je fais demi-tour sur les chapeaux de roues dans un concert de klaxons. Je me justifie en me disant que j'ai besoin de connaître ses intentions – va-t-elle contester le divorce, quelle somme va-t-elle demander, sera-t-elle tout d'abord expulsée ? Je me convaincs qu'il faut absolument que je sache à cause de la Rolls et du courrier qui continue à se déverser dans la boîte aux lettres – essentiellement des publicités vantant les mérites de combines louches pour s'enrichir rapidement et de soins de beauté douteux. Mais, en réalité, je suis dévorée par la curiosité. Je veux tout savoir de sa vie. Je veux savoir qui elle est. Je veux savoir.

Un samedi après-midi, prise d'une curiosité frénétique, je décide de surveiller la maison d'Eric Pike. Je trouve son adresse dans l'annuaire, puis je me repère grâce à un plan. C'est une maison moderne de plain-pied de style néo-classique, en retrait d'une pelouse en pente située dans une impasse peuplée de demeures similaires, avec une entrée flanquée de colonnes blanches, des montants ornés de têtes de lions, des fenêtres à petits carreaux, un réverbère à gaz victorien (converti à l'électricité), une profusion de corbeilles suspendues débordant de pétunias mauves et un grand bassin agrémenté d'une fontaine et d'une carpe japonaise. Deux voitures sont garées dans l'allée – le gros break Volvo bleu et une petite Alfa Romeo blanche. Pas de trace de la Rover de Valentina. Je me gare non loin de là, j'allume la radio et j'attends.

Il ne se passe rien pendant une heure, une heure et demie. Puis une femme sort de la maison. Elle est séduisante, le maquillage impeccable, de hauts talons et une petite chaîne en or autour de la cheville. Elle s'approche de ma voiture et me fait signe de baisser la vitre.

« Vous êtes détective ?

— Oh non, je suis juste… » Mon imagination me délaisse. « J'attends juste une amie.

— Parce que, autrement, vous pouvez aller vous faire foutre. Je ne l'ai pas vu depuis trois semaines. C'est fini. »

Et, le pas décidé, elle repart en sens inverse sur ses talons qui s'enfoncent dans le gravier crissant.

Quelques instants plus tard, un homme apparaît à la porte et se plante sur le seuil en regardant dans ma direction. C'est un grand type costaud avec une grosse moustache noire. En le voyant descendre l'allée et se diriger vers moi, je m'empresse de mettre le contact et je m'en vais.

Sur le chemin du retour, une autre idée me vient. Je fais un détour par Hall Street, chez Bob Turner, où nous avions apporté la grosse enveloppe kraft. Mais la maison est manifestement vide et un panneau « À vendre » est affiché à côté du portail. Je jette un œil par la fenêtre ; malgré les voilages encore en place, je constate qu'il ne reste aucun meuble. Une voisine qui m'a vue pointe sa tête hérissée de bigoudis par la porte.

« Ils sont partis.

— Stanislav et Valentina ?

— Oh, eux, ça fait longtemps qu'ils ne sont plus là. Je croyais que vous parliez des Linaker. Sont partis la semaine dernière. En Australie. Y en a qui ont de la veine.

— Vous connaissiez Valentina et Stanislav ?

— Pas vraiment. Ils faisaient un sacré boucan quand ils fricotaient au beau milieu de la nuit. Je ne sais pas trop ce que le petit en pensait.

— Vous ne sauriez pas où elle habite maintenant ?

— Aux dernières nouvelles, elle avait épousé un vieux pervers.

— Un pervers ? Vous êtes sûre ?

— Enfin, un vieux cochon. C'est comme ça qu'il l'appelait, M. Turner : "le vieux cochon de Valentina". À ce qui paraît, il était plein aux as – c'est ce qu'ils disaient.

— C'est ce qu'ils disaient ? »

Sous les bigoudis, les yeux larmoyants clignent en me regardant fixement. Je soutiens son regard.

« C'est mon père qu'elle a épousé. »

Les yeux clignent une nouvelle fois, puis ils regardent par terre.

« Vous avez essayé au club ukrainien ? À ce qui paraît, elle y va de temps à autre.

— Merci, c'est une bonne idée. »

Au club ukrainien, je reconnais la vieille dame de l'accueil, qui se trouve être une ancienne amie de ma mère, Maria Kornoukhov, que je n'avais pas revue depuis l'enterrement. Nous nous embrassons comme du bon pain. Elle n'a pas vu Valentina depuis plusieurs semaines. Elle veut savoir pourquoi je la cherche, pourquoi elle ne vit plus avec mon père.

« C'est une cocotte. Je ne l'ai jamais aimée, tu sais, me dit-elle en ukrainien.

— Moi non plus. Mais je pensais qu'elle s'occuperait bien de mon père.

— Ha ! Tout ce qui l'occupe, c'est son argent ! Quand je pense à ta pauvre mère qui économisait le moindre penny. Tout ça gaspillé en maquillage et en robes transparentes.

— Et en voitures. Elle a trois voitures, vous savez.

— Trois voitures ! Quelle folie ! Une bonne paire de jambes, ça nous suffit. Cela étant, elle ne risque pas d'aller bien loin avec ses talons tout pointus.

— Et là elle a disparu. On ne sait pas où la trouver. »

Elle se met à chuchoter en collant sa bouche à mon oreille :

« Tu as essayé l'Imperial Hotel ? »

L'Imperial Hotel n'a rien d'un hôtel, c'est un pub. Il n'a rien d'impérial non plus, bien que le tissu en dralon bordeaux et les lambris d'acajou dénotent certaines prétentions. En dépit de la gêne que j'ai toujours éprouvée à aller seule au pub, je commande un panaché au bar et je vais m'asseoir dans un coin d'où je peux observer toute la salle. La clientèle, majoritairement jeune, est très bruyante. Les hommes boivent des canettes de bière, les femmes des cocktails à base de vodka ou du vin blanc, et tout ce beau monde passe son temps à brailler en se lançant des boutades d'un bout à l'autre de la salle dans un chahut assourdissant. Visiblement, ce sont des habitués, car ils appellent Ed, le barman, par son prénom et se moquent de sa boule à zéro. Qu'est-ce que Valentina et Stanislav peuvent bien faire ici ? Je remarque un jeune homme qui débarrasse les tables au fond de la salle. Il a les cheveux bouclés, mi-longs, et un horrible pull en polyester mauve.

Quand il arrive à ma table, il lève la tête vers moi et nos regards se croisent. Je lui fais un grand sourire amical.

« Bonjour, Stanislav ! Ravie de te voir ! Je ne savais pas que tu travaillais ici. Où est ta maman ? Elle aussi, elle travaille ici ? »

Stanislav ne répond pas. Il prend mon verre qui est encore à moitié plein, disparaît dans une pièce située derrière le bar et n'en ressort pas. Quelques instants plus tard, le barman vient me demander de partir.

« Pourquoi ? Je ne fais aucun mal. Je bois tranquillement un verre.

— Vous l'avez fini.

— Je vais en prendre un autre.

— Allez, foutez le camp d'ici.

— Je croyais que les pubs étaient des lieux publics. » Je me drape dans une dignité bourgeoise.

« Je vous ai dit de foutre le camp. »

Il s'approche si près de moi que je sens son haleine chargée de bière. Soudain, sa boule à zéro n'a plus rien de drôle.

« Très bien. En ce cas, je vais rayer cet hôtel de ma liste des établissements recommandés. »

Quand je me retrouve sur le trottoir, la nuit est déjà tombée mais il fait encore doux. Il n'a pas plu depuis deux semaines et des relents de bière et d'urine montent de l'arrière-cour du pub. En cherchant mes clés de voiture, je m'aperçois avec étonnement que j'ai les mains qui tremblent, mais je refuse de renoncer. Je fais discrètement le tour du pub et profite de ce que la fenêtre de l'arrière-cuisine est ouverte pour y jeter un œil. Pas de trace de Valentina ni de Stanislav. À l'intérieur, j'entends une des grandes gueules du pub qui lance : « Hé, Crâne d'œuf, c'était quoi, cette histoire ? » Et ce dernier lui répond : « Oh, une espèce de vieille bique qui menaçait le personnel. » Je m'assieds sur une barrique vide et je me sens soudain accablée de fatigue. Toutes les rencontres de la journée se bousculent dans ma tête – que d'agressivité ! Je m'en serais volontiers passée. Je monte dans ma voiture et je rentre directement à Cambridge retrouver Mike sans faire un saut chez mon père.

Vera met aussitôt le doigt dessus.

« Ils travaillent au noir. C'est pour ça que Stanislav ne voulait pas que tu poses de questions. Sans compter, bien entendu, qu'il est probablement trop jeune pour travailler dans un pub. »

(Ah, Grande Sœur, tu as un tel instinct pour déterrer les combines louches, les manigances sordides, les malversations.)

« Et cette femme chez Eric Pike ?

— Visiblement, sa femme l'a trompé pendant que lui-même la trompait avec Valentina.

— Mais comment peux-tu savoir tout ça ?

— Et toi, comment peux-tu l'ignorer ? »

22

Des citoyens modèles

À leur arrivée en Angleterre, en 1946, mes parents se conduisirent en citoyens modèles. Jamais ils ne contrevinrent à la loi – pas une seule fois. Ils avaient bien trop peur. Ils se mettaient martel en tête au moindre formulaire rédigé dans un jargon obscur : et s'ils se trompaient en le remplissant ? Ils craignaient de demander des allocations : et s'il y avait une inspection ? Ils étaient terrifiés à l'idée de demander un passeport : et si on leur interdisait de revenir ? Ceux qui se mettaient les autorités à dos risquaient d'être expédiés en train pour un long voyage sans retour.

Aussi, imaginez la panique de mon père le jour où il reçoit par la poste une convocation du tribunal pour non-paiement de taxe sur les véhicules. La Poubelle a été trouvée garée dans une ruelle, sans vignette. Le véhicule est immatriculé à son nom.

« Tu vois, à cause de cette Valentina, je suis délinquant pour première fois de ma vie.

— Ne t'inquiète pas, papa. Je suis sûre que c'est un malentendu.

— Non, non. Tu ne sais rien. Des gens sont morts à cause de malentendus.

— Mais pas à Peterborough. »

Je téléphone au service des immatriculations pour éclaircir la situation. J'explique à la voix à l'autre bout du fil que mon père n'a jamais conduit la voiture et que physiquement il n'en est plus capable. Je m'étais préparée à affronter quelque bureaucrate distant, mais c'est une voix douce et bienveillante qui me répond, la voix d'une femme d'un certain âge qui prononce ses voyelles avec un léger accent du Yorkshire. Soudain, sans raison, je fonds en larmes et me mets à lui raconter toute l'histoire : les seins siliconés, les gants de caoutchouc jaunes, le permis payé en côtelettes de porc.

« Ça alors ! Par exemple ! roucoule la douce voix. Pauvre bonhomme ! Dites-lui de ne pas s'inquiéter. Je vais juste lui envoyer un petit formulaire à remplir. Il faut seulement qu'il nous donne son nom et son adresse.

— Mais c'est bien là le problème. Il ne connaît pas son adresse. Nous ne pouvons communiquer que par l'intermédiaire de son avocat.

— En ce cas, mettez l'adresse de l'avocat. Ça suffira. »

Je remplis le formulaire à la place de mon père et le lui fais signer.

Quelques jours plus tard, il me rappelle. Pendant la nuit, la Poubelle a réapparu dans l'allée. Elle est garée de travers, avec deux de ses roues débordant sur l'herbe, juste à côté de la Rolls qui pourrit sur place. Elle a un pneu arrière à plat et, côté conducteur, le déflecteur est cassé et la portière voilée ne tient plus que par un bout de ficelle attaché au montant, si bien que pour prendre le volant on est obligé de monter côté passager et de passer par-dessus le levier de vitesse. Il n'y a pas de vignette. Par ailleurs, la Lada a disparu du garage.

« C'est louche », déclare mon père.

Il y a désormais deux voitures devant la maison, garées de telle façon que, pour atteindre sa porte d'entrée, mon père est forcé de se frayer un chemin en rasant la haie épineuse de pyracanthe. Les épines s'accrochent à son manteau et lui égratignent parfois la figure et les mains.

« C'est ridicule, lui dis-je. Il faut absolument qu'elle enlève ses voitures de là. »

J'appelle Mlle Carter, qui écrit à l'avocat de Valentina. Il ne se passe toujours rien. J'appelle un vendeur de voitures d'occasion et les lui propose pour un prix avantageux. Il est très intéressé par la Rolls, mais se ravise dès que je lui annonce qu'elle n'a pas de papiers. Je n'ai même pas le temps de lui préciser qu'elle n'a pas non plus de clés.

« Mais vous ne pourriez pas les remorquer et vous en servir pour les pièces détachées ou les envoyer à la casse ?

— Même pour envoyer une voiture à la casse, il faut les papiers d'immatriculation. »

L'avocat de Valentina a cessé de répondre à nos lettres. Comment convaincre Valentina d'enlever la voiture alors que nous ne savons même pas où elle habite ? Vera me conseille de faire appel à Justin, le type mal rasé qui a remis la demande de divorce à Valentina. Je n'ai jamais engagé de détective privé. L'idée me paraît invraisemblable – on se croirait dans une série policière.

« Tu vas voir, il est fascinant, me dit Vera.

— Mais il n'y a pas de risque qu'elle le reconnaisse ? Elle ne va pas remarquer la BMW noire devant chez elle ?

— Je suis sûre qu'il va se débrouiller pour passer incognito. Il doit avoir une vieille Ford Escort qu'il utilise pour ce genre d'occasions. »

Je téléphone à Justin, dont j'ai eu les coordonnées par Mlle Carter, et laisse sur son répondeur un long message décousu, sans trop savoir ce que je veux lui dire au juste. Il me rappelle quelques minutes plus tard. Il parle d'une voix grave et pleine d'assurance, avec une pointe d'accent du Norfolk qu'il n'a pas réussi à complètement effacer. Il m'assure qu'il peut m'aider. Il a des contacts dans la police et à la mairie.

Il prend en note tous les détails que je suis en mesure de lui donner – les différentes orthographes de son nom, sa date de naissance (à moins qu'elle ne l'ait également inventée), son numéro de Sécurité sociale (je l'ai trouvé sur un des documents découverts dans le coffre de la voiture), le nom et l'âge de Stanislav, tout ce que je sais sur Bob Turner et Eric Pike. Mais ce qui l'intéresse le plus, c'est de négocier ses honoraires. Est-ce que je souhaite payer au résultat ou à la journée ? Je choisis de le payer au résultat – tant pour l'adresse, tant pour les précisions concernant son travail, plus s'il me fournit la preuve d'un amant prêt à témoigner devant le tribunal. Je raccroche, aux anges, surexcitée. Si Justin me déniche ces renseignements, ce ne sera pas cher payé.

Tandis que je m'efforce de me débarrasser de la Rolls-Royce, mon père chante les louanges d'un tout autre style d'engin :

La fin de la guerre fut une époque de progrès extraordinaires dans l'histoire du tracteur, à mesure que les épées étaient retransformées en socs de charrue et que le monde affamé se demandait comment faire pour se nourrir. Car, nous le savons, le seul espoir de l'espèce humaine est la réussite de l'agriculture, et à cet égard les tracteurs ont un rôle capital à jouer.

Les Américains n'entrèrent en guerre qu'après que les industries et les populations d'Europe eurent été quasiment anéanties. Les tracteurs américains, qui du point de vue de l'excellence technique étaient jusque-là à la traîne derrière leurs homologues européens, s'emparèrent du devant de la scène. Le plus illustre d'entre eux était le John Deere.

John Deere était un forgeron du Vermont, un grand gaillard fort comme un bœuf qui, en 1837, fabriqua de ses propres mains un soc en acier particulièrement adapté aux terres vierges des grandes prairies américaines. On peut ainsi dire que c'est le tracteur Deere, plus que les grotesques cow-boys glorifiés par le cinéma d'après-guerre, qui permit l'essor de l'Ouest américain.

Plus que ses talents d'ingénieur, on retiendra son génie des affaires, et c'est en concluant des marchés et en offrant des financements aux acheteurs qu'il permit à ce qui n'était à l'origine qu'un simple atelier de devenir à sa mort, en 1886, une des plus grosses entreprises américaines.

Le célèbre modèle à double cylindre de John Deere, doté d'un moteur diesel de 376 cm^3, était aussi économique que facile à manœuvrer. Mais c'est le puissant modèle G qui, à partir de 1953, fut exporté dans le monde entier et joua un rôle majeur dans la domination économique américaine qui caractérise l'après-guerre.

Un après-midi du début d'octobre, mon père abandonne un moment son chef-d'œuvre pour somnoler dans un fauteuil quand, subitement, lui parvient un bruit inhabituel qui s'est infiltré dans son rêve. Un léger ronronnement mécanique répétitif à la sonorité plutôt agréable qui lui rappelle, dit-il, sa vieille Francis Barnett essayant de démarrer dans la fraîcheur humide du matin. Il reste en suspens entre l'éveil et le sommeil, tendant l'oreille, repensant à la Francis Barnett, aux petites routes en lacet du Sussex, au vent dans ses cheveux, aux effluves des haies fleuries, au parfum de la liberté. Il écoute attentivement, avec plaisir, puis il remarque un autre bruit, quasiment imperceptible, un murmure ténu – des voix qui chuchotent.

Tous ses sens sont à présent en éveil. Il y a quelqu'un dans la pièce. Sans bouger d'un pouce, il ouvre un œil. Deux silhouettes se déplacent du côté de la fenêtre. Quand elles entrent dans son champ de vision, il les reconnaît : Valentina et Mme Zadchuk. Il s'empresse de refermer l'œil. Il les entend qui bougent, qui chuchotent, puis il perçoit autre chose – un bruit de papier froissé. Il ouvre l'autre œil. Valentina fouille le tiroir de la commode où il conserve toutes ses lettres et ses papiers. De temps en temps, elle sort une feuille pour la passer à Mme Zadchuk. Il reconnaît alors le premier bruit – le ronronnement mécanique. Ce n'est pas la Francis Barnett, mais la petite photocopieuse portative.

Il se fige. C'est plus fort que lui. Il ouvre les deux paupières et se retrouve face à face avec les yeux mélasse maquillés à la Cléopâtre.

« Ah ! s'exclame Valentina. Le cadavre a ressuscité, Margaritka. »

Mme Zadchuk grogne et remet du papier dans la photocopieuse. Elle ronronne à nouveau. Valentina se penche et colle le visage sous le nez de mon père.

« Tu te crois très intelligent. Bientôt tu seras mort, monsieur l'Ingénieur intelligent. »

Mon père pousse un cri, suivi de ce qu'il qualifiera plus tard de « décharge arrière ».

« Tu ressembles déjà à un cadavre – bientôt tu seras un cadavre. Espèce de carcasse de chien. Espèce de squelette ambulant. »

Elle se penche sur lui et prend sa tête entre ses mains pour le clouer à son fauteuil, tandis que Mme Zadchuk continue à photocopier la correspondance avec Mlle Carter. Une fois terminé, elle ramasse les papiers, débranche la photocopieuse et fourre le tout dans un grand sac de supermarché.

« Viens, Valenka. On a tout ce qu'il nous faut. Lâche ce cadavre puant. »

Valentina s'arrête sur le seuil et fait mine de lui souffler un baiser.

« Espèce de mort vivant. Échappé de cimetière. »

23

L'échappé de cimetière

Peut-être Valentina était-elle au courant, à moins qu'elle n'ait eu une inspiration, car le fait est que mon père est bel et bien un échappé de cimetière.

Cela remonte à l'été 1941, quand les troupes allemandes envahirent l'Ukraine, forçant l'Armée rouge à s'enfuir vers l'est en brûlant les ponts et les champs sur leur passage. Mon père était stationné à Kiev avec son régiment. C'était un soldat malgré lui. On lui avait collé une baïonnette entre les mains en lui disant qu'il devait se battre pour sa patrie, mais il ne voulait pas se battre – pas plus pour sa patrie que pour l'État soviétique ou qui que ce soit. Tout ce qu'il voulait, c'était rester devant son bureau avec sa règle à calcul, ses feuilles de papier vierge, et cogiter sur l'équation du remonte-pente. Mais l'heure n'était pas aux cogitations, ils n'avaient que le temps de poignarder et de s'enfuir, tirer et s'enfuir, s'aplatir à terre et s'enfuir, s'enfuir, s'enfuir. Et c'est ainsi que l'armée s'enfuit vers l'est, à travers l'or jaune des champs de blé mûr de Poltava, sous un ciel d'un bleu étincelant, pour aller se rassembler à Stalingrad. Mais le drapeau qu'ils suivaient n'était pas jaune et bleu, mais rouge et jaune.

Peut-être est-ce pour cela, ou tout simplement parce qu'il en avait assez, que mon père refusa de se joindre à eux. Il s'échappa en douce de son régiment et se trouva une cachette. Dans le vieux cimetière juif, au milieu d'un paisible quartier verdoyant de la ville, il trouva refuge dans une tombe défoncée, replaça les lourdes pierres derrière lui et se cacha, joue contre joue avec les morts. Parfois, tapi dans l'obscurité, il lui arrivait d'entendre les voix de juifs éplorés qui se lamentaient au-dessus de sa tête. Il resta près d'un mois dans le silence et l'humidité glacée, subsistant grâce aux vivres qu'il avait emportés, et, lorsque ceux-ci furent épuisés, se nourrissant de larves, d'escargots et de grenouilles. Il buvait l'eau qui dégoulinait en formant une flaque dans la terre quand il pleuvait, méditant sur la proximité de la mort en habituant ses yeux à l'obscurité.

Il ne faisait pas totalement noir, cependant. Il y avait un interstice entre les pierres qui laissait filtrer le jour à certaines heures et contre lequel il collait son œil pour voir le monde extérieur. Il distinguait les tombes qui disparaissaient à moitié sous les roses et, plus loin, un cerisier aux branches chargées de fruits en train de mûrir. Il était obsédé par cet arbre. Il passait ses journées à observer les cerises qui mûrissaient tout en cherchant dans l'obscurité souterraine des larves qu'il enveloppait dans des poignées de feuilles ou d'herbes pour en dissimuler le goût.

Puis vint un jour – ou un soir, plus exactement – où ce fut plus fort que lui. À la tombée de la nuit, il se glissa hors de sa cachette, grimpa à l'arbre et cueillit des cerises qu'il engloutit à pleines poignées. Tant et tant que le jus ruisselait sur son menton. Il crachait les noyaux dans toutes les directions, éclaboussant sa chemise de jus de cerise couleur de sang. À croire qu'il ne serait jamais rassasié. Puis il remplit ses poches et sa casquette, et réintégra furtivement son repaire souterrain.

Mais quelqu'un l'avait vu. Il fut dénoncé à la police. Au petit matin, des soldats vinrent l'arracher à sa cachette et l'arrêtèrent pour espionnage. Quand ils l'empoignèrent et le poussèrent sans ménagement dans le camion, l'acidité des cerises qui lui remplissaient le ventre se mêla à la terreur de l'arrestation, et, à sa grande honte, il fit sous lui.

Ils l'emmenèrent aux abords de la ville, dans un vieil hôpital psychiatrique qui leur servait de quartier général, et l'enfermèrent dans une pièce nue munie de fenêtres à barreaux où ils le laissèrent croupir dans la puanteur en attendant l'interrogatoire. Mon père n'était pas courageux, il n'avait rien d'un héros. Il savait avec quelle brutalité les Allemands traitaient les prisonniers ukrainiens. Que ferions-nous, vous et moi, dans une telle situation ? Mon père fit voler une fenêtre en éclats d'un coup-de-poing et, à l'aide d'un éclat de verre, se trancha la gorge.

Les Allemands ne le lâchèrent pas aussi facilement. Ils trouvèrent un médecin, un vieux psychiatre ukrainien qui était resté à l'hôpital pour s'occuper de ses patients. Il n'avait plus suturé de plaie depuis l'époque où il était étudiant en médecine. Il recousit grossièrement la gorge de mon père au fil à bouton, laissant une vilaine cicatrice en dents de scie qui devait plus tard le faire tousser dès qu'il avalait quoi que ce soit. Mais il lui sauva la vie. Et il dit aux Allemands que son larynx était si endommagé qu'il ne serait jamais en mesure de répondre à un interrogatoire et que, de toute façon, ce n'était pas un espion mais un pauvre fou, un ancien malade mental qui avait déjà essayé de se mutiler. Les Allemands le relâchèrent donc.

Il resta à l'hôpital dans le service du vieux psychiatre, avec lequel il jouait aux échecs et discutait de philosophie et de science. À la fin de l'été, les Allemands se remirent en route, poursuivant l'Armée rouge qui fuyait vers l'est. Quand il put sortir sans danger, il se faufila hors de l'hôpital et gagna les lignes allemandes, à l'ouest, pour aller rejoindre sa famille à Dashev.

Mais maman et Vera étaient déjà parties. Deux semaines avant le retour de mon père, les Allemands s'étaient emparés du village et avaient embarqué tous les jeunes gens en bonne santé dans des trains pour les envoyer en Allemagne travailler dans des fabriques de munitions. Ils les appelaient les *Ostarbeiter*, les travailleurs de l'Est. Ils voulaient laisser Vera – elle n'avait que cinq ans –, mais maman avait fait tant d'histoires qu'elle l'avait accompagnée. Papa resta à Dashev le temps de reprendre des forces, puis il persuada les Allemands de le faire monter dans un train et les suivit à l'ouest.

« Mais non, proteste Vera. Ça ne s'est pas passé comme ça. C'étaient des prunes, pas des cerises. Et c'est le NKVD qui l'a arrêté, pas les Allemands. Les Allemands sont arrivés après. Et quand il est revenu à Dashev, on était encore là. Je me souviens quand il est arrivé, avec cette horrible cicatrice à sa gorge. *Baba* Nadia s'est occupée de lui. Il ne pouvait manger que de la soupe.

— Mais c'est lui qui m'a raconté…

— Non, il est parti à l'ouest en premier et s'est débrouillé pour rejoindre l'Allemagne. Quand il leur a dit qu'il était ingénieur, ils lui ont donné un travail. Puis il nous a fait venir, maman et moi. »

Voilà comment ma famille a quitté l'Ukraine – les récits divergent, il y a la version de mon père et celle de ma mère.

« C'était un travailleur immigré en ce cas, pas un demandeur d'asile ?

— S'il te plaît, Nadia. Pourquoi soulever ces questions maintenant ? On ferait mieux de s'occuper du divorce au lieu de perdre notre temps à remettre perpétuellement en cause le passé. Il n'y a rien à dire. Rien à apprendre. Ce qui est fait est fait. »

Elle a la voix hachée, comme si j'avais touché un point sensible. Se pourrait-il que je l'aie blessée ?

« Je suis désolée, Vera. » (Et c'est vrai que je suis désolée.)

Subitement, il me vient à l'esprit que Grande Sœur n'est qu'une carapace. Ma sœur est en réalité quelqu'un d'autre, quelqu'un que je commence à peine à connaître.

« Bon », fait-elle d'une voix plus ferme. Elle se ressaisit. « Tu me dis que Valentina a copié tous ses documents. Il ne peut y avoir qu'une raison à ça : elle veut s'en servir pour l'audience de divorce. Il faut que tu préviennes tout de suite Laura Carter.

— Je m'en charge. »

Quand je lui parle des documents photocopiés, Mlle Carter fulmine :

« Il y a des avocats qui ne valent pas mieux que leurs escrocs de clients. Si ces documents sont présentés au tribunal, nous protesterons. Et le détective privé, ça a donné quelque chose ? »

Justin a tenu parole. Quelques semaines plus tard, il me téléphone pour m'annoncer qu'il a retrouvé Valentina : elle partage deux chambres avec Stanislav au-dessus de l'Imperial Hotel. Elle travaille au bar et Stanislav fait la plonge. (Je m'en doutais.) Elle bénéficie par ailleurs de l'aide sociale et d'une allocation logement pour la location d'un pavillon mitoyen dans Norwell Street, qu'elle sous-loue à un jeune interne en audiologie ghanéen qui était passé par hasard prendre un verre à l'Imperial Hotel. A-t-elle un amant ? Justin n'en est pas sûr. Il a remarqué une ou deux fois un break Volvo bleu garé dans les parages, mais pas la nuit. Eric Pike est un vieil habitué de l'Imperial Hotel. Il n'y a aucune preuve qui puisse tenir devant un tribunal.

Je remercie Justin avec effusion et lui poste un chèque.

Je téléphone à Vera, mais sa ligne est occupée, et, en attendant, je décide d'appeler Chris Tideswell à la gendarmerie de Spalding. Je lui explique que la demande d'appel a été retirée et que Valentina habite désormais avec son fils à l'Imperial Hotel, où ils travaillent tous deux au noir.

« Hmm, fait Chris Tideswell de sa voix gaie et juvénile. Vous êtes un vrai limier. Vous devriez vous engager dans la police. Je vais voir ce que je peux faire. »

Vera est ravie des conclusions de Justin.

« Tu vois, ça confirme ce que j'ai toujours pensé. Cette femme est un escroc. Non seulement elle arnaque papa, mais elle arnaque notre pays. (*Notre pays ?*) Et ce Ghanéen ? Encore un demandeur d'asile, à tous les coups.

— D'après Justin, il est interne en audiologie à l'hôpital.

— Ça ne l'empêche pas d'être demandeur d'asile, non ?

— Tout ce qu'on sait, c'est qu'il lui loue la maison. Il est probable qu'elle l'arnaque, lui aussi. »

Dix ans nous séparent, Vera et moi, dix ans qui m'ont donné les Beatles, les manifestations contre le Vietnam, les émeutes étudiantes de 1968 et la naissance du féminisme qui m'a appris à considérer toutes les femmes comme des sœurs – enfin, toutes sauf la mienne.

« Peut-être qu'il sous-loue des chambres de la maison à d'autres demandeurs d'asile. (Elle refuse de lâcher.) Dès qu'on pénètre dans l'univers trouble de la délinquance, on s'aperçoit que ce n'est que tromperie sur tromperie, et il faut faire preuve d'intelligence et de persévérance pour trouver la vérité. »

Avant, il n'y a pas si longtemps que ça, l'attitude de Grande Sœur me mettait dans une fureur légitime, mais à présent je la replace dans son contexte historique et souris en douce avec condescendance.

« Vera, c'est un interne en audiologie. Il travaille avec des sourds.

245

— Ça ne veut rien dire, Nadia. »

Comment une immigrée peut-elle être si farouchement opposée à l'immigration ? Vera se détesterait-elle ?

« Quand on est arrivés ici, les gens auraient pu en dire autant de nous – qu'on escroquait le pays, qu'on se gorgeait de jus d'orange gratis, qu'on s'engraissait d'huile de foie de morue aux frais de la Sécu. Mais ça n'était pas le cas. Tout le monde était gentil avec nous.

— Mais ce n'était pas pareil. On était différents. (Et d'une, on était blancs, ai-je envie de dire, mais je me retiens.) On a travaillé dur, on s'est fait tout petits. On a appris leur langue, on s'est intégrés. On n'a jamais demandé d'allocations. On n'enfreignait jamais la loi.

— Moi si. Je fumais des joints. Je me suis fait arrêter à Greenham Common. Papa était tellement furieux qu'il a failli rentrer en Russie par le premier train.

— Mais c'est exactement ce que je veux dire, Nadia. Toi et tes amis gauchistes, vous n'avez jamais été sensibles à ce que l'Angleterre pouvait offrir – la stabilité, l'ordre, l'autorité de la loi. Si vous l'emportiez, toi et tes congénères, ça serait comme en Russie ici – des queues devant les boulangeries, des gens à qui on couperait les mains.

— Ça, c'est l'Afghanistan. Là-bas, couper les mains, c'est précisément l'autorité de la loi. »

Nous avons toutes les deux haussé le ton. La conversation est en train de virer à la dispute en règle, comme avant.

« Peu importe. Tu vois ce que je veux dire, rétorque-t-elle avec dédain.

— Moi, quand j'étais jeune, ce qui me plaisait en Angleterre, c'était la tolérance, la liberté, la courtoisie de tous les jours. (Bien qu'elle ne puisse pas me voir, je brandis l'index pour souligner mes propos.) Cette façon qu'ont les Anglais de prendre systématiquement la défense des opprimés.

— Tu confonds les opprimés et les profiteurs. Nous étions pauvres, mais nous n'avons jamais été des profiteurs. Les Anglais croient à l'honnêteté. Au *fair-play*. Comme au cricket. (Qu'est-ce qu'elle y connaît, au cricket ?) Ils obéissent aux règles. Ils ont un sens inné de l'ordre et de la discipline.

— Mais non, dans le fond ils aiment l'anarchie. Ils aiment que les plus humbles envoient paître le monde entier. Ils aiment que les gros bonnets aient ce qu'ils méritent.

— Au contraire, ils ont un système de classes parfaitement préservé, où chacun reste à sa place. »

(Quand je vous dis que nous avons beau avoir grandi sous le même toit, nous n'avons pas vécu dans le même pays.)

« Ils se moquent de leurs dirigeants.

— Mais ils aiment les dirigeants autoritaires. »

Si Vera mentionne Mme Thatcher, je raccroche. S'ensuit un silence, où nous pesons chacune les choix qui s'offrent à nous. J'en appelle à notre passé commun :

« Tu te souviens de la dame du bus, Vera ? La dame en manteau de fourrure ?

— Quelle dame ? Quel bus ? Mais de quoi tu parles ? »

Évidemment, elle s'en souvient. Elle n'a pas oublié l'odeur de diesel, le bruit des essuie-glaces, le bus ballottant dans la neige fraîche qui se changeait en gadoue ; les lumières bariolées derrière les vitres. La veille de Noël 1952. Vera et moi emmitouflées dans le froid, blotties à l'arrière contre maman. Et une gentille dame en manteau de fourrure qui s'était penchée dans le couloir pour glisser une pièce de six pence dans la main de maman, « pour le Noël des enfants ».

« La dame qui a donné six pence à maman. »

Au lieu de lui balancer sa pièce à la figure, maman, notre maman, avait marmonné : « Merci, madame », avant d'empocher la pièce. Quelle honte !

« Ah oui. Elle devait être un peu éméchée. Tu m'en as déjà parlé. Je ne sais pas pourquoi tu remets toujours cette histoire sur le tapis.

— C'est ça, plus que tout ce qui a pu m'arriver par la suite, qui a fait de moi une socialiste convaincue. »

Silence à l'autre bout du fil. L'espace d'un instant, je me dis qu'elle a raccroché. Puis : « Qui sait, c'est peut-être ce qui a fait de moi la dame en manteau de fourrure. »

24

Le mystérieux inconnu

Nous décidons toutes les deux d'attendre Valentina devant l'Imperial Hotel.

« C'est le seul moyen. Autrement, elle continuera à nous échapper, me dit Vera.

— Mais elle risque de s'enfuir dès qu'elle nous verra.

— Dans ce cas, on la suivra. On la traquera jusque dans son antre.

— Et si Stanislav est avec elle ? Ou Eric Pike ?

— Ne fais pas l'enfant, Nadia. Si nécessaire, on appellera la police.

— On ne ferait pas mieux de la laisser ? J'ai parlé à une jeune femme du commissariat de Spalding qui s'est montrée très compréhensive.

— Parce que tu crois encore que la justice va l'expulser ? Si on ne fait rien, personne ne fera quoi que ce soit.

— Bon, d'accord. » Malgré mes objections, l'idée est excitante. « On devrait peut-être demander à ton copain mal rasé de venir, tu sais, Justin. Au cas où. »

Mais avant même d'avoir pu fixer une date, mon père appelle, dans tous ses états. Il a vu un mystérieux inconnu rôder autour de la maison.

« Mystérieux inconnu. Depuis hier. Il regarde par toutes les fenêtres. Et puis disparaît.

— Mais c'est qui, papa ? Tu devrais appeler la police. »

Je m'inquiète. De toute évidence, quelqu'un surveille la maison pour venir cambrioler.

« Non, non. Pas police ! Surtout pas police ! »

Son expérience des forces de l'ordre ne lui a pas laissé un bon souvenir.

« Dans ce cas, appelle un voisin, papa. Et affrontez-le ensemble. Cherchez à savoir qui c'est. C'est sans doute un cambrioleur qui vérifie ce que tu as comme objets de valeur.

— Il n'a pas l'air de cambrioleur. La cinquantaine. Petit. En costume marron. »

Voilà qui m'intrigue.

« On va venir samedi. D'ici là, ferme bien les portes et les fenêtres. »

Nous arrivons samedi après-midi, aux alentours de trois heures. On est à la mi-octobre. Le soleil est déjà bas sur l'horizon et dans la plaine marécageuse la brume voile le paysage d'un halo humide qui flotte au-dessus des champs et des marais, s'échappant tel un spectre des fossés de drainage et des cours d'eau. Les feuilles commencent à roussir. Le jardin regorge de pommes, de poires et de prunes tombées, environnées de nuées de moucherons.

Mon père est endormi dans son fauteuil, près de la fenêtre, la tête renversée en arrière, la bouche ouverte, le menton couvert d'un filet de salive argenté qui dégouline sur son col. La fiancée de Lady Di est lovée sur ses genoux, son ventre tigré se soulevant et s'abaissant paisiblement. La maison et le jardin sont plongés dans un nuage de torpeur, comme si une sorcière de conte de fées lui avait jeté un sort et que le dormeur attendait qu'un baiser vienne le réveiller.

« Hello, papa. » J'embrasse sa joue maigre et mal rasée. Il se réveille en sursaut. La chatte saute par terre pour nous accueillir en ronronnant et vient se frotter contre nos jambes.

« Hello, Nadia, Michael ! C'est bien d'avoir pu venir ! » Il nous tend les bras.

Il a tellement maigri ! J'espérais que le départ de Valentina provoquerait un changement soudain, qu'il reprendrait du poids et nettoierait la maison, que tout redeviendrait comme avant. Mais rien n'a changé si ce n'est que son cœur est à présent habité d'un vaste néant en forme de Valentina.

« Comment vas-tu, papa ? Où est ce mystérieux inconnu ?

— Mystérieux inconnu disparu. Pas revu depuis hier. »

J'avoue que j'éprouve une pointe de déception. Il avait éveillé ma curiosité. Mais je mets l'eau à bouillir et vais faire un tour dehors pour ramasser les fruits tombés. Je suis inquiète que mon père ait renoncé au rite annuel du ramassage suivi du stockage, de l'épluchage et du passage au Toshiba. Le laisser-aller est signe de dépression.

Mike se met en position d'écoute dans l'autre fauteuil confortable.

« Alors, Nikolaï, ça avance, votre livre ? Il vous reste de cet excellent vin de prune ? (Ce récent penchant pour le vin de prune ne me dit rien de bon. Il doit bien voir que c'est dangereux, non ?)

— Ah, ah ! s'exclame mon père en lui tendant un verre. On arrive période très intéressante de l'histoire du tracteur. Comme Lénine disait de l'ère capitaliste, il y a unification du monde entier avec nette augmentation de la concentration du capital. Pour ce qui est conception du tracteur, voilà ce que je pense… »

Je ne saurai jamais le fond de sa pensée car à ce stade Mike a succombé au vin de prune et moi, je suis trop loin pour entendre. Je rends hommage au jardin de maman. Cela m'attriste de voir les ravages causés par quatre ans de négligence. Cependant ce sont les ravages de la surabondance. Le sol est si fertile que tout pousse : les mauvaises herbes prolifèrent, les plantes grimpantes croissent de façon anarchique. L'herbe est si haute qu'on se croirait dans une prairie, les fruits tombés pourrissent, se couvrant de curieux champignons tachetés, et font les délices des moucherons, des guêpes, des limaces, des vers et des mouches, vers et mouches qui à leur tour font les délices des oiseaux.

Sous la corde à linge, à demi caché dans les hautes herbes, un bout de tissu brillant attire mon attention. C'est le soutien-gorge de satin vert, dont la couleur est complètement défraîchie. Un perce-oreille effarouché détale subitement d'un des énormes bonnets. Cédant à l'impulsion, je le ramasse et tente de déchiffrer la taille sur l'étiquette. Mais là encore, celle-ci est complètement délavée, blanchie par la lessive, le soleil et la pluie. La relique en lambeaux que je tiens dans mes mains me procure un étrange sentiment de perte. *Sic transit gloria mundi.*

Je ne sais pas au juste ce qui m'arrache à ma contemplation, mais à cet instant j'aperçois quelque chose qui bouge au coin de la maison, une silhouette fugitive peut-être. Puis plus rien ; ce n'était peut-être qu'une ombre brune, à moins que ce ne soit quelqu'un vêtu de brun. Le mystérieux inconnu !

« Mike ! Papa ! Venez vite ! »

Je rejoins en courant le jardin de devant, où trônent toujours les deux voitures rouillées. À première vue, il n'y a personne. Puis j'aperçois un homme parfaitement immobile dans l'ombre du lilas. Il est petit, trapu, les cheveux bruns et bouclés. Il porte un costume marron. Curieusement, sa tête me dit quelque chose.

« Qui êtes-vous ? Que faites-vous ici ? »

Il ne dit rien et ne s'avance pas vers moi. Son immobilité est troublante. Il ne m'inspire cependant aucune inquiétude. Il a le visage ouvert, attentif. Je m'avance de quelques pas.

« Que voulez-vous ? Pourquoi venez-vous tout le temps ? »

Mais il garde le silence. Je me rappelle alors où je l'ai déjà vu : c'est lui qui est sur les photos que j'ai trouvées dans la chambre de Valentina – l'homme qui enlace ses épaules dénudées. Il est un peu plus vieux que sur les photos, mais je suis sûre que c'est lui.

« Dites quelque chose. Dites-moi qui vous êtes. »

Silence. Sur ce, Mike et papa apparaissent sur le seuil. Mike se frotte les yeux d'un air endormi. L'homme s'avance alors et tend la main en prononçant un mot :

« Dubov.

— Ah, Dubov ! » Mon père se précipite vers lui, lui saisit les deux mains et lui souhaite la bienvenue en ukrainien avec des débordements d'enthousiasme. « Très estimé directeur de l'Institut de technologie de Ternopil ! Illustre professeur ukrainien ! Vous êtes le bienvenu sous mon humble toit. »

Ce n'est autre que le mari de Valentina – l'élément intelligent. Aussitôt, sa ressemblance avec Stanislav me saute aux yeux : les boucles brunes, la taille et, maintenant qu'il est sorti de l'ombre, le sourire à fossettes.

« Mayevskyj ! Éminent ingénieur acclamé par ses pairs ! J'ai eu l'honneur de lire la fascinante thèse sur l'histoire du tracteur que vous m'avez envoyée », répond ce dernier en ukrainien, secouant énergiquement les mains de mon père. Je comprends mieux pourquoi il n'a pas répondu à mes questions. Il ne parle pas anglais. Mon père nous présente :

« Mikhaïl Lewis, mon gendre. Syndicaliste et expert en informatique distingué. Ma fille Nadezhda. Elle est assistante sociale. » (Papa ! Comment oses-tu !)

Autour d'un thé et d'un paquet de biscuits périmés que j'ai trouvé dans le garde-manger, nous apprenons peu à peu les raisons de la visite du mystérieux inconnu. C'est on ne peut plus simple : il est venu chercher sa femme et son fils pour les ramener en Ukraine. Les lettres qu'il reçoit d'Angleterre l'inquiètent de plus en plus. Stanislav ne se plaît pas dans son école, où, dit-il, ses camarades sont paresseux, obsédés par le sexe, passant leur temps à se vanter de leurs biens matériels, et le niveau est médiocre. Valentina n'est pas heureuse non plus. Elle dit que son nouveau mari est un homme violent et paranoïaque, et qu'elle veut divorcer. Quoique, ayant à présent fait la connaissance de l'honorable ingénieur (avec lequel il a déjà eu le plaisir d'échanger une stimulante correspondance sur les tracteurs), il est enclin à penser qu'elle a sans doute légèrement exagéré, ce qui s'est déjà vu par le passé.

« Un peu d'exagération peut se pardonner chez une belle femme, dit-il. L'important, c'est que tout soit pardonné, et maintenant il est temps qu'elle rentre à la maison. »

Il est venu en Angleterre à l'occasion d'un programme d'échanges avec l'université de Leicester pour approfondir ses connaissances sur la superconductivité et a obtenu en plus quelques semaines de congé. Il s'est donné pour mission de retrouver sa femme (bien qu'il lui ait accordé le divorce, il n'a jamais cessé de la considérer comme telle), lui faire la cour et regagner son cœur.

« Elle m'a aimé, elle peut sûrement m'aimer encore. »

Il a profité de ses jours de congé pour prendre le train à Leicester et se poster devant la maison dans l'espoir de la surprendre. Il a parcouru toute la ville et s'est assuré le soutien du président du club ukrainien, mais, malgré des jours entiers passés à la chercher, il craint de l'avoir perdue à jamais. À présent, toutefois, qu'il a fait la connaissance de l'éminent Mayevskyj, de sa charmante fille et de son distingué gendre, peut-être l'aideront-ils dans sa quête.

Je vois mon père se raidir en comprenant que l'illustre professeur ukrainien se trouve être également son rival en amour. C'est une chose de divorcer de Valentina, mais de là à accepter qu'on la lui pique sous le nez, c'est autre chose.

« Vous devez en discuter avec Valentina. Moi, mon impression, c'est qu'elle est absolument déterminée à rester en Angleterre.

— C'est vrai qu'en Ukraïna, en ce moment, le vent est bien trop fort, bien trop froid pour une fleur aussi sublime. Mais il n'en sera pas toujours ainsi. Et tant qu'il y a de l'amour, il y a toujours assez de chaleur pour que l'âme s'épanouisse », déclare l'élément intelligent.

Je m'esclaffe dans ma tasse, mais réussis à camoufler la chose en éternuement.

« Il y a un hic, intervient mon père. Ils ont tous les deux disparu. Valentina et Stanislav. Personne ne sait où ils sont. Elle a même laissé deux voitures ici.

— Je sais où ils sont ! » je m'écrie.

Tout le monde se tourne vers moi, y compris Mike, qui ne comprend pas un mot de ce qui se passe. D'un regard furibond, mon père m'intime l'ordre de me taire.

« L'Imperial Hotel ! Ils sont à l'Imperial Hotel ! »

Le samedi après-midi, les pubs de Peterborough fourmillent de gens qui font leurs courses, de commerçants du marché et de touristes. L'Imperial Hotel déborde de monde. Quelques habitués sont sortis sur le trottoir avec leurs verres et discutent football, agglutinés devant l'entrée. Je gare la Ford Escort à quelques mètres de là. Nous décidons d'envoyer Mike en reconnaissance – il se fondra parmi la foule. Il a pour mission de chercher Valentina ou Stanislav et, s'il les aperçoit, de ressortir discrètement pour prévenir Dubov, qui lancera alors son offensive de charme. Il est assis avec mon père à l'arrière de la voiture, la mine aussi surexcitée l'un que l'autre. Curieusement, tout le monde parle à voix basse.

Quelques instants plus tard, Mike réapparaît, la pinte à la main, et nous déclare qu'il n'y a aucune trace de Valentina ou de Stanislav. Ni personne qui corresponde à la description que je lui ai donnée de Crâne d'œuf. À l'arrière de la voiture s'élève un double soupir de déception.

« Je vais voir ! s'écrie papa en s'acharnant sur la poignée de la portière arrière de ses doigts arthritiques.

— Non, non ! s'exclame Dubov. Vous allez lui faire peur. J'y vais, moi ! »

Je suis inquiète que mon père soit embarqué dans un nouveau tourbillon émotionnel. J'ai peur que la présence compétitive de Dubov n'ait piqué sa fierté virile et ravivé l'intérêt que lui inspire Valentina. Il a beau savoir qu'elle n'est pas faite pour lui, il est irrésistiblement attiré par son magnétisme. Le vieil imbécile. Ça ne peut que mal finir. Et pourtant, malgré l'apparente contradiction de son attitude, je sens qu'il obéit à une logique plus profonde, car Dubov possède le même magnétisme, la même fascinante énergie que Valentina. Papa est amoureux des deux ; il est amoureux de la pulsion vitale de l'amour. Je comprends sa fascination car je la partage.

« Taisez-vous, vous deux, et ne bougez pas d'ici ! je leur ordonne. J'y vais. »

Je ne leur laisse pas le choix car les portières arrière sont munies de sécurités enfants qui les empêchent de s'ouvrir de l'intérieur.

Mike a trouvé une place près de l'entrée. Une foule de jeunes gens est massée devant l'écran de télévision et toutes les quelques minutes un chœur de braillements s'élève. L'équipe de Peterborough joue chez elle. La pinte à moitié vide, Mike a lui aussi le regard fixé sur l'écran. Je me lève pour aller jeter un coup d'œil au bar. Il avait raison : aucun signe de Valentina, de

Stanislav ou de Crâne d'œuf. Soudain retentit un concert d'acclamations. Un joueur a marqué. Jusque-là le barman qui sert les pintes au bout du bar avait la tête baissée, mais à l'instant où il lève les yeux vers l'écran nos regards se croisent. Ce n'est autre que Crâne d'œuf, si ce n'est qu'il n'est plus chauve. Il a le crâne couvert de touffes hirsutes de cheveux gris. Il a pris tellement de bedaine qu'elle lui retombe par-dessus la ceinture. Depuis la dernière fois, il y a de ça quelques semaines, il s'est franchement laissé aller.

« Encore vous. Qu'est-ce que vous voulez ?

— Je cherche Valentina et Stanislav. Je suis une amie, c'est tout. Je ne suis pas de la police, si c'est ce qui vous tracasse.

— Ils sont partis. Ils ont pris la poudre d'escampette. En douce.

— Non !

— À ce qui paraît, vous leur avez fichu la trouille la dernière fois.

— Mais...

— Le petit et elle. Tous les deux. Partis. Le week-end dernier.

— Mais vous avez une idée de...

— À ce qu'elle dit, elle était trop bien pour moi. » Il me regarde tristement.

« Comment ça ?

— Rien. Maintenant, foutez le camp. Je suis seul pour faire tourner le pub. »

Il me tourne le dos et ramasse les verres.

« Oh, non ! Partis ! » Sur la banquette arrière, les prétendants rivaux poussent des exclamations consternées, puis la voiture est plongée dans un silence lugubre que vient briser, quelques instants plus tard, un long soupir tremblotant.

« Allons, allons, Volodya Simeonovich, murmure mon père en ukrainien en prenant Dubov par l'épaule. Soyez un homme ! »

Je ne l'ai jamais entendu l'appeler par son patronyme. On les croirait tous deux sortis de *Guerre et Paix*.

« Hélas, Nikolaï Alexeevich, être un homme, c'est être une créature faible et faillible.

— Je crois qu'on a tous besoin de se remonter le moral, suggère Mike. Que diriez-vous d'aller prendre un verre ? »

Une fois le match fini, la foule s'est dispersée et on réussit à trouver assez de tabourets pour s'asseoir autour de la table – et même une chaise pour papa. Il y a tellement de bruit dans le pub qu'il se replie sur lui-même en contemplant le vide, les yeux écarquillés. Dubov perche son large derrière sur le petit tabouret rond en écartant les genoux pour ne pas tomber, le menton levé, l'œil vif, s'imprégnant de l'atmosphère. Je le vois qui scrute la foule, guettant avec espoir les clients qui entrent.

« Qu'est-ce que vous voulez boire ? » demande Mike.

Papa veut un jus de pomme. Dubov, un grand whisky. Mike se commande une autre pinte. J'aimerais bien un thé, mais je décide de prendre un verre de blanc. Curieusement, Crâne d'œuf nous apporte notre commande sur un plateau.

« Santé ! » Mike lève son verre. « À... » Il hésite. Quel toast porter devant un groupe hétérogène de gens animés par des désirs et des besoins aussi contradictoires ?

« Au triomphe de l'esprit humain ! »

Nous levons tous nos verres.

25

Le triomphe de l'esprit humain

« Le triomphe de l'esprit humain ? s'esclaffe Vera. C'est peut-être charmant, mais pour le moins naïf ! Si tu veux mon avis, l'esprit humain est mesquin et égoïste ; le seul instinct qui existe est celui de la préservation. Tout le reste n'est que sentimentalisme.

— Tu répètes toujours ça, Vera. Et si l'esprit humain était grand et généreux, inventif, compatissant, noble – tout ce qu'on s'efforce d'être –, et que par moments il n'ait plus la force de supporter toute la mesquinerie et l'égoïsme du monde ?

— Noble ? Franchement, Nadia ! D'où viennent la mesquinerie et l'égoïsme, à ton avis, si ce n'est de l'esprit humain ? Tu crois réellement que le monde est en proie à une force du mal ? Non, le mal vient du cœur de l'homme. Moi, je sais comment les gens sont au fond d'eux-mêmes.

— Et moi non ?

— Tu as la chance d'avoir vécu dans le monde de l'illusion et des sentiments. Il y a des choses qu'il vaut mieux ignorer.

— À chacun son opinion. » Je me sens vidée de mon énergie. « Quoi qu'il en soit, elle a de nouveau disparu. C'est pour ça que je t'appelais.

— Mais tu as essayé l'autre adresse ? Tu sais, Norwell Street, là où il y a le demandeur d'asile sourd.

— On y est passés en rentrant, mais il n'y avait personne. Tout était éteint. »

La fatigue s'abat sur moi comme une couverture humide. Ça fait presque une heure qu'on parle et je n'ai plus l'énergie de discuter.

« Il vaut mieux que j'aille me coucher. Bonsoir.

— Bonsoir. Ne te tracasse pas trop pour ce que je t'ai dit.

— Promis. »

Mais la noirceur des certitudes de Vera me trouble. Et si elle avait raison ?

Malgré leur rivalité amoureuse, papa et Dubov s'entendent comme larrons en foire, et, sur l'invitation pressante de mon père, Dubov quitte son cagibi de la résidence de Leicester University pour élire domicile dans ce qui était l'ancienne chambre de mes parents avant de devenir celle de Valentina. Il apporte ses affaires dans un petit sac à dos vert qui atterrit au pied du lit.

Trois fois par semaine, il prend le train pour Leicester et rentre tard le soir. Il explique à mon père les dernières avancées de la superconductivité, à l'aide de petits schémas soignés dessinés au crayon et accompagnés de mystérieux symboles. Mon père agite les mains en l'air en disant que c'est exactement ce qu'il avait prédit en 1938.

Duvov est un homme pragmatique. Il se lève de bonne heure et prépare le thé pour mon père. Il nettoie la cuisine et range tout après chaque repas. Il ramasse les pommes du jardin, et mon père lui enseigne la méthode Toshiba. Dubov déclare qu'il n'a jamais rien mangé d'aussi délicieux de sa vie. Ils passent leurs soirées à parler de l'Ukraine, de philosophie, de poésie et de conception industrielle. Le week-end, ils jouent aux échecs. Dubov écoute avec fascination mon père lui lire de longs chapitres d'*Une brève histoire du tracteur en Ukraine*. Il pose même des questions intelligentes. En fait, il ferait une parfaite épouse.

Dubov est ingénieur, tout comme mon père, bien qu'il soit spécialisé en électricité. En rôdant dans le jardin à la recherche de Valentina, il a eu tout le loisir d'examiner les deux voitures à l'abandon et s'est pris de passion pour la Rolls-Royce. Mais, contrairement à mon père, lui peut se glisser sous le châssis. D'après son diagnostic, la voiture souffre d'une maladie bénigne : c'est une fuite d'huile au carter due à un mauvais serrage du bouchon de vidange. Quant à la suspension affaissée, elle vient probablement d'un support de ressort cassé. Si elle ne démarre pas, c'est sans doute à cause d'une défaillance électrique, soit du générateur, soit de l'alternateur. Il va regarder ça de plus près. Naturellement, si Valentina et la clé restent introuvables, il faudra également changer le démarreur.

Mon père et Dubov emploient la semaine suivante à démonter le moteur, nettoyer toutes les pièces et les étaler par terre sur une vieille couverture. Mike est enrôlé. Il passe deux soirées sur Internet et au téléphone à rechercher des ferrailleurs susceptibles d'avoir une Rolls similaire dans leur casse et finit par en trouver un du côté de Leeds, à deux heures de route.

« Enfin, Mike, rien ne t'oblige à aller là-bas. Cette voiture est probablement bonne pour la casse, de toute façon. »

Il ne dit rien et se contente de me regarder d'un air rêveur et buté que j'ai déjà vu chez mon père. Manifestement, il est également tombé sous le charme.

Eric Pike se propose pour réparer le support de ressort. Il arrive un dimanche au volant de sa Volvo bleue muni d'un chalumeau et d'un masque. Il a fière allure avec sa moustache majestueuse, ses gros gants de cuir et ses énormes tenailles, aplatissant à grands coups de marteau le métal chauffé au rouge. Les autres se tiennent à distance en demi-cercle, béats d'admiration. Quand il a terminé, il brandit le bracelet rougeoyant pour le faire refroidir et laisse malencontreusement le chalumeau allumé contre la boîte à outils, saccageant ainsi la haie de pyracanthe. Fort heureusement, il se met à pleuvoir et les quatre compères se réfugient dans la cuisine pour étudier des notices techniques que Mike a téléchargées sur Internet. Tout ça est bien trop masculin à mon goût.

« Il faut que j'achète de quoi manger pour ce soir. Qu'est-ce que vous voulez que je prenne ?

— Rapporte-nous des bières », répond Mike.

Naturellement, les courses ne sont qu'un prétexte. En fait, je pars à la recherche de Valentina. J'ai la certitude que Crâne d'œuf ne m'a pas menti quand il a dit qu'elle était partie. Mais où a-t-elle pu aller ? Je tourne quelque temps sans but dans la ville, scrutant à travers les balais d'essuie-glaces les rues dominicales désertes encore jonchées des détritus du samedi soir. J'établis un circuit : la maison d'Eric Pike, le club ukrainien, l'Imperial Hotel, Norwell Street. En chemin, je fais un saut au supermarché et remplis un caddie de toutes sortes de choses qui devraient plaire à Dubov et à mon père : des quantités de bonbons et de gâteaux au beurre, des pâtés en croûte faciles à réchauffer au four, des légumes surgelés prêts à l'emploi, du pain, du fromage, des fruits, de la salade en sachet, des potages en conserve, même une pizza surgelée – je refuse d'aller jusqu'aux plats surgelés en sachet –, plus quelques packs de bière. J'entasse les provisions dans le coffre et refais encore mon circuit. À l'instant où je m'apprête à passer devant l'Imperial Hotel pour la seconde fois, je remarque une voiture verte à moitié garée sur le trottoir. C'est une Lada – en fait on dirait la Lada de Valentina.

Non, c'est impossible.

Mais si, c'est bien elle.

Valentina et Crâne d'œuf sont assis l'un en face de l'autre à une table ronde dans un coin de la salle. La porte est vitrée et je la vois nettement. Elle est encore plus grosse qu'avant. Elle a les cheveux en bataille. Le maquillage qui bave. Sur ce, je m'aperçois que non seulement il bave, mais qu'il coule le long de ses joues : elle pleure. Quand Crâne d'œuf relève la tête, je remarque qu'il pleure, lui aussi.

Par pitié ! ai-je envie de crier, mais je reste à l'écart sans mot dire, les regardant pleurnicher sans vergogne en se tenant les mains sur la table. Leurs larmes me mettent soudain dans une rage inexplicable : comme s'ils avaient de quoi pleurer !

Sur ce, quelqu'un se faufile devant moi pour entrer et tous deux lèvent la tête, puis m'aperçoivent. Valentina bondit en poussant un cri, faisant glisser le manteau qu'elle avait sur les épaules, et c'est alors que je vois ce que j'aurais dû voir avant, ce que j'avais vu sans le voir : Valentina est enceinte.

Nous restons plantées face à face quelques instants. Aussi muettes l'une que l'autre. Puis Crâne d'œuf se lève pesamment.

« Vous voyez bien qu'on parle, non ? Vous ne pouvez pas nous laisser seuls ? »

Je l'ignore.

« J'ai quelque chose d'important à vous dire, Valentina. Votre mari est arrivé d'Ukraine. Il est chez mon père. Il aimerait vous voir. Et Stanislav aussi. Il veut vous parler en personne. »

Sur ce, je tourne les talons et je m'en vais.

Quand je rentre chez mon père, la nuit commence à tomber et la pluie s'est arrêtée, laissant flotter une humidité chargée d'un mystérieux parfum automnal de champignon. Est-ce le crépuscule qui me joue des tours, mais la maison me paraît plus grande, le jardin plus spacieux, à l'écart de la route derrière sa rangée de lilas. Je mets quelques minutes à m'apercevoir que la Rolls-Royce a disparu. Ainsi que les quatre hommes.

Je devrais être contente, mais en fait ça m'exaspère. Ils sont là à s'amuser entre gars pendant que je me charge de ces corvées indispensables auxquelles personne ne prête attention : assurer le plein de vivres et de boissons. Typique. Et il n'y a personne pour me féliciter d'avoir accompli un travail de détective aussi magistral. Quoique, j'en connais une qui saura apprécier mes efforts à leur juste valeur. Je mets l'eau à chauffer, j'enlève mes chaussures et je téléphone à ma sœur.

« Enceinte ! s'écrie Vera. La salope ! La garce ! Mais attends, Nadia, qui sait ? C'est peut-être encore une ruse. Je te parie que ce n'est pas un bébé, juste un oreiller glissé sous son pull. »

La capacité de cynisme de ma sœur m'étonnera toujours. Et pourtant…

« C'est flagrant, Vera. Il n'y a pas que le ventre, mais aussi sa façon de se tenir, les chevilles enflées. Et puis ça faisait un bout de temps qu'elle avait pris du poids. Seulement, on n'avait pas fait le rapprochement.

— Mais c'est incroyable ! Bravo de l'avoir retrouvée ! (Venant de la part de Grande Sœur, c'est un sacré compliment.) Je devrais peut-être venir voir par moi-même.

— Comme tu veux. On ne saurait tarder à savoir. »

J'avale mon thé et commence à décharger les courses du coffre quand une voiture arrive derrière moi. Je me retourne, persuadée de voir les quatre compères hilares descendre d'une Rolls-Royce blanche. Mais c'est la Lada verte avec Valentina au volant.

Elle se gare sur la pelouse maculée d'huile noirâtre et sort précautionneusement de la voiture. Son ventre est imposant, sa magnifique poitrine gorgée de lait. Elle s'est attaché les cheveux, remaquillée et remis du parfum. Elle a retrouvé un peu de son glamour d'avant et, malgré moi, ça me fait plaisir de la voir.

« Bonjour, Valentina. Je suis contente que vous ayez pu venir. »

Elle me passe devant sans un mot et va directement à l'arrière de la maison où la porte de la cuisine est ouverte.

« Hello ! Hello, Volodya ! » lance-t-elle.

Je l'ai suivie à l'intérieur et elle me prend à partie, un rictus menaçant aux lèvres :

« Personne ici. Tu mentir.

— Il est là, mais il est sorti. Vous n'avez qu'à regarder dans la chambre si vous ne me croyez pas. Il a laissé son sac. »

Elle grimpe l'escalier d'un pas décidé et ouvre la porte avec une telle violence qu'elle heurte le mur dans un bruit sourd. Puis c'est le silence. Au bout d'un moment, je monte la chercher. Je la trouve assise sur le lit qui avait été le sien, serrant contre elle le petit sac à dos vert comme si c'était un bébé. Elle lève les yeux vers moi, le regard vide.

« Valentina. » Je m'assieds à côté d'elle et pose la main sur le sac niché contre son ventre. « C'est merveilleux, pour le bébé. »

Elle se tait et me fixe du même regard dénué d'expression.

« C'est Ed le père ? Ed de l'Imperial Hotel ? »

Je pousse le bouchon un peu loin et elle le sait pertinemment.

« Pourquoi tu fourrer nez partout ? Hein ?

— Il a l'air très gentil.

— Lui être gentil. Pas être papa bébé.

— Ah, je vois. Quel dommage ! »

Nous sommes assises côte à côte sur le lit. Je la dévisage, mais elle garde les yeux rivés devant elle, les sourcils froncés, l'air concentré, se contentant de me montrer son beau profil barbare, ses joues empourprées, sa bouche impassible, son teint rayonnant de femme enceinte. Des lueurs changeantes scintillent au fond de ses prunelles couleur de mélasse. Impossible de dire à quoi elle pense.

J'ignore depuis combien de temps nous sommes assises là quand le bruit d'une voiture qui se gare devant la maison nous fait soudain sursauter. La Rolls-Royce blanche est rangée dans la rue, faute d'avoir trouvé de la place dans le jardin, occupé par la Lada et la Poubelle. Les quatre compères en sortent avec des sourires gros comme des pastèques, mêlant les langues dans un baragouin incompréhensible. Par la fenêtre, je vois mon père brandir les mains en l'air en voyant la Lada garée sur la pelouse. Il appelle Dubov en soulignant fébrilement ses caractéristiques mécaniques, tandis que ce dernier semble impatient de retrouver sa propriétaire. Eric Pike saisit Mike par le coude en gesticulant précipitamment de l'autre main. Ils disparaissent et, par l'escalier, j'entends leurs voix résonner dans le couloir et le salon.

Le silence s'abat alors au rez-de-chaussée – un silence soudain, absolu, comme si un interrupteur venait d'être actionné. Puis une voix se fait entendre – celle de Valentina :

« Papa bébé être mari moi Nikolaï. »

Quand je descends, ils sont tous rassemblés dans le salon. Valentina trône comme une reine dans le fauteuil de velours beige, face à la porte. Dubov et papa sont assis côte à côte sur le canapé à deux places. Mon père arbore un sourire radieux. Dubov a la tête enfouie dans les mains. Eric Pike est assis sur le repose-pied, le dos voûté, lorgnant les autres d'un œil mauvais. Mike est dans le coin, derrière le canapé. Je me glisse à côté de lui et il m'enlace par l'épaule.

« Attendez, Valentina, interviens-je. On ne tombe pas enceinte avec des relations buccogénitales, vous le savez bien. »

Elle me jette un regard de profond mépris.

« Pourquoi tu savoir relations buccogénitales ?

— Eh bien, je sais que...

— Voyons, Nadia ! m'interrompt mon père en ukrainien.

— Valenka, ma chérie, dit Dubov d'une voix sirupeuse débordante d'amour, peut-être la dernière fois que tu étais en Ukraine ?... Je sais bien que ça fait longtemps, mais quand il y a de l'amour, tout est possible. Peut-être ce bébé a-t-il attendu nos retrouvailles pour nous combler de bonheur... »

Valentina fait non de la tête. « Pas possible. » Elle a la voix qui frémit.

Eric Pike se tait, mais je le vois compter discrètement sur ses doigts.

Valentina calcule, elle aussi. Son regard passe tour à tour de Dubov à mon père, mais ses traits restent impassibles.

Sur ces entrefaites, on entend des pas dehors suivis d'un coup de sonnette impérieux. La porte n'est pas fermée à clé et Ed le barman fait irruption, Stanislav sur les talons. Il fonce dans le salon droit vers Valentina. Stanislav reste sur le seuil, fixant Dubov avec un sourire, refoulant ses larmes. Dubov lui fait signe de s'approcher, se serre contre mon père pour lui faire une place sur le canapé et lui passe un bras autour de l'épaule.

« Allez, allez », murmure-t-il en ébouriffant les boucles brunes du garçon.

Les joues de Stanislav s'enflamment et il laisse échapper une larme, comme s'il fondait au contact de la chaleur de son père, mais il reste muet.

Crâne d'œuf s'est positionné en propriétaire à côté du fauteuil de Valentina. « Allez, Val ! (Il l'appelle Val !) Il est temps que tu dises la vérité à ton ex. Il l'apprendra tôt ou tard. »

Valentina l'ignore. Les yeux plantés dans ceux de mon père, elle glisse les mains sur ses seins, puis sur son ventre. Papa frémit. Ses genoux se mettent à trembler. Dubov tend le bras et pose sa grosse main charnue sur celle, osseuse, de mon père.

« Kolya, ne fais pas l'idiot.

— Ce n'est pas moi, l'idiot, c'est toi. Comme si on avait jamais entendu parler d'un bébé qui reste dix-huit mois dans le ventre de sa mère ! Dix-huit mois ! Ah, ah, ah !

— L'important, ce n'est pas le géniteur de l'enfant, mais celui qui l'élèvera, répond posément Dubov.

— Qu'est-ce qu'il a dit ? » demande Crâne d'œuf.

Je traduis.

« Mais si, c'est sacrément important ! J'ai des droits. Un père a des droits, vous savez. Dis-leur, Val.

— Toi pas papa bébé, dit Valentina.

— Toi pas papa bébé, répète papa en chœur, l'œil hagard. Moi papa bébé !

— Il n'y a qu'une solution. Il faudra faire un test de paternité sur le bébé », lance une voix glaciale de l'embrasure de la porte. Vera est entrée si discrète-ment que personne ne l'a entendue arriver. Elle traverse la pièce et s'approche de Valentina. « Si bébé il y a ! »

Elle se jette en avant pour toucher le ventre de Valentina.

Valentina bondit en poussant un cri :

« Non, Non ! Sale sorcière choléra manger bébé ! Pas toucher moi !

— C'est qui, elle ? » Ed se tourne vers Vera et l'attrape par le bras.

Dubov s'avance pour enlacer Valentina par les épaules, mais elle le repousse et se dirige vers la porte. Sur le seuil, elle s'arrête, plonge la main dans son sac et sort une petite clé accrochée à une brelo-que. Elle la lance par terre et crache dessus. Puis elle disparaît.

26

Tous punis

« Alors c'est qui le père, à ton avis ? Eric Pike ou Crâne d'œuf ? »

J'ai pris le lit du haut, Vera celui du bas, dans la chambre qu'occupait Stanislav, et avant lui Anna, Alice et Alexandra quand elles venaient, celle-là même que je partageais avec ma sœur lorsque nous étions jeunes. C'est à la fois étrange de nous retrouver là toutes les deux et tout ce qu'il y a de plus naturel. Si ce n'est qu'autrefois Vera avait le lit du haut et moi celui du bas.

De l'autre côté de la mince cloison de plâtre, nous entendons un chuchotement de voix masculines dans la chambre voisine où Stanislav et Dubov rattrapent le temps perdu après dix-huit mois de séparation. C'est un bourdonnement discret, sympathique, ponctué d'éclats de rire. De la chambre d'en dessous s'élèvent par intermittence les longs ronflements râpeux de mon père. Mike est dans le salon, inconfortablement roulé en boule sur le canapé à deux places. Heureusement pour lui, il a bu pas mal de vin de prune avant d'aller se coucher.

« Il y a quelqu'un d'autre, dit Vera. Tu oublies le type chez qui elle habitait au début.

— Bob Turner ? » Ça ne m'était pas venu à l'esprit, mais maintenant qu'elle le dit, je revois la grosse enveloppe kraft, la tête penchée à la fenêtre, les traits décomposés de papa. « Il y a plus de deux ans. Ça ne peut pas être lui.

— Ah non ? rétorque sèchement Vera.

— Tu veux dire qu'elle aurait continué à le voir après le mariage ?

— Ça n'aurait rien d'étonnant.

— Sans doute.

— A priori, elle aurait pu trouver mieux. Il n'y en a aucun qui soit vraiment attirant. En fait, ajoute-t-elle d'un ton songeur, elle est plutôt séduisante dans le genre salope. Mais bon, c'est une chose de coucher avec des femmes comme elle, c'en est une autre de les épouser.

— Dubov l'a bien épousée, lui. Et il a l'air d'un chic type. Dubov l'aime encore. Et je crois qu'elle l'aime vraiment. Cette façon qu'elle a eue d'accourir dès qu'elle a appris qu'il était là...

— Ça ne l'a pas empêchée de le laisser tomber pour papa.

— L'attrait de la vie à l'occidentale.

— Et maintenant elle se dit qu'avec cette histoire absurde de bébé elle va pouvoir regagner en douce les faveurs de papa. Il est tellement obsédé par l'idée d'avoir un garçon.

— Mais tu imagines un peu : abandonner l'amour de ta vie pour papa et t'apercevoir qu'il n'est même pas riche. Tout ce qu'il a à lui offrir, c'est un passeport britannique – et encore, aux frais de Bob Turner. Tout de même, elle ne te fait pas un peu pitié ? »

Vera garde un moment le silence.

« Pas vraiment, non. Pas après l'histoire du dictaphone. Pourquoi ? Toi si ?

— Des fois, oui.

— Mais nous aussi, on lui fait pitié, Nadia. Elle nous trouve moches et idiotes – et plates comme des planches à repasser, avec ça.

— Ce que je ne comprends pas, c'est ce que Dubov lui trouve. Il a l'air tellement... perspicace. Logiquement, il devrait voir clair dans son jeu.

— C'est ses nichons. Les hommes sont tous pareils. » Vera soupire. « Tu as vu un peu comment Ed lui a couru après ? C'est lamentable.

— Mais tu as vu la voiture d'Ed ? Tu as vu comment papa et Dubov la lorgnaient ?

— Et Mike donc. »

Après le départ de Valentina, Crâne d'œuf s'était rué dans le jardin en gémissant « Val ! Val ! » d'un ton pathétique, mais elle ne lui avait pas même jeté un regard. Elle avait claqué la portière de la Lada et démarré en laissant derrière elle un âcre tourbillon de fumée bleue. Ed s'était précipité en agitant les bras, puis il avait sauté au volant de sa voiture garée dans la rue – une Cadillac décapotable des années cinquante vert d'eau, avec des ailerons et des chromes partout – pour se lancer à sa poursuite à travers le village. Papa, Mike, Dubov et Eric Pike l'avaient regardé partir par la fenêtre. Puis ils avaient attaqué la bière que j'avais rapportée. Au bout d'une heure, Eric Pike était parti, lui aussi. Ils avaient alors sorti le vin de prune.

« Dis, Vera, tu ne crois pas que papa pourrait être le père ? Il arrive que des hommes de son âge aient des enfants. Il en a parlé au début.

— Ne sois pas ridicule. Tu l'as vu un peu ? D'autant que c'est lui en premier qui a dit qu'il n'y avait pas eu consommation. À mon avis, Crâne d'œuf est le candidat le plus probable. Tu imagines un peu : se retrouver parent d'un type qu'on appelle Crâne d'œuf !

— Il doit avoir un autre nom. Quoi qu'il en soit, si papa divorce, on ne sera pas parentes avec lui.

— S'il divorce !

— Tu crois qu'il peut encore changer d'avis ?

— J'en suis sûre. Surtout s'il se met en tête que c'est un garçon. Conçu par relations buccogénitales. Ou par quelque échange platonique de l'esprit.

— Il n'est tout de même pas assez idiot pour ça.

— Mais si, réplique Vera. Il suffit de voir ses antécédents. »

Nous ricanons avec dédain. Je me sens proche d'elle et cependant si éloignée, perchée là-haut dans le noir. Quand nous étions jeunes, nous plaisantions souvent sur nos parents.

Il doit être à peu près trois heures du matin. À côté, les bourdonnements se sont arrêtés. Je suis en passe de m'endormir. L'obscurité m'enveloppe, rassurante. Nous sommes si près l'une de l'autre que nous nous entendons respirer, mais les ombres nous voilent le visage, comme dans un confessionnal, dissimulant toute forme d'expression, de honte ou de jugement. Je sais que je n'aurai peut-être plus jamais une occasion pareille.

« Papa m'a dit qu'il t'était arrivé quelque chose au camp de Drachensee. Une histoire de cigarettes. Tu te souviens ?

— Bien sûr que je m'en souviens. »

J'attends la suite. Au bout d'un moment, elle ajoute :

« Il y a des choses qu'il vaut mieux ignorer.

— Je sais. Mais dis-moi quand même. »

Le camp de travail de Drachensee était un immense lieu horrible où régnaient le chaos et la cruauté. Travailleurs venus de Pologne, d'Ukraine, de Biélorussie, recrutés de force pour soutenir l'effort de guerre allemand, communistes et syndicalistes des Pays-Bas envoyés en rééducation, gitans, homosexuels, criminels, juifs en transit sur le chemin de la mort, aliénés sortis des asiles psychiatriques et résistants capturés, tous vivaient côte à côte dans des baraquements en ciment infestés de poux. La seule loi y était la terreur. Et la domination de la terreur se pratiquait à tous les niveaux ; chaque communauté, chaque sous-communauté possédait sa propre hiérarchie de terreur.

C'est ainsi qu'à la tête de la hiérarchie des enfants des travailleurs forcés se trouvait un adolescent maigre à l'air sournois du nom de Kishka. Il devait avoir dans les seize ans, mais il était frêle pour son âge, ce qui s'expliquait sans doute par les privations qu'il avait connues dans son enfance, mais également par la dépendance dont il souffrait. Kishka fumait quarante cigarettes par jour.

Malgré sa taille, Kishka était entouré de toute une clique de gamins plus costauds qui étaient à ses ordres. Parmi ceux-ci se trouvaient son comparse, une brute épaisse du nom de Vanenko, deux jeunes de Moldavie pas très futés et Lena, une fille dangereuse au regard dément qui avait toujours des quantités de cigarettes – la rumeur voulait qu'elle couche avec des sentinelles. Pour s'approvisionner en cigarettes, Kishka et son gang taxaient les autres enfants : ces derniers étaient obligés de voler des cigarettes à leurs parents pour les donner à Kishka qui les distribuait à son gang. Ceux qui refusaient de s'exécuter étaient punis.

De tous les enfants du camp, seule la petite Vera, timide et effacée, ne payait jamais sa taxe de cigarettes. C'était inadmissible. Vera objecta que ses parents ne fumaient pas, qu'ils échangeaient leurs cigarettes contre de la nourriture et d'autres choses.

« Dans ce cas, tu dois en voler à quelqu'un d'autre », lui dit Kishka.

Vanenko et les jeunes Moldaves sourirent. Lena fit un clin d'œil.

Vera était désespérée. Où trouver des cigarettes ? Elle se faufila dans le baraquement quand il n'y avait personne et fouilla dans les pitoyables effets rangés sous les lits. Mais quelqu'un la prit en flagrant délit et l'envoya vertement promener. Elle attendit sa raclée dans un coin de la cour, pétrifiée de désespoir, cherchant un endroit où se cacher tout en sachant qu'ils la retrouveraient de toute façon. C'est alors qu'elle remarqua une veste accrochée à un clou près de la porte. C'était la veste d'une des sentinelles qui était en train de fumer une cigarette du côté de la clôture d'enceinte, regardant ailleurs. Avec une vivacité de chat, elle glissa la main dans la poche et trouva le paquet de cigarettes quasiment plein. Elle le dissimula dans la manche de sa robe.

Quand Kishka vint à sa recherche, un peu plus tard, elle lui tendit les cigarettes. Il était ravi. Les cigarettes de l'armée contenaient bien plus de tabac que les saletés qu'on accordait au compte-gouttes aux travailleurs forcés.

Si Vera n'avait pris qu'une ou deux cigarettes, peut-être en aurait-il été tout autrement. Mais, évidemment, le militaire s'aperçut de la disparition du paquet. Il traversa la cour à grands pas, le fouet à la main, prenant les enfants un par un. Le manque de cigarettes le rendait irritable. Qui avait vu le voleur ? Quelqu'un devait bien être au courant. S'ils ne crachaient pas le morceau, tout le quartier serait puni. Les parents aussi. Personne ne serait épargné. Il fit vaguement allusion à l'existence d'un quartier disciplinaire dont on sortait rarement vivant. Les enfants avaient également entendu les rumeurs et ils étaient terrifiés.

C'est Kishka lui-même qui dénonça Vera :

« Je vous en prie, monsieur, lâcha-t-il d'un ton servile en rampant aux pieds de la sentinelle qui lui pinçait l'oreille, c'est elle – la petite maigrichonne là-bas –, elle les a fauchées et les a distribuées à tous les enfants. »

Il pointa le doigt sur Vera qui était assise en silence à côté de la porte d'un des baraquements.

« C'est toi, hein ? »

L'homme empoigna Vera par le col de sa robe. Elle n'eut pas la présence d'esprit de tout nier et fondit en larmes. Il la traîna dans le corps de garde et l'enferma à double tour.

Maman partit à la recherche de Vera dès qu'elle s'aperçut de sa disparition, à son retour de l'usine. Quelqu'un lui dit où elle la trouverait.

« Ta fille est une sale petite voleuse, dit la sentinelle. Il faut lui donner une leçon.

— Non, l'implora maman dans un mauvais allemand, elle ne savait pas ce qu'elle faisait. Les grands l'ont forcée. Que voulez-vous qu'elle fasse avec des cigarettes ? Vous voyez bien que ce n'est qu'une petite idiote.

— Idiote, peut-être, mais il me faut mes cigarettes », répliqua la sentinelle. C'était un grand gaillard plus jeune que maman, le verbe lent. « Donne-moi les tiennes.

— Je suis désolée, mais je n'en ai pas. Je les ai échangées. Je ne fume pas. La semaine prochaine, quand on recevra notre paie, vous les aurez toutes.

— À quoi bon la semaine prochaine ? La semaine prochaine tu me raconteras un autre bobard. » La sentinelle se mit à faire claquer son fouet dans leurs jambes. Il avait la figure et les oreilles cramoisies. « Vous autres, Ukrainiens, vous n'êtes qu'une bande de sales ingrats. On vous sauve des griffes des communistes. On vous amène chez nous, on vous nourrit, on vous donne du travail. Et tout ce que vous trouvez à faire, c'est nous voler. Il faut te donner une leçon. On a un quartier disciplinaire pour les vermines de ton espèce. T'as entendu parler du bloc F ? On t'a dit comme on s'occupe bien de vous là-bas ? Tu ne vas pas tarder à savoir. »

Dans tout le camp circulaient des rumeurs sur le quartier disciplinaire, une rangée de quarante-huit minuscules cellules en ciment à demi enterrées comme autant de cercueils dressés, alignées à l'écart du camp de travail. L'hiver, le froid et la pluie ajoutaient au tourment des prisonniers ; l'été, c'était la déshydratation. On avait vu des gens traînés hors des cellules au bout de dix, vingt ou trente jours, hagards, squelettiques. Au-delà, disait-on, personne n'en sortait vivant.

« Non ! supplia ma mère. Pitié ! »

Elle saisit Vera et la cacha dans sa jupe. Elles se blottirent contre le mur. La sentinelle s'approcha tout près et vint coller son nez sous le sien. Il avait un fin duvet blond qui luisait au menton. Il devait avoir une petite vingtaine d'années.

« Vous avez l'air si gentil », l'implora maman en butant sur les obscurs mots allemands. Elle avait les larmes aux yeux. « Ayez pitié de nous, jeune homme.

— On a pitié. On ne va pas te séparer de ton enfant. » Il pérorait, ivre de pouvoir, en postillonnant sur elles à travers ses dents mal plantées. « Tu vas aller avec elle, espèce de vermine.

— Pourquoi faire ça ? N'avez-vous pas une sœur ? N'avez-vous pas une mère ?

— Pourquoi tu me parles de ma mère ? Ma mère est une bonne Allemande. » Il s'interrompit un instant, plissa les yeux, mais il fut submergé par l'excitation ou se trouva à court d'imagination. « On va t'apprendre à empêcher tes enfants de voler. On va te rééduquer. Et ton ordure de mari, si t'en as un. On va tous vous punir. »

Le souffle de l'obscurité nous enveloppe. J'entends alors du lit d'en dessous un petit bruit discret, comme un reniflement étouffé. Je tends l'oreille, silencieuse, essayant de comprendre ce que c'est, car c'est un bruit que je n'ai jamais entendu, un bruit que j'ai toujours refusé d'entendre, un bruit que je n'aurais jamais cru possible. Le bruit de Grande Sœur qui pleure.

Un jour, je demanderai à Vera de me parler du quartier disciplinaire, mais ce n'est pas le moment. À moins que ma sœur n'ait raison : peut-être y a-t-il des choses qu'il vaut mieux ne pas savoir, car on ne peut jamais les effacer de sa mémoire. Papa et maman ne m'ont jamais parlé du quartier disciplinaire et j'ai grandi sans avoir la moindre idée de la noirceur tapie au fond de l'âme humaine.

Comment ont-ils pu passer le restant de leur vie sans jamais révéler le terrible secret qu'ils portaient dans leur cœur ? Comment ont-ils pu faire pousser des légumes, réparer des motos, nous envoyer à l'école et s'inquiéter de nos résultats d'examens ?

C'est pourtant ce qu'ils ont fait.

27

Une main-d'œuvre au rabais

« Enfin, papa, sois raisonnable, lance Grande Sœur en posant brutalement le pot de lait sur la table. Tu ne peux pas être le père du bébé. Pourquoi crois-tu qu'elle a pris la fuite quand j'ai suggéré un test de paternité ?

— Tu as toujours été un despote qui fourre son nez partout, réplique papa en noyant ses céréales dans la crème du lait avant d'enfouir le tout sous une montagne de sucre. Laisse-moi tranquille. Retourne à Londres. Va-t'en ! » Malgré ses mains tremblantes il essaie d'engloutir les céréales, mais se met à tousser en crachant des paillettes de blé de l'autre côté de la table.

« Pour une fois dans ta vie, tu ne pourrais pas te conduire en adulte ? Tu as perdu la tête ? Tu n'es pas le père du bébé, c'est toi le bébé. Tu as vu un peu comment tu te comportes ? Tu es devenu complètement infantile !

— L'infantilisme ! Ah, ah, ah ! » Il donne un coup de cuillère sur la table. « Tu ressembles de plus en plus à Lénine. »

J'interviens, perfide :

« C'est une bonne idée de faire un test de paternité, comme ça tu sauras non seulement si tu es le père du bébé, mais aussi si c'est un garçon ou une fille.

— Hmm, hmm. » Il s'interrompt en plein milieu d'une quinte de toux. « Bonne idée. Garçon ou fille. Bonne idée. »

Vera me lance un regard admiratif.

Stanislav et Dubov sont dans le jardin de devant, renouant les liens père-fils sous le capot ouvert de la Rolls-Royce. Mike est toujours endormi dans le salon, mais il est tombé du canapé. Je prends le petit déjeuner avec Vera et papa dans la pièce du fond, qui lui tient désormais lieu de chambre et de salle à manger. Un soleil oblique entre à flots par les fenêtres poussiéreuses. Papa est encore en chemise de nuit, un curieux vêtement fait à partir d'une liquette en flanelle dont il a rallongé les pans en cousant grossièrement au fil à bouton noir des morceaux de pilou fermés devant par des lacets marron. Elle est déboutonnée au cou et sa vieille cicatrice hérissée de poils argentés nous fait des clins d'œil à chaque fois qu'il ouvre la bouche.

« Mais... » Il nous regarde tour à tour, l'air sceptique. « Test de paternité est possible seulement après naissance bébé. Et là, on sait clairement si c'est fille ou garçon, sans aucun test.

— Mais non, on peut effectuer un test de paternité avant la naissance du bébé. *In utero*. » Vera surprend mon regard. « On paiera, Nadia et moi.

— Hmm. » Il a toujours l'air aussi soupçonneux, comme s'il craignait de se faire piéger. (Nous, le piéger !)

Sur ce, on entend le grincement de la boîte aux lettres. Le courrier est arrivé. Au milieu d'une pile d'invitations à ouvrir des crédits *revolving*, d'offres extraordinaires de produits de soins ou de beauté et de promesses de fabuleux prix à réclamer, gagnés ou à gagner (papa : « Quelle chance elle a de gagner des prix pareils ! »), toutes adressées à Valentina, se trouve une lettre de Mlle Carter à l'intention de mon père. Elle lui rappelle que l'audience de divorce est fixée dans deux semaines et lui fait part d'une proposition de l'avocat de Valentina s'engageant à ne pas contester le divorce et renoncer à exercer le moindre droit sur les biens de mon père en contrepartie du versement d'une somme de vingt mille livres sterling pour règlement de tout compte.

« Vingt mille livres ! s'exclame Vera. C'est scandaleux !

— De toute façon, tu n'as pas vingt mille livres, papa. Ça règle le problème.

— Hmm, fait papa. Peut-être si je vends maison pour aller dans maison retraite...

— Non ! nous écrions-nous toutes les deux en chœur.

— Ou peut-être vous deux pour aider vieil imbécile... »

Manifestement, cette demande le trouble.

« Non ! Non !

— Mais si l'affaire est portée devant le tribunal... (Je réfléchis à voix haute.) Qu'est-ce qu'elle peut obtenir ?

— Évidemment, si c'est le père de l'enfant, elle peut obtenir la moitié des biens, répond Mme l'Experte en Divorce. Autrement, on ne lui accordera pas grand-chose, voire rien du tout.

— Tu vois bien, papa ! C'est pour ça qu'elle préfère passer un accord maintenant. Elle sait que l'enfant n'est pas de toi et que le tribunal ne lui accordera rien.

— Hmm...

— C'est un coup astucieux, dit Mme l'Experte en Divorce.

— Hmm...

— J'ai une idée, papa, dis-je en lui remplissant sa tasse de thé pour l'amadouer. Pourquoi ne pas appeler Laura Carter en lui disant que tu es prêt à lui verser vingt mille livres pour règlement de tout compte à condition qu'elle accepte de se soumettre à un test de paternité, à tes frais, ça va de soi, et que l'on prouve que l'enfant est de toi ?

— Quoi de plus équitable ? lance Mme l'Experte en Divorce.

— Quoi de plus équitable, Nikolaï ? » répète Mike. Il vient de se réveiller et se masse les tempes des deux mains sur le seuil de la porte. « Il reste du thé ? Je suis mal fichu. »

Papa regarde Mike, qui hoche la tête en l'encourageant d'un clin d'œil.

« Hmm… D'accord. » Papa hausse légèrement les épaules.

« Quoi de plus équitable ? dit Mlle Carter au téléphone. Mais… vous êtes sûre ?… »

Je me tourne vers mon père qui boit son thé, l'air concentré, le sourcil froncé, avec sa chemise de nuit dont les extensions à motifs cachemire couvrent à peine des genoux enflés par l'arthrite, des cuisses décharnées et au-dessus… Je me refuse à imaginer.

« Certaine, oui. »

Stanislav a emmené Dubov voir Valentina. Ils ont disparu ensemble ce matin dans la Rolls-Royce.

Dubov ne rentre qu'en début d'après-midi, seul, la mine sombre.

« Alors dites-nous, où habite-t-elle ? » je lui demande en ukrainien.

Il écarte les mains, paumes vers le haut.

« Je suis désolé, je ne peux pas vous dire. C'est confidentiel.

— Mais… il faut qu'on le sache. Il faut que papa le sache.

— Elle a très peur de vous deux, Nadia et Vera.

— Peur de nous ? » J'éclate de rire. « On est si effrayantes que ça ? »

Dubov sourit avec diplomatie.

« Elle a peur d'être renvoyée en Ukraïna.

— Mais c'est si effrayant que ça, l'Ukraïna ? »

Dubov réfléchit un instant. Il fronce ses sourcils sombres.

« En ce moment, oui. En ce moment, notre patrie bien-aimée est entre les mains des criminels et des gangsters.

— Oui, oui, intervient papa qui pèle en silence des pommes dans son coin, c'est exactement ce que dit Valentina. Mais dis-moi, Volodya Simeonovich, comment un peuple aussi intelligent a-t-il pu laisser faire ça ?

— Ah, Nikolaï Alexeevich, c'est le côté Far West du capitalisme auquel nous sommes soumis, répond Dubov de son ton posé d'élément intelligent. Tous ces conseillers occidentaux qui sont venus nous montrer comment construire une économie capitaliste, ils avaient pour modèle la cupidité des débuts du capitalisme américain. »

Mike, qui a saisi les mots *Americansky capitaleesm*, veut à présent s'y mettre.

« Vous avez raison, Dubov. Ce sont toutes ces foutaises néo-libérales. Les escrocs s'emparent de toutes les richesses et les répartissent dans des sociétés prétendues légales. Et avec un peu de chance, on peut peut-être en récupérer quelques miettes, nous autres. Rockefeller, Carnegie, Morgan. Ils ont tous commencé par être des escrocs de haut vol. Et maintenant leurs fondations riches à millions brillent de mille feux. (Il n'y a rien qu'il n'apprécie plus qu'une bonne prise de bec politique.) Nadia, tu peux traduire ça ?

— Pas vraiment. Mais je vais faire de mon mieux. » Je fais de mon mieux.

« Il y en a qui soutiennent que cette phase de banditisme est nécessaire au développement du capitalisme, ajoute Dubov.

— C'est fascinant ! s'écrie Vera. Vous voulez dire qu'on a délibérément fait venir des gangsters là-bas ?

(Soit son ukrainien est un peu rouillé, soit ma traduction est pire que je l'imaginais.)

— Pas exactement, explique patiemment Dubov. Mais les éléments de type gangsters qui sont sur place et dont les instincts prédateurs sont refrénés par la structure sociale se mettent à prospérer comme des mauvaises herbes dans un champ fraîchement labouré si jamais cette structure est mise à mal. »

Il parle sur un ton pédant passablement irritant, un peu comme papa. Généralement, c'est le genre de choses qui me fait grimper au mur, mais je suis touchée par ce sérieux.

« Mais vous voyez une solution, Dubov ? » demande Mike. Je traduis.

« À court terme, non. À long terme, oui, je crois. Personnellement, je penche pour le modèle scandinave. Prendre ce qu'il y a de mieux dans le capitalisme et le socialisme. » Dubov se frotte les mains. « Juste ce qu'il y a de mieux, Mikhaïl Gordonovich. Vous ne pensez pas ? »

(Le père de Mike s'appelait Gordon. Personne ne connaît l'équivalent russe, si tant est qu'il y en ait un.)

« Évidemment, c'est possible dans un pays industriel développé avec des syndicats puissants, comme la Suède. (Mike est en terrain connu.) Mais est-ce que ça marcherait en Ukraine ? »

Il me demande de traduire. Je regrette d'avoir accepté de lui servir d'interprète. On a tous les deux pris une matinée de congé et il faut qu'on y aille. Si ça continue comme ça, ils vont ressortir le vin de prune.

« Ah, c'est là le dilemme, soupire Dubov, la voix vibrante de toute l'émotion slave, ses yeux noirs comme du charbon rivés sur son auditoire. Mais l'Ukraine doit trouver sa voie. Pour l'instant, hélas, nous acceptons aveuglément tout ce qui vient de l'Ouest. Le meilleur, évidemment, mais aussi le pire. (Malgré moi, je persiste à traduire. Mike hoche la tête. Vera va à la fenêtre et allume une cigarette. Papa continue imperturbablement à éplucher ses pommes.) Quand nous pourrons oublier les terribles souvenirs du goulag, nous redécouvrirons ce que notre ancienne société socialiste avait de bon. Ce jour-là, tous ces conseillers apparaîtront sous leur vrai jour : des escrocs de haut vol qui pillent nos richesses nationales et montent des usines américaines où les nôtres travaillent pour des salaires de misère. Russes, Allemands, Américains – tous –, quand ils regardent l'Ukraine, que voient-ils ? Uniquement une source de main-d'œuvre au rabais. »

À mesure qu'il se laisse entraîner par son sujet, il parle de plus en plus vite en agitant ses grosses mains. J'ai du mal à le suivre.

« Autrefois, nous étions un peuple de fermiers et d'ingénieurs. Nous n'étions pas riches, mais nous ne manquions de rien. (Dans son coin, papa hoche la tête avec enthousiasme, le couteau à éplucher les pommes suspendu en l'air.) Aujourd'hui, les industries sont la proie des racketteurs, tandis que nos jeunes diplômés s'envolent à l'Ouest dans l'espoir de faire fortune. Nos exportations nationales se limitent à ces belles jeunes femmes vendues à la prostitution pour assouvir les monstrueux appétits des mâles occidentaux. C'est une tragédie. »

Il s'interrompt pour jeter un œil autour de lui, mais personne ne lui répond.

« C'est vrai que c'est une tragédie, finit par dire Mike. Et il y en a eu plein dans cette région.

— Ils se moquent de nous. Ils prétendent que nous avons la corruption dans le sang. » Dubov a pris un ton plus posé. « Moi, je dirais que c'est caractéristique du type d'économie qui nous est imposé. »

Vera, qui est toujours à côté de la fenêtre, a manifestement de plus en plus de mal à supporter la conversation.

« Valentina devrait être dans son élément », déclare-t-elle.

D'un regard, je lui intime l'ordre de se taire.

« Mais dites-moi, Dubov, lui dis-je, comment arriverez-vous à convaincre quelqu'un d'aussi... sensible que Valentina de retourner dans un endroit pareil ? »

Il hausse les épaules, les paumes tournées vers le ciel, tout en esquissant un petit sourire.

« Ça devrait être faisable. »

« C'est un homme fascinant, dit Mike.

— Mmm...

— Il a une sacrée connaissance de l'économie pour un ingénieur.

— Mmm... »

Nous ne sommes qu'à mi-chemin de chez nous et j'ai cours à trois heures. Au lieu de me concentrer sur « Les femmes à l'ère de la globalisation », je ne peux pas m'empêcher de repenser, moi aussi, aux propos de Dubov. Maman et Vera dans le camp de barbelés. Valentina trimant à longueur de temps à la maison de retraite, au bar de l'Imperial Hotel, et le tout pour un salaire de misère, sans compter le ménage à faire dans la chambre de mon père. Certes, elle est cupide, rapace, immorale, mais c'est une victime, elle aussi. De la main-d'œuvre au rabais.

« Je me demande bien comment ça va finir.

— Mmm... »

Ma génération a eu de la chance.

J'ignore comment Dubov s'y est pris pour faire sa cour pendant les quinze jours qui ont suivi, mais papa m'a dit qu'il prenait la Rolls tous les jours, parfois le matin, parfois le soir. Quand il rentrait, il était toujours d'humeur charmante et enjouée, quoique par moments il se montrât plus réservé.

C'est également Dubov qui soutenait mon père dans sa décision de divorcer à chaque fois qu'il changeait d'avis – autrement dit, tous les jours au début.

« Nikolaï Alexeevich, disait-il, Vera et Nadia ont bénéficié de ta sagesse paternelle quand elles étaient jeunes. Stanislav, lui aussi, a besoin d'être avec son père. Quant au bébé, un enfant jeune a besoin d'un père jeune. Contente-toi des enfants que tu as déjà eus.

— Hé, tu n'es plus si jeune que ça, Volodya Simeonovich », répliquait papa.

Mais Dubov restait toujours imperturbable :

« Peut-être, mais je suis beaucoup plus jeune que toi. »

Mlle Carter a reçu une lettre de l'avocat de Valentina refusant catégoriquement d'envisager un quelconque test de paternité, mais se disant prêt à accepter la somme bien inférieure de cinq mille livres pour règlement de tout compte.

« Qu'est-ce que je dois faire ? » demande papa.

« Qu'est-ce qu'on doit faire ? » je demande à Vera.

« Qu'est-ce que vous suggérez ? demande Vera à Mlle Carter.

— Proposez deux mille, répond cette dernière. C'est ce qu'un tribunal lui accorderait probablement. D'autant qu'à première vue il y a manifestement eu adultère.

— Absolument », dit Vera.

« J'en parle à papa », dis-je.

« D'accord. Comme tu veux, concède mon père. Tout le monde est contre moi, je vois.

— Ne sois pas idiot, papa, je rétorque d'un ton brusque. Ta seule ennemie, c'est ta propre folie. Encore heureux que ton entourage soit là pour te préserver de toi-même.

— Bon, bon, d'accord. J'accepte tout.

— Et devant le tribunal, je ne veux pas de "Je suis papa bébé". Pas de test de paternité, pas de "papa bébé". C'est d'accord ?

— D'accord, ronchonne-t-il. Tu es en train de devenir un monstre comme ta sœur, Nadia.

— Ça suffit, papa. » Je lui raccroche au nez.

L'audience du tribunal n'est plus que dans une semaine et tout le monde est un peu à cran.

28

Des Ray-Ban à monture dorée

Nous sommes à la veille de l'audience du tribunal, et l'avocat de Valentina n'a toujours pas répondu à l'offre de deux mille livres.

« On n'a plus qu'à y aller et voir ce que le tribunal lui accorde. »

Se pourrait-il qu'il y ait un léger tremblement dans la jeune voix raffinée de Mlle Carter ou est-ce mon angoisse qui me joue des tours ?

« Mais vous, Laura, qu'en pensez-vous ?

— C'est difficile à dire. Tout est possible. »

Il fait curieusement doux pour un mois de novembre. Le tribunal, un bâtiment moderne tout en longueur lambrissé d'acajou et pourvu de hautes fenêtres, est baigné par une lumière hivernale dure et cristalline où tout se détache avec une précision irréelle, comme dans un film. D'épaisses moquettes bleues étouffent le bruit des pas et des voix. L'air conditionné est légèrement surchauffé et ça sent la cire. Même les plantes en pot sont d'un vert trop luxuriant pour être vraies.

J'attends avec Vera, papa et Mlle Carter dans le vestibule de la salle d'audience qui nous a été attribuée. Vera est en tailleur de crêpe de fine laine pêche orné de boutons en écaille. Contrairement à ce qu'on pourrait penser, ça a beaucoup d'allure. Je porte la même veste et le même pantalon que j'avais au tribunal la dernière fois. Mlle Carter est en tailleur noir assorti d'un chemisier blanc. Papa, quant à lui, a remis son costume de mariage et sa chemise blanche avec le second bouton recousu au fil noir. Il manque le bouton du haut et le col est fermé par une curieuse cravate couleur moutarde.

Nous sommes aussi angoissés les uns que les autres.

Sur ce, arrive un jeune homme en robe et perruque d'avocat. Ça doit être l'avocat de papa. Mlle Carter fait les présentations. Nous échangeons des poignées de main et j'oublie aussitôt son nom. Que vaut-il, ce jeune homme qui s'apprête à jouer un rôle si important dans nos vies ? Il a l'air si quelconque dans sa tenue d'audience. Il a des manières brusques. Il nous dit qu'il s'est renseigné sur le juge et que ce dernier a une réputation « solide ». Il disparaît avec Mlle Carter dans une salle attenante.

Nous nous retrouvons seuls, Vera, papa et moi. Nous n'arrêtons pas de regarder la porte, ma sœur et moi, nous demandant quand est-ce que Valentina va arriver. Dubov n'est pas rentré hier soir, et ce matin il y a eu un instant d'embarras quand papa a failli refuser de venir à Peterborough. Nous craignons tous que le fait de la revoir n'entame sa détermination. Vera ne supporte plus le stress et sort fumer une cigarette. Je me retrouve seule avec papa, lui tenant la main. Il observe un petit insecte marron qui grimpe d'un pas hésitant le long de la tige d'une plante en pot.

« C'est une espèce de coccinelle, je crois », dit-il.

Mlle Carter et l'avocat reviennent alors et l'huissier nous emmène dans la salle d'audience. Au même moment, un homme grand et élancé avec des cheveux gris argenté et des lunettes style Ray-Ban à monture dorée prend place sur le banc des juges. Il n'y a toujours aucun signe de Valentina et de son avocat.

L'avocat se lève et explique les motifs du divorce, qui, d'après lui, ne saurait être contesté. Il décrit au juge les circonstances du mariage, insistant sur la disparité d'âge des deux parties et l'état de détresse dans lequel mon père se trouvait après la perte de sa femme. Il mentionne une série de liaisons. Le regard insondable à l'abri de ses lunettes à monture dorée, le juge prend des notes. L'avocat s'attarde alors en détail sur l'injonction faite à Valentina et son refus de se présenter. Mon père hoche la tête avec vigueur, et quand l'avocat en arrive aux deux voitures dans le jardin, il s'écrie : « Oui ! Oui ! Je coincé dans haie ! » L'avocat a le don pour raconter l'histoire de papa en lui donnant le rôle du héros bien mieux qu'il ne saurait le faire lui-même.

Il parle depuis presque une heure quand, soudain, on entend un brouhaha à l'extérieur de la salle d'audience. La porte s'entrouvre, l'huissier passe la tête, dit quelque chose au juge, et le juge hoche la tête. La porte s'ouvre alors en grand et qui débarque dans la salle d'audience ? Stanislav !

Il a fait un effort pour s'arranger. Il a mis son uniforme de l'école et lissé ses cheveux avec de l'eau. Il tient un dossier plein de paperasses qui s'échappent dans tous les sens quand il fait irruption dans la salle. Tandis qu'il les ramasse tant bien que mal, j'aperçois les photocopies des poèmes de mon père accompagnées de leurs traductions puériles. Mon père se lève d'un bond, le doigt pointé sur Stanislav.

« C'était pour lui ! Tout ça pour lui ! Parce qu'elle dit qu'il est génie et doit faire études OxfordCambridge !

— Veuillez vous asseoir, monsieur Mayevskyj », dit le juge.

Mlle Carter l'implore du regard.

Le juge attend que Stanislav ait repris ses esprits, puis le prie de venir à la barre.

« Je suis ici pour parler au nom de ma mère. »

L'avocat de papa se lève d'un bond, mais le juge lui fait signe de se rasseoir.

« Laissons ce jeune homme dire ce qu'il a à dire. Alors, jeune homme, pouvez-vous nous expliquer pourquoi votre mère n'est pas représentée à l'audience ?

— Ma mère est à l'hôpital, répond Stanislav. Elle est allée là-bas pour avoir un bébé. C'est le bébé de M. Mayevskyj », conclut-il de son sourire ébréché tout en fossettes.

— Non ! Non ! » Vera se lève d'un bond. « Ce n'est pas le bébé de mon père ! C'est le fruit de l'adultère. » Ses yeux lancent des éclairs.

« Veuillez vous asseoir, mademoiselle… euh… madame… euh », fait le juge.

Il se tourne vers Vera et soutient un instant son regard. Est-ce le feu de la discussion ou se peut-il réellement qu'elle ait rougi ? Sans mot dire, elle se rassied. Mlle Carter griffonne fiévreusement quelque chose sur un bout de papier qu'elle fait passer à l'avocat, qui s'avance aussitôt.

« Il y a eu une offre de vingt mille livres sterling à condition que soit effectué un test de paternité prouvant que l'enfant est de lui. Mais l'offre a été refusée. Une offre d'un montant inférieur non soumise à l'obligation d'effectuer un test de paternité a été alors proposée. Offre qu'a refusée M. Mayevskyj.

— Merci », dit le juge. Il prend des notes. « Bien, poursuit-il à l'adresse de Stanislav, vous avez expliqué pourquoi votre mère ne s'est pas présentée à l'audience, mais non pour quelle raison elle n'est pas représentée. Elle n'a pas d'avocat ? »

Stanislav hésite, marmonne quelque chose. Le juge lui ordonne de parler plus fort.

« Elle a eu un désaccord avec l'avocat », dit-il.

Il est cramoisi. J'entends tousser violemment à ma gauche. Mlle Carter a le visage enfoui dans son mouchoir.

« Poursuivez, dit le juge. Quelle était la raison de ce désaccord ?

— L'argent, murmure Stanislav. Elle a dit que c'était pas assez. Elle a dit que l'avocat n'était pas assez intelligent. Elle a dit que je devais aller vous voir pour demander plus. » Il a la voix qui se brise et des larmes qui brillent dans les yeux. « Vous comprenez, monsieur, on a besoin de l'argent, pour le bébé. Pour le bébé de M. Mayevskyj. Et on n'a plus de toit. Il faut qu'on revienne dans la maison. »

Aah ! Le silence s'abat sur la salle d'audience, chacun retient son souffle. Mlle Carter a les yeux fermés, comme plongée en pleine prière. Vera tripote nerveusement un bouton d'écaille. Même papa est hypnotisé. Finalement, le juge reprend la parole :

« Merci, jeune homme. Vous avez fait ce que votre mère vous a demandé. Ce n'est pas facile de parler devant un tribunal à votre âge. Je vous félicite. Et maintenant, veuillez vous asseoir. »

Il se tourne vers nous.

« Je propose d'ajourner la séance d'une heure. Il y a un distributeur de café dans le hall, je crois. »

Vera s'éclipse par-derrière pour aller fumer une autre cigarette. Le tribunal est un espace non-fumeurs et, comme la plupart des bâtiments de ce genre, une zone y est officieusement réservée à l'extérieur pour les fumeurs. Papa ne veut pas de café et réclame un jus de pomme. Comme il n'y en a pas dans le palais de justice, je vais faire un tour dehors pour voir si je peux en trouver dans une épicerie.

Je me dirige vers un petit drugstore que j'ai repéré un peu plus bas dans la rue quand soudain j'aperçois Stanislav qui disparaît au coin d'une rue. Il a l'air pressé. Sans trop savoir pourquoi, je passe sans m'arrêter devant le drugstore et poursuis mon chemin jusqu'au croisement. Stanislav est presque au bout de la rue. Il traverse et tourne à gauche, après la cathédrale. Je le suis. Au moment où il disparaît, je me mets à courir pour le rattraper. Lorsque j'arrive sur place, je tombe sur un petit passage étroit qui débouche sur un dédale d'arrière-boutiques et de maisons mitoyennes décrépies. C'est un quartier de la ville que je ne connais pas. Aucune trace de Stanislav. Je regarde autour de moi, me sentant ridicule. S'est-il aperçu que je le suivais ?

Je me rends compte alors que l'heure s'est presque écoulée. Je me dépêche de retourner au palais, m'arrêtant en chemin au drugstore que j'avais vu à l'aller pour acheter une brique de jus de pomme avec une paille. Je coupe par le parking et j'arrive au tribunal par l'arrière. Il y a une plate-forme où sont entreposées les poubelles et un escalier de secours en métal accroché au mur de derrière. Au niveau du premier étage, à gauche, je distingue Vera dans son élégant tailleur pêche qui tire sur sa cigarette en s'appuyant contre la rambarde. Elle n'est pas seule ; à côté d'elle, un grand monsieur en costume écrase subrepticement une cigarette du pied. En m'approchant, je m'aperçois qu'il s'agit du juge.

Mlle Carter attend à l'intérieur avec papa. Il est resté les trois quarts du temps aux toilettes et il est à présent surexcité, passant tour à tour de l'espoir (« Le juge va lui accorder deux mille livres et elle me laissera enfin tranquille avec mes souvenirs pour seul réconfort ») au désespoir (« Je vais vendre et aller dans maison de retraite »). Mlle Carter fait de son mieux pour le calmer. Quand je tends à papa la brique de jus de pomme, elle est soulagée. Il perce l'opercule de papier aluminium avec le bout effilé de la paille et aspire goulûment. Sur ce, Vera revient s'asseoir de l'autre côté de papa et lui dit chut ! pour qu'il fasse moins de bruit. Il l'ignore. Soudain, à la dernière minute, Stanislav déboule en courant, hors d'haleine et tout en sueur. Où était-il ?

L'huissier ouvre la porte et nous invite à nous rendre dans la salle d'audience. Quelques instants plus tard, le juge fait son entrée. La tension est insoutenable. Le juge reprend place, toussote, nous salue. Puis il énonce son jugement. Il parle pendant une dizaine de minutes, s'attardant sur les mots « demandeur », « jugement », « application », « décharge ». L'avocat hausse imperceptiblement les sourcils. Je crois voir un frémissement au coin de la bouche de Mlle Carter. Quant à nous, nous le regardons d'un air ébahi – même notre Experte en Divorce. Nous ne comprenons pas un traître mot de ce qu'il raconte.

Il termine son discours. Le tribunal est plongé dans le silence. Nous restons figés, presque envoûtés, comme si cette longue incantation de termes incompréhensibles avait jeté un sortilège sur la salle. Le soleil rasant qui pénètre par la haute fenêtre se reflète subitement dans la monture dorée des lunettes Ray-Ban et les mèches argentées du juge qui irradie tel un ange. Le silence est brusquement rompu par un bruit de gargouillement. C'est papa qui aspire à la paille les dernières gouttes de son jus de pomme.

Est-ce mon imagination ou ai-je entrevu un sourire fugace sur le visage impénétrable du juge ? Puis il se lève (tout le monde se lève), foule en silence la moquette bleue de ses écrase-mégots soigneusement lustrés et franchit la porte.

« Alors, qu'est-ce qu'il a dit ? »

Nous sommes attroupés dans le hall autour de Mlle Carter, buvant du café dans les gobelets de polystyrène du distributeur, bien que nous n'ayons franchement pas besoin de caféine.

« Il a accordé le divorce à M. Mayevskyj comme nous l'avions demandé », répond Mlle Carter avec un sourire radieux. Elle a ôté sa veste noire, révélant des auréoles de transpiration sous ses aisselles de jeune Anglaise.

« Et pour l'argent ? demande Vera.

— Il n'a rien accordé puisqu'il n'y a pas eu de requête.

— Vous voulez dire que ?...

— Normalement le divorce est assorti d'un accord financier, mais dans la mesure où elle n'était pas représentée, aucune demande n'a été formulée. » Elle s'efforce de garder l'air sérieux.

« Mais, et Stanislav ?... » Je suis encore inquiète.

« Elle ne perdait rien à essayer. Mais ça doit être fait dans les règles, avec un représentant en bonne et due forme. Je pense que c'est ce que Paul explique à Stanislav. »

Le jeune avocat a enlevé sa robe et sa perruque, et il est assis dans le coin à côté de Stanislav, le bras passé autour de son épaule. Stanislav pleure toutes les larmes de son corps.

Papa, qui a suivi attentivement la discussion, bat des mains en jubilant :

« Rien eu ! Ah, ah, ah ! Trop cupide ! Rien ! Justice anglaise meilleure du monde !

— Mais..., l'avertit Mlle Carter en agitant le doigt. Mais elle peut encore réclamer au tribunal une pension alimentaire. Quoique dans de telles circonstances il soit plus courant d'en faire la demande auprès du père de l'enfant. Si tant est qu'elle sache qui c'est. Et si... et si... » Elle ne peut plus refréner son fou rire. Nous attendons. Elle se reprend. « Si elle réussit à trouver un avocat qui accepte de la représenter.

— Que voulez-vous dire ? demande l'Experte en Divorce. Elle doit bien avoir un avocat.

— Vous savez, répond Mlle Carter, je ne suis pas censée vous le dire, mais dans une ville de la taille de Peterborough tout le monde se connaît dans le milieu des avocats. » Elle s'interrompt, sourit. « Et tout le monde connaît Valentina maintenant. Elle a fait le tour de quasiment tous les cabinets de la ville. Ils ont fini par en avoir assez de la voir débouler au pas de charge avec ses exigences grotesques. Elle a refusé de suivre l'avis de qui que ce soit. Elle s'est mis en tête qu'elle avait le droit à la moitié de la maison et a refusé d'écouter tous ceux qui lui disaient le contraire. Puis elle a fait des pieds et des mains pour obtenir l'aide juridique afin de défendre son point de vue au tribunal – incroyablement arrogante, débarquant comme une fleur avec son manteau de fourrure et ses manières de poissonnière, exigeant ceci et puis cela. Et le tout aux frais de l'aide juridique. Les règles sont très strictes, vous savez. Certains cabinets l'ont suivie un temps, tant qu'ils recevaient des honoraires. Mais s'ils ne se pliaient pas à ses quatre volontés, elle claquait la porte. C'est ce qui a dû se passer quand nous avons offert les deux mille livres. Je parie que son avocat lui a conseillé d'accepter. » Elle surprend mon regard. « C'est ce que j'aurais fait à sa place.

— Mais le juge ne peut pas le savoir.

— À mon avis, il a dû comprendre, glousse Mlle Carter. Il n'est pas idiot.

— Solide ! » murmure Vera, le regard perdu dans le lointain.

À notre retour, la maison nous paraît froide et lugubre après l'agitation de la salle d'audience. Il n'y a rien à manger dans le réfrigérateur et le chauffage central est éteint. Un tas de casseroles, d'assiettes et de tasses s'empile dans l'évier, et la table est jonchée d'un stock supplémentaire d'assiettes et de tasses qui ne sont pas encore parvenues jusqu'à l'évier. Il n'y a aucune trace de Dubov.

Sitôt franchi le seuil, le moral de papa retombe à zéro.

« On ne peut pas le laisser ici tout seul, je chuchote à Vera. Tu peux rester avec lui ce soir ? Je ne peux pas m'absenter un jour de plus.

— Sans doute, oui, soupire-t-elle.

— Merci.

— De rien. »

Papa émet une brève protestation en apprenant cet arrangement, mais il semblerait qu'il comprenne lui aussi que les choses doivent changer. Pendant que Vera va faire quelques courses, je reste avec lui dans le salon.

« Papa, je vais me renseigner sur les résidences pour personnes âgées. Tu ne peux pas vivre ici tout seul.

— Non, non. Hors de question. Pas résidence personnes âgées. Pas maison de retraite.

— Papa, cette maison est trop grande pour toi. Tu ne peux pas l'entretenir. Tu n'as pas les moyens de la chauffer. Dans une résidence, tu pourras avoir un joli petit appartement rien qu'à toi. Avec une surveillante pour s'occuper de toi.

— Surveillante ! Pff ! » Il lève les mains d'un geste théâtral. « Aujourd'hui, au tribunal, le juge a dit que je pouvais vivre dans ma maison. Et maintenant tu me dis que je ne peux pas vivre ici ? Je dois retourner au tribunal ?

— Ne sois pas ridicule, papa. Écoute. (Je pose ma main sur la sienne.) Mieux vaut partir maintenant, tant que tu peux encore te débrouiller tout seul, dans ton appartement à toi, avec une porte à toi que tu peux fermer avec tes clés à toi pour pouvoir faire ce qui te chante. Et une cuisine à toi où tu peux te préparer ce que tu veux. Et ta chambre à toi, où personne ne peut entrer. Avec ta salle de bains et tes toilettes à toi, juste à côté de la chambre.

— Hmm…

— On vendra cette maison à une famille bien, on déposera l'argent à la banque, et les intérêts suffiront à payer le loyer.

— Hmm… »

Je le vois peu à peu changer d'expression à mesure que je parle.

« Où préfères-tu aller ? Préfères-tu rester du côté de Peterborough, pour être près de tes amis et du club ukrainien ? »

Il a le regard vide. C'est maman qui avait des amis. Lui, il avait des Idées de Génie.

« Ou veux-tu t'installer à Cambridge, pour être à côté de Mike et moi ? »

Silence.

« Bon, je vais voir à Cambridge, comme ça tu ne seras pas loin de nous. On pourra te rendre visite plus souvent.

— Hmm. D'accord. »

Il s'enfonce dans le fauteuil qui est en face de la fenêtre, puis renverse la tête contre un coussin et reste là à regarder en silence les ombres tomber sur les champs qui s'obscurcissent. Le soleil est déjà couché, mais je ne tire pas les rideaux. Lentement, le crépuscule envahit la pièce.

29

Dernier repas

À mon retour, Mike est sorti, mais Anna est là. Je l'entends papoter au téléphone de sa voix pétillante agitée d'éclats de rire argentins et l'amour me saisit le cœur. J'ai pris garde de ne pas trop lui en dire sur papa, Valentina et Vera, et les rares fois où je lui en ai parlé, j'ai plaisanté sur nos désaccords. Je veux la protéger, tout comme mes parents m'ont protégée. Pourquoi l'accabler de toutes ces vieilles histoires tristes ?

J'envoie balader mes chaussures, je me fais un thé, mets de la musique et m'allonge sur le canapé avec une pile de journaux. J'ai de la lecture à rattraper. Sur ce, on frappe et Anna passe la tête par la porte.

« Tu as une minute, maman ?

— Bien sûr. Qu'est-ce qu'il y a ? »

Elle porte un jean moulant et un haut qui lui couvre à peine le nombril. (Pourquoi s'habille-t-elle comme ça ? Elle sait bien comment sont les hommes, non ?)

« Je veux te parler, maman. » Son ton est grave.

Mon cœur se met à battre à tout rompre. Serais-je si absorbée par le drame de mon père que j'en aurais oublié ma propre fille ?

« D'accord. Je t'écoute.

— Maman (elle s'installe à côté de mes pieds, à l'autre bout du canapé), j'ai parlé à Alice et à Alexandra.

On a déjeuné ensemble la semaine dernière. C'est Alice que j'avais au téléphone juste à l'instant. »

Alice, la cadette de Vera, a quelques années de plus qu'Anna. Elles n'ont jamais été proches. C'est nouveau. J'ai une pointe d'inquiétude.

« C'est super, ma chérie. De quoi avez-vous parlé ?

— On a parlé de toi... et de tante Vera. » Elle s'interrompt, et me regarde écarquiller les yeux avec un étonnement feint. « Je trouve que c'est idiot, cette querelle avec tante Vera.

— Quelle querelle, mon ange ?

— Tu sais très bien. À propos de cette histoire d'argent. Du testament de mamie.

— Oh ! fais-je en riant. Pourquoi avez-vous parlé de ça ? (Comment ont-elles osé ? Qui leur a dit ? Ça ne m'étonnerait pas que Vera soit allée tout leur raconter.)

— On trouve ça totalement idiot. On se fiche de l'argent. On se fiche de savoir qui l'a. On voudrait que tout le monde s'entende, comme dans une famille normale. On s'entend bien, nous – Alice, Lexi et moi.

— Mais, ma chérie, ce n'est pas aussi simple que ça... (Ne voit-elle pas que l'argent est notre seul rempart contre la faim ?) Et puis ce n'est pas seulement une question d'argent... (Ne voit-elle pas que tout est figé par le temps et la mémoire ? Ne voit-elle pas qu'une fois qu'une histoire a été racontée d'une certaine façon, il est impossible de la raconter autrement ? Ne voit-elle pas qu'il y a des choses qui doivent être dissimulées et enfouies, pour que la honte qui y est attachée ne vienne pas salir la génération suivante ? Non, elle est jeune et tout est possible.) Mais ça vaut peut-être la peine d'essayer. Et Vera ? Il ne vaudrait pas mieux en parler à Vera ?

— Alice va lui parler demain... Alors, maman, qu'est-ce que tu en penses ?

— D'accord. » Je me penche pour l'embrasser.
(Comme elle est maigre !) « Je vais faire de mon
mieux. Tu devrais manger plus. »

Elle a raison. C'est idiot.

Toutes les résidences pour personnes âgées à
proximité de Cambridge sont sur liste d'attente, mais,
avant même d'avoir eu le temps de les visiter, je
reçois un nouveau coup de fil :

« Dubov est revenu. Valentina est revenue avec
bébé. Stanislav est revenu. »

Il a la voix surexcitée ou, qui sait, peut-être
inquiète. Difficile à dire.

« Papa, ils ne peuvent pas s'installer tous chez toi.
C'est ridicule. De toute façon, je croyais que tu avais
accepté d'envisager une résidence pour personnes
âgées.

— Pas problème. C'est arrangement temporaire
seulement.

— C'est-à-dire, temporaire ?

— Quelques jours. Quelques semaines. » Il tousse
en crachotant. « Jusqu'à temps de partir.

— Partir où ? Quand ça ?

— S'il te plaît, Nadia, pourquoi tu poses tant de
questions ? Je te dis : tout va bien. »

Une fois qu'il a raccroché, je m'aperçois que j'ai
oublié de demander si le bébé est un garçon ou une
fille et s'il sait qui est le père. Je pourrais le rappeler,
mais je sais déjà qu'il faut que j'y aille, que je voie par
moi-même, que je respire le même air pour satisfaire… Quoi ? Ma curiosité ? Non, c'est une soif, une
obsession. Le samedi suivant, je me mets en route,
impatiente.

En arrivant, je trouve la Lada garée dans la rue. La
Poubelle et la Rolls-Royce sont côte à côte dans le
jardin, où j'aperçois Dubov qui tripote des barres
métalliques.

« Ah, Nadia Nikolaïeva ! » Il me serre dans ses bras. « Tu es venue voir le bébé ? Valya ! Valya ! Regarde qui est là ! »

Valentina apparaît à la porte, encore en robe de chambre et mules à pompons et hauts talons. Je n'irais pas jusqu'à dire qu'elle est ravie de me voir, mais elle m'invite à entrer.

Dans le salon trône un lit de bébé peint en blanc où un nourrisson dort profondément. Ses yeux sont fermés, si bien que je ne peux pas dire de quelle couleur ils sont. Ses bras dépassent de la courtepointe et ses petits poings serrés contre ses joues laissent apparaître des pouces aux ongles luisants comme de minuscules coquillages roses. La bouche ouverte, sans dents, il respire et pousse des soupirs en produisant de petits bruits de succion dans son sommeil et la peau duveteuse de sa fontanelle se soulève et retombe au rythme de sa respiration.

« Oh, Valentina, il est magnifique ! C'est une fille ou un garçon ?

— Fille. »

Je remarque alors que la courtepointe est ornée de petites fleurs roses brodées et que les manches de sa veste sont rose poudre.

« Elle est magnifique !

— Je penser. » Valentina sourit fièrement comme si elle s'attribuait le mérite d'avoir un aussi beau bébé.

« Vous savez comment vous allez l'appeler ?

— Appeler Margaritka. Nom de mon amie Margaritka Zadchuk.

— Très joli. » (Pauvre enfant !)

Elle me montre une pile de layette rose ajourée posée sur une chaise à côté du berceau, admirablement tricotée avec de la laine polyester très douce.

« Elle faire ça.

— Magnifique !

— Et être nom président anglais très célèbre.

« — Pardon ?

— Mme Tatsher.

— Ah. »

Le bébé se réveille, ouvre les yeux, et quand il nous voit l'observer au pied de son berceau, sa figure se plisse, entre pleurs et sourire. « Gheuh, gheuh, fait la petite fille, laissant échapper un filet blanchâtre du coin de sa bouche. Gheuh, gheuh. » Sur ce, ses joues se creusent de petites fossettes.

« Oh ! »

Elle est belle. La vie lui appartient. Rien de ce qui a pu se passer avant n'est de sa faute.

Papa a dû m'entendre arriver, car il débarque, rayonnant.

« C'est bien tu as pu venir, Nadia. »

Nous nous embrassons.

« Tu as l'air en pleine forme, papa. » C'est vrai. Il s'est un peu remplumé et porte une chemise propre. « Mike t'embrasse. Il est désolé de n'avoir pas pu venir. »

Quand il est entré, Valentina a fait mine de l'ignorer et elle sort de la pièce en tournant ses talons hauts sans un mot. Je ferme la porte et chuchote à papa :

« Alors, qu'est-ce que tu penses du bébé ?

— C'est fille, me chuchote-t-il à son tour.

— Je sais. Elle est mignonne, hein ? Tu sais qui est le père ? »

Papa me fait un clin d'œil et prend l'air espiègle.

« Pas moi. Ah, ah, ah. »

D'une des chambres d'en haut résonne un martèlement de *heavy metal*. Les goûts musicaux de Stanislav ont manifestement évolué depuis l'époque de Boyzone. Papa surprend mon regard et se bouche les oreilles en faisant la grimace.

« Musique de dégénérés.

— Tu te souviens, papa, que tu refusais que j'écoute du jazz quand j'étais jeune ? Tu disais que c'était de la musique de dégénérés. »

303

Soudain, je le revois descendre comme un ouragan à la cave pour couper l'électricité sous les ricanements de mes copains d'adolescence tellement *cool*.

« Ah, oui. » Il hoche la tête. « C'était probablement vrai. »

Pas de jazz. Pas de maquillage. Pas de petits amis. Pas étonnant que je me sois rebellée dès que j'ai pu.

« Tu étais un père épouvantable. Un vrai tyran. »

Il toussote.

« Parfois, la tyrannie est préférable à l'anarchie.

— Pourquoi ces deux-là ? Pourquoi pas plutôt la négociation et la démocratie ? » Cette conversation est subitement devenue trop sérieuse. « Tu veux que je demande à Stanislav de baisser un peu ?

— Non, non. Peu importe. Demain ils partent.

— Ah bon ? Ils partent demain ? Où vont-ils ?

— Ils retournent en Ukraïna. Dubov fabrique une galerie pour le toit. »

Dans le jardin, un moteur de voiture se met soudain à vrombir. C'est la Rolls-Royce qui s'anime brusquement. Nous nous mettons à la fenêtre pour regarder. La Rolls est là, vibrante, et le fait est qu'on lui a ajouté une robuste galerie de fabrication artisanale qui s'étend sur toute la longueur du toit. Dubov a soulevé le capot et tripatouille le moteur en le faisant tourner plus ou moins vite.

« Dernier réglage, explique papa.

— Mais est-ce que la Rolls va arriver jusqu'en Ukraine ?

— Bien sûr. Pourquoi pas ? »

Dubov lève les yeux, nous aperçoit à la fenêtre et nous fait signe. Nous lui faisons signe à notre tour.

Ce soir-là, nous sommes six autour de la table de la chambre-salle à manger : papa, Dubov, Valentina, Stanislav, Margaritka et moi.

Valentina a préparé à la va-vite cinq parts de tranches de bœuf à l'oignon accompagnées de petits pois et de frites au four, le tout surgelé. Elle a quitté sa robe de chambre, mais gardé ses mules à pompons et hauts talons portés avec une espèce de fuseau élastique à sous-pieds qui lui moule le derrière (quand je vais raconter ça à Vera !) et un polo bleu pastel ajusté. Elle est de fort bonne humeur et sourit à tout le monde, excepté à papa à qui elle balance ses tranches de bœuf avec une rudesse superflue.

Assis dans le coin, papa coupe tout méticuleusement en petits morceaux qu'il examine un à un avant de les mettre dans sa bouche. La peau des petits pois lui irrite la gorge et il se met à tousser. À côté de lui, Stanislav mange en silence, le nez dans son assiette. Il me fait de la peine d'avoir ainsi été humilié au tribunal et j'essaie d'entreprendre la conversation, mais il me répond par monosyllabes en évitant mon regard. Lady Di et sa fiancée, qui ont profité du bref passage de leur ancienne maîtresse pour oublier leur savoir-vivre, rôdent en miaulant autour de la table, réclamant à manger. Tout le monde obtempère, surtout papa qui leur lance quasiment tout ce qu'il a dans son assiette.

À l'extrémité de la table, Dubov donne le biberon au minuscule bébé délicatement lové entre ses bras. La remarquable poitrine de Valentina n'est manifestement là que pour le décor.

Après le dîner je fais la vaisselle, tandis que Valentina et Stanislav montent finir leurs bagages. Papa se retire avec Dubov dans le salon, où je les rejoins quelques instants plus tard. Je les trouve plongés dans un document sur lequel ils dessinent un croquis technique – une voiture à côté d'un poteau vertical, tous deux reliés par des lignes droites. Ils mettent le document de côté et papa sort le manuscrit de son chef-d'œuvre, puis s'installe dans le fauteuil avec ses lunettes réparées au papier collant d'emballage sur le nez. Il me laisse passer pour que je m'installe à côté de lui.

Toute technologie bénéfique à la race humaine doit être employée avec respect et à bon escient. C'est encore plus vrai dans le cas du tracteur.

Il lit avec aisance en ukrainien, en s'interrompant de temps à autre dans un but purement théâtral, la main levée telle une baguette de chef d'orchestre.

Car le tracteur, malgré l'espoir qu'il portait initialement de délivrer l'humanité des tâches écrasantes qui pesaient sur elle, nous a également conduits au bord de la faillite à force d'abus et de négligence.

C'est une constante de son histoire, mais l'exemple le plus frappant date des années vingt, en Amérique.

J'ai expliqué comment le tracteur a permis l'essor des grandes prairies de l'Ouest. Mais pour les successeurs des premiers pionniers, cela ne suffisait pas. Ils estimaient que, dans la mesure où l'usage du tracteur permettait un meilleur rendement des terres, un usage plus systématisé accroîtrait encore ce rendement. C'était une tragique erreur.

Le tracteur doit toujours être employé pour aider la nature, non pour la diriger. Le tracteur doit travailler en harmonie avec le climat, la fertilité de la terre, l'humilité des fermiers. Autrement il conduit au désastre, comme nous le montre l'exemple du Midwest.

Ces nouveaux cultivateurs de l'Ouest n'avaient pas étudié le climat. Certes, ils se plaignaient de la sécheresse et de la violence des vents, mais ils ne tinrent aucun compte des avertissements. Ils labourèrent tant et plus, persuadés que plus ils laboureraient, plus ils accroîtraient leurs profits. Puis les vents emportèrent toute la terre qui avait été labourée.

Le désert de poussière des années vingt et les privations sévères qu'il entraîna aboutirent au chaos économique qui se termina par l'effondrement de la Bourse en 1929.

Mais on peut ajouter que l'instabilité et l'appauvrissement qui se propagèrent à travers le monde sont également autant de facteurs de la montée du fascisme en Allemagne et du communisme en Russie, deux idéologies dont le conflit faillit mener la race humaine à sa perte.

Sur ce, cher lecteur, je te laisse méditer cette pensée. Emploie la technologie conçue par l'ingénieur, mais emploie-la avec humilité et discernement. Ne deviens jamais esclave de la technologie et ne l'emploie jamais pour dominer les autres.

Il conclut avec un geste théâtral, cherchant du regard l'approbation de son auditoire.

« Bravo, Nikolaï Alexeevich ! s'écrie Dubov en applaudissant.

— Bravo, papa ! je m'écrie.

— Gheuh, gheuh ! » s'écrie la petite Margaritka.

Papa rassemble les pages de son manuscrit qui jonchent le sol, les emballe dans du papier kraft et ficelle le tout. Il tend le paquet à Dubov.

« Sois gentil, Volodya Simeonovich. Emmène-le avec toi en Ukraine. Peut-être que quelqu'un le publiera là-bas.

— Non, non, proteste Dubov. Je ne peux pas accepter, Nikolaï Alexeevich. C'est l'œuvre de toute ta vie.

— Bah ! réplique papa en haussant modestement les épaules. Il est terminé maintenant. Prends-le, s'il te plaît. J'ai un autre livre en projet. »

30

Deux voyages

Je me réveille de bonne heure avec un torticolis. Hier soir, j'avais le choix entre partager les lits superposés avec Stanislav ou dormir sur le canapé à deux places, et j'ai opté pour cette seconde solution. Le jour est à peine levé et le ciel nuageux est couleur d'ardoise.

Mais il y a déjà du bruit et du mouvement dans la maison. Papa chante dans la salle de bains. Valentina, Stanislav et Dubov courent dans tous les sens pour charger la voiture. Je me fais du thé, puis je les observe par la fenêtre.

La capacité de la Rolls est sidérante. Viennent s'y entasser deux énormes sacs poubelles au contenu indéterminé, que Valentina fourre sans ménagement dans le coffre. Deux cartons contenant la collection de CD de Stanislav, coincés entre deux gros sacs de couches glissés sous la banquette arrière. Deux valises et le petit sac à dos de Dubov. Un poste de télévision (d'où vient-il ?) et une friteuse *(idem)*. Un carton plein de plats cuisinés en sachets et un autre de maquereaux en conserve. La petite photocopieuse portative. L'aspirateur bleu civilisé (que papa et Dubov ont adapté pour pouvoir y mettre des sacs ordinaires, me racontera ensuite mon père) et la cocotte-minute de ma mère (comment ose-t-elle ?).

Une fois le coffre plein (bang !), ils entreprennent de charger la galerie du toit. Apparaît le lit de bébé peint qui a été démonté et ficelé. Puis une énorme valise en fibres de verre, aussi volumineuse qu'une petite armoire. Un, deux, trois, et hop, là-haut ! Ensuite – non, je n'en crois pas mes yeux... plie les genoux, Stanislav ! plie les genoux ! – la cuisinière marron-pas-électrique-pas-cuisine-paysan que Stanislav et Dubov traînent dans le jardin en ployant sous le fardeau. Mais comment vont-ils faire pour la hisser sur le toit ?

Dubov a fabriqué une sorte de palan à l'aide d'une grosse corde et d'une épaisse toile. Il a lancé la corde par-dessus la branche d'un frêne bordant la rue et tiré dessus pour former un solide levier. Avec l'aide de Stanislav, il couche la cuisinière sur la toile. Puis Valentina saute au volant de la Lada et Dubov la dirige pour qu'elle vienne se garer devant la cuisinière. L'autre extrémité de la corde est alors attachée au pare-chocs. Elle avance lentement la voiture – doucement, Valenka, doucement ! – et la cuisinière s'élève peu à peu, se balance, puis reste suspendue en l'air, maintenue par Dubov qui fait alors signe à Valentina de s'arrêter. La Lada, dont le moteur tourne en surrégime, se met à fumer, mais le frein à main tient bon. Puis la Rolls est amenée – avec Stanislav au volant ! – et vient se positionner juste en dessous de la cuisinière qui se balance dans sa nacelle.

Papa, qui est descendu dans le jardin prêter main-forte à Dubov, lance des ordres en gesticulant comme un beau diable : « Avance un peu... Recule un peu... Stop ! »

Dubov fait signe à Valentina : « Vas-y, Valenka, recule. Doucement ! Doucement ! STOP ! »

Valentina n'est pas une championne de l'embrayage et la cuisinière atterrit sans ménagement, mais la

Rolls-Royce peut tenir le choc, tout comme la galerie de Dubov.

Tout le monde pousse des hourras, y compris les voisins qui sont sortis dans la rue. Valentina émerge de la Lada, rejoint Dubov en trottinant sur ses mules à hauts talons (pas étonnant que ses embrayages aient laissé à désirer) et lui fait une bise sur la joue : « *Holubchik !* » Au volant de la Rolls-Royce, Stanislav donne un coup de klaxon au timbre grave qui résonne avec élégance, et de nouveau les acclamations fusent de toutes parts.

Le chargement de la galerie est alors enveloppé dans la toile qui est arrimée à l'aide d'une corde, et voilà. Ils sont prêts à partir. Le manteau de fourrure de Valentina est étalé sur la banquette arrière pour accueillir la petite Margaritka, soigneusement emmaillotée dans des superpositions de couvertures.

Tout le monde s'embrasse, à l'exception de papa et de Valentina qui parviennent à s'éviter sans provoquer de scène. Dubov s'installe au volant. Le moteur de la Rolls-Royce ronronne avec un contentement de gros matou. Dubov embraie. Et les voilà partis. Je sors dans la rue avec papa pour leur faire des signes jusqu'à ce que la voiture disparaisse au tournant.

Se peut-il que ce soit réellement fini ?

Il y a encore quelques derniers détails à régler. Heureusement, Valentina a laissé les clés de la Lada dans la voiture, et je la rentre au garage. Dans la boîte à gants, je trouve les papiers, ainsi que – surprise – les papiers et les clés de la Poubelle. Elles ne peuvent pas servir à papa, car son permis a expiré depuis des années et le Dr Figges refuse de signer le formulaire d'autorisation de renouvellement.

Dans la cuisine, la vieille cuisinière électrique de maman a été remise à la place de celle à gaz et fonctionne impeccablement, même le brûleur qui était cassé avant. Il y a un peu de ménage à faire, mais rien de comparable avec la dernière fois. Dans la chambre de Stanislav, je ne découvre qu'une paire de baskets nauséabondes. Dans celle de devant, il reste de vieux vêtements abandonnés, des tas de papiers d'emballage, des sacs plastique vides et des cotons couverts de traces de maquillage. Un des sacs est rempli de papiers. J'y jette un coup d'œil : ce sont ceux que j'avais entreposés dans le congélateur. Au milieu, j'aperçois le certificat et les photos de mariage. Là où elle va, elle n'en aura plus besoin. Faut-il que je les jette ? Non, pas encore.

« Tu es triste, papa ?

— Première fois Valentina est partie, triste. Cette fois, pas trop triste. C'est belle femme, mais peut-être je ne la rendais pas heureuse. Peut-être avec Dubov, elle plus heureuse. En Ukraïna peut-être il va devenir riche.

— Ah bon ? Comment ça ?

— Ha, ha ! J'ai donné mon dix-septième brevet ! »

Il m'emmène dans le salon et sort une boîte pleine de papiers. Ce sont des dessins techniques – minutieux, détaillés, annotés de sa main de hiéroglyphes mathématiques.

« Seize brevets j'ai déposés dans ma vie. Tous utiles. Aucun n'a rapporté d'argent. Le dernier, c'est dix-septième – pas le temps de déposer.

— C'est un brevet de quoi ?

— Un support d'outils pour tracteur. Pour pouvoir utiliser un même tracteur avec plusieurs outils – charrue, herse, pulvérisateur –, le tout facilement interchangeable. Bien sûr, il existe déjà quelque chose de ce genre, mais là c'est modèle supérieur. Je l'ai montré à Dubov. Il sait comment l'utiliser. Peut-être que ça sera renouveau industrie tracteur ukrainienne. »

Est-ce un fou ou un génie ? Allez savoir.

« Viens, on va prendre un thé. »

Ce soir-là, après le dîner, mon père étale une carte sur la table de la chambre-salle à manger et l'étudie de près, le doigt pointé.

« Regarde. Là, ils sont déjà sur ferry entre Felixstowe et Hambourg. Puis, après Hambourg, Berlin. Entrer en Pologne à Gubin. Puis Wroclaw, Krakow, passer frontière à Przemysl. Ukraïna. La maison. »

Il sombre dans le silence.

J'examine la carte. L'itinéraire qu'il a tracé du doigt s'entrecroise avec un autre, marqué au crayon. De Hambourg à Kiel. Puis de Kiel la ligne plonge vers le sud pour s'enfoncer en Bavière. Puis elle remonte vers la Tchécoslovaquie. Brno. Ostrava. Traverse la Pologne. Krakow. Przemysl. L'Ukraine.

« C'est quoi, ça, papa ?

— C'est notre voyage. D'Ukraïna en Angleterre. » Il retrace le chemin dans l'autre sens. « Même voyage, sens inverse. » Il s'exprime péniblement, d'une voix rauque. « Regarde là, au sud, c'est Zindelfingen, près de Stuttgart. Ludmilla travaillait à la chaîne chez Daimler-Benz. Ludmilla et Vera y ont passé presque un an. 1943.

— Qu'est-ce qu'elles faisaient là-bas ?

— Milla devait raccorder des conduites de carburant sur des moteurs d'avion. Très bons moteurs, mais un peu lourds en vol. Manque de finesse. Manque de maniabilité, même si progrès intéressants dans conception de l'aile...

— Oui, oui, je l'interromps. Oublie les avions. Dis-moi ce qui s'est passé pendant la guerre.

— Ce qui s'est passé pendant la guerre ? Les gens sont morts, voilà ce qui s'est passé. » Il me dévisage, la mâchoire serrée, prenant son air buté. « Les plus courageux ont péri en premier. Ceux qui avaient convictions sont morts au nom de leurs convictions. Ceux qui ont survécu... » Il se met à tousser. « Tu sais que plus de vingt millions de Soviétiques ont péri dans cette guerre.

— Je sais. » Ce chiffre dépasse l'entendement. Comment retrouver des marques, des repères familiers dans cet incommensurable océan de larmes et de sang ? « Mais je ne les connais pas, ces vingt millions. Parle-moi de toi, de maman et de Vera. Qu'est-ce qui vous est arrivé après ? »

Son doigt suit la ligne dessinée au crayon.

« Là, à côté de Kiel, c'est Drachensee. J'ai passé quelque temps dans ce camp-là. À construire des chaudières de bateaux. Ludmilla et Vera m'ont rejoint vers la fin de la guerre. »

Drachensee. Le camp trône sans vergogne sur la carte, simple point noir d'où partent en étoile des routes marquées en rouge, comme n'importe quelle ville.

« Vera m'a parlé d'un bloc disciplinaire ?

— Ah, c'est un épisode malheureux. Entièrement causé par les cigarettes. Je t'ai dit que les cigarettes m'ont sauvé la vie ? Hein ? Mais je ne t'ai pas dit que j'avais failli mourir à cause cigarettes. À cause de mésaventure de Vera avec cigarettes. Heureusement que c'était fin de la guerre. Les Anglais sont arrivés juste à temps, ils nous ont délivrés du bloc disciplinaire. Autrement, on n'aurait jamais survécu.

— Pourquoi ? Comment ça ?... Combien de temps ?... »

Il tousse quelques instants en évitant mon regard.

« Heureusement aussi qu'à libération on était dans zone britannique. On a eu de la chance aussi que Ludmilla est née à Novaya Aleksandria.

— Pourquoi de la chance ?

— De la chance parce que Galicie faisait autrefois partie de Pologne, et Polonais avaient le droit rester à l'Ouest. Accord entre Churchill et Staline prévoyait que Polonais pouvaient aller Angleterre et que Ukrainiens étaient renvoyés chez eux. La plupart ont été envoyés Sibérie – la plupart sont morts. Heureusement, Millochka avait encore acte de naissance, qui montrait qu'elle était née dans ancienne Pologne. Heureusement, j'avais un permis de travail allemand. C'était écrit que je venais de Dashev. Les Allemands avaient changé les caractères cyrilliques en caractères romains. Dashev, Daszewo. Ça se ressemblait, mais Daszewo est en Pologne, Dashev en Ukraïna. Ah, ah, ah. Heureusement l'officier de immigration a cru. Tellement de chance en si peu de temps – assez pour toute une vie. »

Sous le faible éclairage prodigué par l'unique ampoule de quarante watts, ses joues ridées sillonnées de lignes et d'ombres semblent creusées de profondes cicatrices. Comme il a l'air vieux ! Quand j'étais jeune, je voulais que mon père soit un héros. J'avais honte de sa désertion dans le cimetière, de sa fuite en Allemagne. Je voulais que ma mère soit une héroïne romantique. Je voulais que leur vie soit une histoire d'amour et de courage. Maintenant que je suis adulte, je vois bien que ce n'étaient pas des héros. Ils ont survécu, c'est tout.

« Tu vois, Nadezhda, survivre, c'est gagner. »

Il me lance un clin d'œil et les semblants de cicatrices qu'il a au coin de la bouche et des yeux se plissent joyeusement.

Une fois que papa est couché, je téléphone à Vera. Il est tard et elle est fatiguée, mais j'ai besoin de parler. Je commence par le plus facile :

« C'est un très beau bébé. Une petite fille. Ils l'ont appelée Margaritka en hommage à Mme Thatcher.

— Et le père, tu sais qui c'est ?

— Dubov.

— Mais il ne peut pas...

— Non, pas le père biologique. Mais pour tout le reste, c'est lui le père.

— Mais tu ne sais toujours pas qui est le vrai père ?

— Le vrai père, c'est Dubov.

— Franchement, Nadia. Tu es impossible. »

Je la comprends, mais depuis que j'ai vu avec quelle dextérité Dubov maniait le biberon, la question de la paternité biologique ne présente plus aucun intérêt pour moi. Je lui parle plutôt de la layette rose ajourée, du fuseau élastique à sous-pieds, du dernier dîner de surgelés. Je lui décris le treuillage de la cuisinière pas électrique sur la galerie sous les acclamations générales. Je lui révèle le secret du dix-septième brevet.

Tandis qu'elle ponctue mon récit de « Non ! » stupéfaits, je me demande si je vais oser la questionner sur le bloc disciplinaire.

« La petite est ravissante, je n'en reviens pas. J'étais persuadée que je la détesterais. (Je croyais qu'il me suffirait de jeter un œil dans le berceau pour savoir qui était le père – que sa lignée dépravée éclaterait sur ses traits.) Je croyais que ce serait une version miniature de Valentina, une mini-délinquante en couches. Mais elle se contente d'être elle-même.

— Un bébé, ça change tout, Nadia. » J'entends un bruit de frottement à l'autre bout du fil, suivi d'une lente inspiration. Vera allume une cigarette. « Je me rappelle quand tu es née. »

Ne sachant pas quoi dire, j'attends qu'elle poursuive sur sa lancée en évoquant des souvenirs, mais elle se contente de souffler sa fumée en soupirant lentement, puis plus rien.

« Dis-moi, Vera…

— Il n'y a rien à dire. Tu étais un très beau bébé. Il faut aller se coucher maintenant. Il est tard. »

Elle ne m'a rien dit, mais j'avais déjà deviné.

Il était une fois une enfant de la Guerre et une enfant de la Paix. L'enfant de la Guerre était née à la veille du plus grand conflit de tous les temps dans un pays ravagé par la famine qui suffoquait sous le joug dément d'un dictateur paranoïaque. Elle pleurait sans cesse car sa mère n'avait pas assez de lait. Son père ne savait pas quoi lui dire et ne disait pas grand-chose. Au bout de quelque temps, il était parti. Puis sa mère était partie, elle aussi. Elle avait été élevée par une vieille tante qui l'adorait et qu'elle avait fini par prendre en affection. Mais, à la déclaration de la guerre, sa mère avait jugé dangereux de la laisser dans la ville industrielle où vivait sa tante et elle était venue la chercher pour l'emmener à la campagne, chez les parents de son mari, où elle serait en sécurité. Elle n'avait jamais revu sa tante.

Les grands-parents paternels de l'enfant de la Guerre étaient un vieux couple excentrique qui avait des idées strictes sur l'éducation des enfants. Leur fille leur avait également confié la garde de sa propre fille appelée Nadezhda, une gamine exubérante toute potelée un peu plus âgée que sa cousine dont les parents vivaient à Moscou. On lui avait donné le nom de sa grand-mère, qui lui vouait une adoration sans bornes. L'enfant de la Guerre était une fillette frêle et asthénique qui se faisait aussi discrète qu'une souris. Elle passait des heures plantée à la grille à attendre que sa mère revienne.

La mère de l'enfant de la Guerre partageait son temps entre l'enfant de la Guerre et le père de l'enfant de la Guerre, qui habitait une grande ville du Sud et ne lui rendait que rarement visite car il était pris par un Travail Important. Les visites de sa mère se terminaient souvent en disputes avec *baba* Nadia et, sitôt qu'elle était partie, la grand-mère racontait à l'enfant de la Guerre des histoires terrifiantes de sorcières et de trolls qui mangeaient les vilains enfants.

L'enfant de la Guerre n'était jamais vilaine ; en fait elle ouvrait à peine la bouche. Lorsque, malgré tout, il lui arrivait de renverser du lait ou de faire tomber un œuf, elle était punie. Ces punitions n'avaient rien de cruel, mais elles étaient curieuses. On l'obligeait à rester au coin pendant une heure en tenant une coquille d'œuf à la main ou encore une pancarte, avec, écrit dessus : « Aujourd'hui j'ai renversé du lait. » Sa cousine Nadia lui faisait des grimaces. L'enfant de la Guerre ne disait rien. Elle restait au coin en portant les stigmates des dégâts. Elle restait au coin et observait.

Le pire, c'était quand on l'envoyait au poulailler pour aller chercher des œufs jalousement gardés par un horrible jeune coq à la crête flamboyante qui la fixait d'un œil furibond. Lorsqu'il se dressait, glapissant, battant des ailes, il était presque aussi grand qu'elle. Il se jetait sur l'enfant de la Guerre, lui donnait des coups de bec aux jambes. Ce n'était pas étonnant qu'elle fasse tomber les œufs si souvent.

Un jour, les aléas de la guerre ramenèrent la mère de l'enfant au village ; elle revint et cette fois elle resta. Le soir, l'enfant de la Guerre et sa mère se blottissaient dans le lit, et sa mère lui racontait l'histoire du grand-père Ocheretko et de son fabuleux cheval noir baptisé Tonnerre, celle du mariage de *baba* Sonia dans l'église des Dômes d'or, ou celle encore de ces courageux enfants qui pourfendaient les sorcières et les démons.

Sa mère et *baba* Nadia se disputaient toujours, mais pas autant qu'avant car Ludmilla allait travailler tous les jours au kolkhoze du village, où ses connaissances vétérinaires étaient extrêmement prisées, bien qu'elle n'ait fait que trois ans d'études. Il lui arrivait de recevoir de l'argent, mais le plus souvent le responsable de la ferme la dédommageait de ses services en lui donnant des œufs, du blé ou des légumes. Une fois, elle recousit une truie qui avait été éventrée d'un coup de corne par une vache en prenant du fil à bouton noir car il était impossible de se procurer du fil chirurgical. La truie survécut et, quand elle donna naissance à onze porcelets, sa mère en reçut un.

Puis des soldats débarquèrent dans le village – des soldats allemands, puis des russes, puis de nouveau des allemands. Un après-midi, l'horloger du village et sa famille furent emmenés dans un grand fourgon aveugle et ne revinrent jamais. Leur fille aînée, une jolie adolescente réservée qui devait avoir quatorze ans, avait réussi à s'enfuir à l'arrivée des soldats et *baba* Nadia la cacha dans le poulailler (il y avait belle lurette que l'horrible coq avait fini en civet et ses pattes à ergots en une délicieuse soupe de poulet.) *Baba* Nadia avait beau être une femme stricte, elle savait ce qui était bien et ce qui était mal, et c'était mal d'embarquer des gens dans un grand fourgon aveugle. Et puis, une nuit, quelqu'un mit le feu au poulailler. La fille de l'horloger et les deux derniers poulets périrent dans l'incendie.

Finalement, les aléas de la guerre ramenèrent à son tour le père de l'enfant. Un beau matin, à l'aube, un homme émacié à la gorge marquée d'une horrible plaie purulente apparut sur le seuil de la porte. *Baba* Nadia poussa un hurlement et cria miséricorde. Grand-père Mayevskyj alla au village et, moyennant un pot-de-vin, se procura des médicaments destinés aux soldats. La mère de l'enfant fit bouillir des chiffons et nettoya la plaie. Elle resta nuit et jour à son chevet, envoyant l'enfant de la Guerre jouer avec la cousine Nadia. De temps à autre, l'enfant se glissait dans la chambre et on lui permettait de s'asseoir sur le lit. Il lui serrait la main sans rien dire. Au bout de quelques semaines, il put se lever et faire quelques pas dans la maison. Puis, aussi mystérieusement qu'il était arrivé, il disparut.

Peu après, l'enfant de la Guerre et sa mère durent également partir. Des soldats allemands envahirent le village et embarquèrent dans un train tous les gens valides en âge de travailler. Ils emmenèrent la mère de l'enfant de la Guerre. Ils voulaient laisser l'enfant de la Guerre, mais sa mère poussa de tels hurlements qu'ils décidèrent de l'emmener aussi. C'était un wagon de marchandises dépourvu de sièges. Ils étaient tous entassés par terre sur des bottes de paille.

Le voyage dura neuf jours, avec pour seule subsistance du pain aigre et un tout petit peu d'eau, et en guise de toilettes un simple seau dans un coin du wagon. Cependant il régnait une certaine excitation.

« Nous allons dans un camp où nous serons en sécurité, disait la mère de l'enfant de la Guerre, et nous serons bien nourries. Peut-être même que papa y sera. »

Au désarroi de l'enfant de la Guerre, le camp n'avait rien de ces campements cosaques peuplés de tentes en cercle et de chevaux à l'attache que lui avait décrits sa mère, mais c'était un dédale de bâtiments en béton et de hautes clôtures de barbelé. Néanmoins l'enfant et sa mère avaient un lit qu'elles se partageaient et de quoi manger. Tous les jours, sa mère et les autres femmes étaient emmenées en camion dans une usine où elles assemblaient des moteurs d'avion des heures durant. L'enfant de la Guerre restait au camp avec les autres enfants, qui étaient tous bien plus âgés qu'elle, en compagnie d'un garde qui parlait une langue qu'elle ne comprenait pas. Elle passait des heures derrière la clôture de barbelé à guetter le camion qui lui ramenait sa mère. Le soir, sa mère était trop épuisée pour lui raconter des histoires. Blottie contre elle, dans le noir, l'enfant de la Guerre l'écoutait respirer jusqu'à ce qu'elles s'endorment toutes les deux. Parfois dans la nuit elle était réveillée par les sanglots de sa mère, mais au matin celle-ci se levait, se passait de l'eau sur la figure et allait travailler comme si de rien n'était.

Puis, un jour, les aléas de la guerre transportèrent la mère et l'enfant de la Guerre dans un autre camp où se trouvait son père. Il ressemblait au premier camp, si ce n'est qu'il était plus grand et plus effrayant, car les Ukrainiens y étaient noyés au milieu d'une foule d'autres gens et que les gardes avaient des fouets. Il y arriva un malheur qu'il valait mieux oublier – dont il valait mieux ignorer jusqu'à l'existence.

Jusqu'au jour où, subitement, ce ne fut plus la guerre mais la paix. La famille embarqua à bord d'un énorme bateau qui les emmena dans un autre pays où on parlait une drôle de langue et, bien qu'ils fussent une fois de plus dans un camp, tout le monde était gentil avec eux. Puis, comme pour célébrer la paix, un autre enfant naquit dans la famille. Ses parents l'appelèrent Nadezhda, ce qui signifie « Espoir », en hommage à ces autres Nadezhda qu'ils avaient laissées derrière eux.

L'enfant de la Paix était née dans un pays qui sortait victorieux de la guerre. Malgré des temps difficiles, la nation était confiante en l'avenir. Ceux qui étaient en mesure de travailler travailleraient au profit de la communauté, ceux qui étaient dans le besoin seraient secourus, et les enfants recevraient du lait, du jus d'orange et de l'huile de foie de morue pour bien grandir.

L'enfant de la Paix avala goulûment les trois breuvages et devint une jeune femme rebelle et entêtée.

L'enfant de la Guerre, elle, devint Grande Sœur.

31

Salutation au soleil

La résidence de la Rive ensoleillée est nichée dans une impasse calme de la banlieue sud de Cambridge. C'est un ensemble spécialement aménagé de quarante-six bungalows et appartements répartis dans des bâtiments peu élevés au cœur d'un grand parc soigneusement entretenu, agrémenté de pelouses, de grands arbres, de parterres de roses et même d'un hibou à demeure. Il y a une salle commune où les pensionnaires peuvent regarder la télévision (grimace de papa), prendre le café le matin (« Mais je préfère le jus de pomme ! ») et participer à diverses activités, allant de la danse de salon (« Ah, si tu savais comme Millochka dansait bien ! ») au yoga (« Ah oui ? »). Elle appartient à une fondation sans but lucratif qui accueille moyennant une pension modique les heureux élus qui sont parvenus à passer en tête de la liste d'attente. Beverley, la directrice, une veuve entre deux âges arborant un volumineux brushing d'un blond décoloré et une énorme poitrine, le tout assorti d'un rire de gorge, me semble être par bien des côtés une version bénigne et plus âgée de Valentina. Peut-être est-ce ce qui explique que mon père ait jeté son dévolu sur la résidence de la Rive ensoleillée.

« Je veux aller là, insiste-t-il. Pas ailleurs. »

Bien entendu, il y a une liste d'attente, et Beverley, qui s'est manifestement entichée de mon père, me confie que le meilleur moyen est d'obtenir une lettre d'un médecin – ou, mieux encore, de plusieurs. Le Dr Figges se fait un plaisir de la rédiger. Elle estime que la résidence pour personnes âgées est une solution idéale pour lui. Elle parle de la fragilité de mon père, de la distance qui le sépare des magasins quand il veut aller faire ses courses, de la difficulté pour lui de s'occuper de la maison et du jardin, de son arthrite, de ses vertiges. Sa lettre est personnelle, pleine de compassion, émouvante. Mais suffira-t-elle ? À qui d'autre pourrais-je m'adresser ? Subitement me vient l'idée d'écrire au psychiatre de l'hôpital de Peterborough. Une ou deux semaines plus tard, il répond par une lettre adressée à qui de droit. De l'avis du psychiatre, M. Mayevskyj est sain d'esprit, ne montre aucun signe de démence et il est parfaitement capable de se débrouiller tout seul. Toutefois le médecin craint que « vivre dans l'isolement sans contact régulier avec le monde extérieur puisse altérer son état mental ». Selon lui, « un environnement social structuré bénéficiant d'une surveillance discrète permettrait à M. Mayevskyj de rester indépendant encore de longues années ».

Concernant la liste d'attente, la lettre marche, mais je suis déçue. Où est l'admirateur de Nietzsche, le philosophe disert sans trace de paranoïa et sa très jeune femme aux manières de harengère ? Le psychiatre se souvient-il de la consultation que mon père m'a décrite en détail ou sa lettre n'est-elle qu'une réponse standard à une question habituelle rapidement concoctée d'après ses notes par sa secrétaire ? Peut-être est-ce la volonté stricte de respecter la confidentialité de ses patients ou peut-être est-il si débordé que ces derniers sont noyés dans un flou artistique ? Peut-être voit-il défiler tellement de fous que mon père ne compte même pas ? Peut-être sait-il, mais préfère-t-il se taire ? J'ai envie de l'appeler pour lui demander – lui poser cette question qui couve depuis toujours dans le tréfonds de mon esprit : mon père est-il... *normal* ?

Non. Laisse tomber. À quoi bon ?

Peu de temps avant Noël, je passe quelques jours à la maison avec Vera pour tout vider et faire en sorte qu'elle puisse être mise en vente au printemps. Il y a tellement de choses à trier, nettoyer, jeter, que nous n'avons pas le temps d'avoir une conversation intime comme je l'espérais. La nuit, je dors dans le lit d'en haut et Vera dans l'ancienne chambre de Valentina.

Vera est douée pour traiter avec les avocats, les agents immobiliers, les entrepreneurs. Je la laisse s'en occuper. De mon côté, elle me laisse me charger de régler la question des voitures, trouver un nouveau foyer pour les chats, trier ce dont papa estime avoir besoin dans sa nouvelle vie (tous ses outils pour commencer, sans oublier les pinces et un bon mètre en métal, et puis quelques ustensiles de cuisine, des couteaux pointus, et naturellement ses livres, et aussi ses photos, car maintenant qu'il a fini son ouvrage sur les tracteurs, il songe à écrire ses Mémoires, et puis aussi son tourne-disque avec les disques, évidemment, et le casque d'aviateur en cuir, et la machine à coudre de maman sur laquelle il veut adapter un système électrique en prenant le moteur d'un ouvre-boîtes électrique abandonné par Valentina, et qui n'a jamais vraiment marché, soit dit entre parenthèses, et la boîte de vitesses de la Francis Barnett, qui est dans une boîte à outils tout au fond du garage, emballée dans une toile huilée, et peut-être aussi quelques vêtements) et ce qui pourra rentrer dans son minuscule appartement (autrement dit, pas grand-chose).

À nous voir travailler ainsi main dans la main, je m'aperçois que Vera et moi avons développé une autre forme d'intimité, fondée non sur la parole, mais sur les détails pratiques – nous avons appris à devenir des partenaires. Tout ce qui devait être dit a été dit et nous pouvons à présent reprendre le cours de notre existence. Enfin, presque tout.

Un après-midi, alors que le soleil éclatant commence à décliner à l'horizon, nous décidons de faire une pause pour aller au cimetière sur la tombe de maman. Nous avons coupé les dernières roses de son jardin – les magnifiques icebergs blancs, qui fleurissent jusqu'en hiver – et des feuillages persistants que nous disposons dans un vase en terre cuite au pied de la stèle. Nous nous asseyons sur le banc à l'ombre du cerisier aux branches nues et contemplons les vastes champs dépourvus de haies qui s'étendent à perte de vue.

« Dis, Vera, il y a encore une dernière chose à régler. L'argent. »

Malgré mes paumes moites, je me force à parler calmement.

« Oh, ne t'inquiète pas, j'ai trouvé un compte bancaire à taux d'intérêt élevé, et on peut faire établir un virement direct sur le compte de la fondation pour couvrir le loyer et les autres charges. On peut toutes les deux avoir la signature.

— Non, je ne parle pas de ça. L'argent de maman. L'argent qu'elle a laissé dans son testament.

— Pourquoi ne pas l'ajouter au compte ?

— D'accord. »

Et on en reste là.

« Et pour ce qui est du médaillon... Ça ne me dérange pas que tu le gardes, Vera. Maman te l'avait donné. »

Avant que papa n'aille s'installer à la Rive ensoleillée, je lui fais la leçon :

« Écoute, il faut que tu essaies de t'intégrer aux autres pensionnaires. Tu comprends ? Chez toi, tu peux faire tout ce que tu veux, mais quand tu es avec les autres, il faut que tu essaies de te comporter normalement. Tu ne veux tout de même pas qu'ils te prennent pour un fou ?

— *Tak, tak* », marmonne-t-il d'un ton agacé.

Mike trouve que je fais trop d'histoires, mais il ne sait pas ce que je sais – il ne sait pas ce que c'est d'être différent, d'être celui qu'on remarque, celui dont tout le monde se moque dans son dos. Pour faire bonne mesure, je supprime la chemise de nuit maison à extensions cachemire et lui achète un pyjama normal.

Avec Mike, la veille de Noël, je vais de bon matin rendre visite à papa à la Rive ensoleillée. Nous frappons à la porte, mais comme il n'y a pas de réponse, nous entrons.

« Coucou, papa ! »

Nous le trouvons à quatre pattes, nu comme un ver, sur un tapis posé devant la fenêtre au centre de la pièce. Heureusement qu'il n'a pas de vis-à-vis. Il a poussé tous les meubles contre les murs.

« Papa, qu'est-ce que tu…

— Chut ! » Il pose un doigt sur ses lèvres.

Puis, toujours à quatre pattes, il étend en arrière une jambe décharnée, puis l'autre, et descend jusqu'à ce qu'il se retrouve à plat ventre sur le tapis. Il se repose quelques instants, le souffle haletant. La peau de ses fesses ratatinées est flasque, d'un blanc nacré, presque translucide. Il se redresse alors en poussant sur ses avant-bras, chancelle et joint les mains, les yeux fermés, comme en prière. Puis il étire sa carcasse voûtée en tendant les deux bras aussi haut que possible, respire à pleins poumons et se tourne vers nous dans toute l'allégresse sénile de sa nudité flétrie.

« Vous avez vu ce que j'ai appris hier ? »

Il tend encore les bras et respire profondément.

« Je salue le soleil ! »

Remerciements

Nombreux sont ceux qui m'ont aidée à écrire ce livre. J'aimerais tout d'abord remercier ma famille et mes amis de m'avoir fourni tant de précieux détails et d'avoir supporté mes humeurs. Je remercie plus particulièrement Sarah White, Tessa Perkins et Lesley Glaister qui m'ont encouragée à poursuivre, Chris et Alison Tyldesley qui ont éveillé mon attention sur certaines erreurs concernant des faits ou des points de grammaire et sans lesquels mon chat serait mort de faim. Toute ma gratitude à Bill Hamilton pour sa gentillesse et ses conseils avisés, à Livi Michael, Jane Rogers, Juliet Annan et Scott Moyers pour leurs nombreux commentaires sur le texte. Que soient enfin remerciés tous ces auteurs, souvent anonymes, dont les contributions sur l'histoire du tracteur et de l'aéronautique diffusées sur le Web ont été pour moi une source d'inspiration inestimable.

Vous trouverez ci-dessous une liste des sites qui m'ont été particulièrement utiles.

http://www.battlefield.ru/library/lend/valentine.html

Neil M. Clark (1937), John Deere, *He gave to the World the Steel Plow* sur le site http://members.tripod.com/~Rainbeau/deere.html

http://www.deere.com/en_US/compinfo/history/

« Harry Ferguson : the Man and the Machine » (auteur inconnu), *Yesterday's Tractors Magazine* sur http://www.ytmag.com/articles/artint262.htm

Phillip Gooch, *A Very Brief History*, Charles Burrell & Sons Ltd, Thetford, Grande-Bretagne : http://www.gooch.org.uk/steam/history/

http://www.jacksac.freeserve.co.uk/valentine_tanks.htm

Leonid Lvovich Kerber, *Stalin's Aviation Gulag : A Memoir of Andrei Tupolev and the Purge Era*. Sous la direction de Von Hardesty, Smithsonian Institution Press. Compte rendu du major David R. Johnson, de l'US Air Force sur le site http://www.air-power.maxwell.af.mil/airchronicles/apj/apj00/win00/kerber.htm et Dr Paul Josephson sur http://muse.jhu.edu/demo/tech/40.lbr_kerber.html

Michael Lane sur le site http://www.steamplough-club.org.uk/history.htm

http://www.morozov.com.ua/

Le site militaire PIBWL http://derela.republika.pl/index.htm

1. Jan Tarczyski, K. Barbarski, A. Joca, « Pojazdy w Wosku Polskim – Polish Army Vehicles – 1918-1939 » ; Ajaks : Pruszków, 1995.

2. Joca, R. Szubaski, J. Tarczyski, « Wrzesie 1939 – Pojazdy Wojska Polskiego – Barwa i bro » ; WKL ; Varsovie 1990.

http://www.russianspaceweb.com/people.html

http://vintagetractors.freeserve.co.uk

www.wwiivehicles.com/ Source : *The Encyclopedia of Tanks and Armored Fighting Vehicles – The Comprehensive Guide to Over 900 Armored Fighting Vehicles from 1915 to the Present Day*. Sous la direction de Christopher F. Foss, 2002.

Martin Wilson, Alexander Velovitch, Carl Bobrow, *Russian Aviation Heritage* sur le site http://aeroweb.lucia.it/~agretch/RAP.html

Eugene E. Wilson sur le site http://www.sikor-skyarchives.com/charac1.html

TABLE

1. Deux coups de fil et un enterrement 9
2. Le petit héritage de ma mère 25
3. Une grosse enveloppe kraft 32
4. Un lapin et un poulet 48
5. Une brève histoire du tracteur en Ukraine .. 57
6. Photos de mariage 67
7. Poubelle 81
8. Un soutien-gorge de satin vert 100
9. Cadeaux de Noël 111
10. Tout raplapla 123
11. Sous la contrainte 131
12. Un sandwich au jambon à moitié entamé .. 140
13. Des gants de caoutchouc jaunes 146
14. Une petite photocopieuse portative 155
15. Dans le fauteuil du psychiatre 164
16. Ma mère a un chapeau 173
17. Lady Di et la Rolls-Royce 182
18. L'écoute-bébé 193
19. La charrue rouge 200
20. Le psychologue était un escroc 209
21. Madame disparaît 220
22. Des citoyens modèles 234
23. L'échappé de cimetière 240
24. Le mystérieux inconnu 249
25. Le triomphe de l'esprit humain 259
26. Tous punis 269
27. Une main-d'œuvre au rabais 278
28. Des Ray-Ban à monture dorée 288

29. Dernier repas 299
30. Deux voyages...................................... 308
31. Salutation au soleil............................... 321

Remerciements...................................... 327

Découvrez le début du nouveau roman de

Marina Lewycka

Deux caravanes

*Traduit de l'anglais
par Sabine Porte*

Titre original
TWO CARAVANS

Éditeur original :
Fig Tree, Penguin Books, Ltd., Londres

© original : Marina Lewycka, 2007

Pour la traduction française :
© Éditions des Deux Terres, mai 2010

www.les-deux-terres.com

Deux caravanes

Un champ – un vaste champ exposé au sud sur le flanc d'une longue colline qui plonge au creux d'une vallée luxuriante. Il est abrité par des haies touffues d'aubépine et de noisetiers, entrelacés de rosiers sauvages et de chèvrefeuille des jardins. Le matin, une légère brise venue de la Manche souffle par-dessus le massif des Downs en apportant un soupçon de fraîcheur des embruns. L'air y est si délicieux que de là-haut on se croirait presque au paradis. Et dans le champ, deux caravanes, une pour les hommes et une autre pour les femmes.

S'ils étaient dans le jardin d'Éden, il y aurait un pommier, se dit Yola. Mais ils sont dans le jardin d'Angleterre et le champ est couvert de fraises qui mûrissent. Et en guise de serpent, ils ont le Gros Chou.

Perchée sur le marchepied de la caravane des femmes, la petite mais pulpeuse Yola se vernit les ongles des pieds en rose fuchsia en regardant du coin de l'œil la Land Rover du Gros Chou franchir la barrière au bas du champ et la nouvelle venue s'extraire du siège passager. Franchement, quelle idée d'avoir envoyé cette espèce de pudding à deux zlotys quand de toute évidence c'est un autre homme qu'il leur faut – de préférence un homme mûr, mais avec des cheveux à lui, des jambes bien tournées et un tempérament calme –, qui non seulement pourra cueillir plus vite, mais apportera à leur petite communauté une harmonie sexuelle bienvenue, alors qu'il est clair que cette demoiselle va semer la pagaille et qu'au lieu de s'occuper de ce qu'ils ont à faire, autrement dit cueillir les fraises, les hommes vont passer leur temps à se disputer ses faveurs. Ça l'agace tellement qu'elle en oublie de se concentrer sur l'orteil du milieu qui finit par ressembler à un moignon charcuté à vif.

Sans compter le manque d'espace, rumine Yola en scrutant la nouvelle qui passe devant la caravane des hommes, puis traverse le champ. Bien qu'il y ait plus de femmes que d'hommes, elles ont hérité de la plus petite des deux caravanes – une de ces caravanes à quatre couchages qu'on remorque pour aller au bord de la Baltique. En tant que chef d'équipe, Yola a droit à des égards, et même si elle n'est pas très grande, elle a des proportions généreuses, il va donc de soi qu'elle a sa propre couchette. Sa nièce Marta a hérité de l'autre couchette. Les deux Chinoises – Yola n'a jamais saisi leurs noms – se partagent la grande banquette-lit qui occupe tout l'espace au sol une fois dépliée. C'est tout. Il n'y a pas de place pour qui que ce soit d'autre.

Elles se sont toutes les quatre efforcées de rendre leur caravane aussi gaie et accueillante que possible. Les Chinoises ont accroché des photos de bébés animaux et de David Beckham. Marta a mis une photo de la Vierge noire de Czestochowa. Yola, qui aime que ça sente bon, a mis des fleurs des champs dans un pot, des aubépines, des œillets des prés et du chèvrefeuille blanc.

La caravane est pleine de rangements astucieux qui lui donnent tout son charme : il y a des petits placards, des casiers en hauteur et des tiroirs ornés de ravissantes poignées décoratives pour tout dissimuler. Yola aime que ce soit bien rangé. Les quatre femmes ont appris à s'éviter dans cet espace exigu avec une délicatesse toute féminine, contrairement aux hommes, ces êtres déficients qui ont une fâcheuse tendance à la maladresse et à s'étaler plus que néces-saire, bien que ce soit plus fort qu'eux, évidemment, et qu'ils aient également des bons côtés, mais ça, on en reparlera une autre fois.

La petite nouvelle – elle a filé directement dans la caravane et laissé tomber son sac au beau milieu de la paroisse. Elle vient de Kiev, explique-t-elle en regardant autour d'elle avec un sourire. Elle s'appelle Irina. Elle a l'air fatigué, débraillé et sent vaguement la frite. Où a-t-elle l'intention de mettre ce sac ? Où a-t-elle l'intention de dormir ? Qu'est-ce qui la fait sourire ? Yola aimerait bien le savoir.

*

*   *

« Irina, mon bébé, tu peux encore changer d'avis ! Rien ne t'oblige à partir ! »

Ma mère gémissait en se tamponnant les yeux avec un mouchoir en papier, provoquant une scène embarrassante à la gare routière de Kiev.

« S'il te plaît ! Je ne suis pas un bébé ! »

On s'attend à voir sa mère pleurer dans un moment pareil. Mais quand j'ai vu débarquer mon vieux papa tout buriné avec sa chemise froissée et ses cheveux argentés hérissés sur le crâne comme un porc-épic décrépit, OK, j'avoue que ça m'a secouée. Je ne m'attendais pas à ce qu'il vienne me dire au revoir.

« Irina, mon petit, fais attention.

— *Shcho ti, pappa*. Qu'est-ce qui te prend ? Tu crois que je ne vais pas revenir ?

— Fais attention, mon petit. » Sniff. Soupir.

« Je ne suis pas petite, *pappa*. J'ai dix-neuf ans. Tu crois que je ne suis pas capable de me débrouiller toute seule ?

— Ah, mon petit pigeon. » Sniff. Soupir. Puis ma mère a remis ça. Et sur ce – c'était plus fort que moi – je m'y suis mise, moi aussi, à renifler et à soupirer, jusqu'à ce que le chauffeur du car nous demande de nous dépêcher. Ma mère m'a fourré dans les mains un sac avec du pain et du salami et un gâteau au pavot, et on est partis. Kiev-le Kent en quarante-deux heures.

OK, j'avoue que quarante-deux heures de car, ce n'est pas amusant. À Lviv, il n'y avait plus ni pain ni salami. En Pologne, j'ai remarqué que j'avais les chevilles qui commençaient à enfler. Quand on s'est arrêtés quelque part en Allemagne pour faire le plein, j'ai engouffré les dernières miettes du gâteau au pavot arrosées d'une gorgée d'eau métallique qui provenait d'un robinet marqué non potable. En Belgique, mes règles ont commencé, mais ce n'est qu'en voyant sur le siège une tache brunâtre de sang qui avait traversé mon jean que je m'en suis aperçue. En France, je ne sentais plus mes pieds. À bord du ferry de Douvres, j'ai trouvé des toilettes et je me suis lavée. Quand je me suis regardée dans le miroir crasseux, j'ai à peine reconnu le visage tiré aux yeux sombres dont il me renvoyait l'image – était-ce bien moi cette fille sale et débraillée avec les cheveux en bataille et des poches sous les yeux ? J'ai marché un peu pour me dégourdir les jambes, et du pont j'ai regardé à l'aube les falaises blanches d'Angleterre se matérialiser peu à peu dans la lumière délavée. L'Angleterre belle et mystérieuse, le pays de mes rêves.

À Douvres, Vulk m'attendait à la descente du ferry, en brandissant un bout de carton avec mon nom dessus – Irina Blazkho. Épelé de travers – classique. C'était le type d'homme que ma mère qualifierait d'une culture limitée, vêtu comme un gangster de bande dessinée d'une horrible veste noire en simili cuir qui crissait à chaque pas – quel *koshmar* ! Il ne lui manquait plus que le revolver.

Il m'a accueillie avec un grognement : « Hrr, tu as passeport ? Papirs ? »

Il avait la voix grasse et caverneuse, et l'haleine qui empestait la cigarette et les dents cariées.

Cette espèce de gangster devrait se brosser les dents. J'ai fouillé dans mon sac et avant que j'aie eu le temps de réagir, il s'est emparé de mon passeport et de mes papiers de travailleuse agricole saisonnière et les a fourrés dans la poche de poitrine de sa veste de *koshmar*.

« Je garder pour toi. Beaucoup les méchants en Angleterre. Peut voler toi. »

Il a tapoté sa poche avec un clin d'œil. J'ai tout de suite vu qu'il était inutile de discuter avec ce genre d'individu, et j'ai mis mon sac à l'épaule, puis je l'ai suivi dans le parking jusqu'à un énorme véhicule noir rutilant qui avait l'air d'un croisement entre un char et un Zill, muni de vitres fumées et de barres en chrome devant – un vrai tank de la mafia. Ces voitures de luxe sont populaires auprès des individus primaires et des indésirables. En fait, il ressemblait à sa voiture – trop gros, bâti comme un char, avec une dent en argent qui brillait devant, une veste noire luisante et une maigre queue-de-cheval qui lui pendait dans le dos comme un pot d'échappement. Très drôle.

Il m'a attrapée par le coude, ce qui n'était pas nécessaire – qu'est-ce qu'il croyait, cet imbécile, que j'allais m'échapper ? –, et m'a poussée sur la banquette arrière, ce qui n'était pas non plus nécessaire. À l'intérieur, le tank empestait encore plus le tabac. J'ai attendu en silence en regardant nonchalamment par la vitre pendant qu'il me scrutait avec grossièreté dans le rétroviseur. Qu'est-ce qu'il avait à me fixer comme ça ? Puis il a allumé un de ces gros cigares qui empestent – mamma appelle ça les cigarettes des nouveaux Russes, quelle infection ! – et s'est mis à tirer dessus. Pfff... Berk.

Je ne prêtais pas attention au paysage qui défilait derrière les vitres fumées – j'étais trop fatiguée –, mais mon corps enregistrait tous les virages, le moindre cahot, le moindre à-coup à chaque fois qu'il freinait ou prenait un tournant. Cette espèce de gangster avait besoin de leçons de conduite.

Il avait un paquet de frites posé à côté de lui sur le siège passager, dans lequel il plongeait régulièrement la main pour en enfourner une poignée dans sa bouche. Scrotch. Shrmmf. Scrounch. Scrotch. Shrmmf. Pas franchement raffiné. Cela dit, les frites sentaient extraordinairement bon. Entre l'odeur du cigare, les embardées à chaque fois qu'il se goinfrait d'une main en conduisant de l'autre et la douleur lancinante de mes règles, j'avais à la fois faim et mal au cœur. La faim a fini par l'emporter. Je me demandais quelle langue parlait ce gangster. Biélorusse ? Il était trop brun pour un Biélorusse. Ukrainien ? Il n'avait pas l'air ukrainien. Plus à l'est peut-être ? Tchétchénie ? Géorgie ? Ça ressemble à quoi, les Géorgiens ? Balkans ? Essayant de deviner, je lui ai demandé en russe : « S'il vous plaît, Mister Vulk, est-ce que je peux avoir à manger ? »

Il a levé les yeux. Nos regards se sont croisés dans le rétroviseur. Il avait des vrais yeux de gangster – de petites baies noires empoisonnées sous des sourcils en bataille aussi touffus qu'une haie mal taillée. Il me scrutait de son air agressif, de haut en bas.

« Petite fleurrr vouloir manger ? » Il comprenait sans doute le russe, mais il m'a répondu en anglais. Il devait venir d'un de ces pays de l'ancienne Union soviétique indépendants depuis peu, où tout le monde sait parler russe mais personne ne le fait. Alors, comme ça, il voulait parler anglais ? Qu'à cela ne tienne.

« En effet, Mister Vulk. Si vous voulez bien avoir cette obligeance, je mangerais volontiers quelque chose si cela ne vous dérange pas.

— Pas problema, petite fleurrr ! »

Il a pris une autre poignée de frites – scrotch, shrmmf, scrounch –, puis il a broyé le reste dans le papier gras et me l'a passé par-dessus le dossier. En me penchant pour les attraper, j'ai aperçu autre chose niché sur le siège, à l'endroit où étaient posées les frites. Un petit objet noir menaçant. *Shcho to !* C'était un vrai revolver ?

Mon cœur s'est mis à battre à tout rompre. Pourquoi avait-il besoin d'un revolver ? *Mamma, pappa, au secours !* Bon, on fait semblant de ne rien avoir remarqué. Il n'est peut-être pas chargé. Ce n'est peut-être qu'un allume-cigare. J'ai donc déplié le papier froissé – on aurait dit un petit nid douillet couvert de graisse. Les frites étaient grasses, moelleuses et encore tièdes. Il n'en restait à peu près que six et quelques bouts. Elles étaient légèrement salées, avec une pointe de vinaigre, et elles étaient – mmm ! – incroyablement délicieuses. Le gras me collait aux lèvres et se figeait sur mes doigts, et il fallait bien que je le lèche, ce que j'ai fait aussi discrètement que possible.

« Merci, ai-je dit, car la grossièreté est un signe de culture limitée.

— Pas problema. Pas problema. » Il a brandi le poing comme pour me prouver sa générosité. « Nourriture pour manger transit. Tout ajouter à ton frais subsistance. »

Des frais de subsistance ? J'avais mon compte de surprises désagréables. Je l'ai observé de dos, la veste aux coutures prêtes à craquer, la queue-de-cheval mal peignée, le gros cou jaunâtre, les pellicules qui couvraient le col en simili cuir. Je recommençais à avoir la nausée.

« Comment ça, des frais ?

— Le frais. Le frais. Nourriture. Transport. Logement. » Il a lâché le volant en agitant les deux mains en l'air. « Vie de Ouest trop beaucoup chère, petite fleurrr. Qui tu crois va payer tout le luxe ? »

Il avait beau parler un anglais épouvantable, il débitait son discours comme s'il l'avait préparé. « Tu crois tout fournir gratis ? »

Ma mère avait donc raison. « Cette agence est dirigée par des escrocs. N'importe qui peut le voir. Sauf toi, Irina. » (Vous avez vu cette manie énervante qu'a ma mère de me rabaisser ?) « Et si tu leur mens, Irina, si tu te fais passer pour une étudiante en agriculture alors que ce n'est pas le cas, qui t'aidera si ça tourne mal ? »

Sur ce, elle s'était lancée avec son hystérie habituelle dans un laïus interminable sur tous les risques que couraient les Ukrainiennes qui partent à l'Ouest – tous les ragots et les rumeurs qui circulent dans les journaux.

« Mais tout le monde sait que ça n'arrive qu'aux filles stupides et ignorantes, mamma. Ça ne m'arrivera pas, à moi. »

« Si vous voulez bien me dire quels sont ces frais, j'essaierai de les réduire au maximum. »

Je parlais d'un ton poli et civilisé. La dent chromée a étincelé.

« Petite fleurrr, le frais premier payer, et après toi payer. Pas discussion. Pas problema.

— Et vous me rendrez mon passeport ?

— Exact. Toi travailler, toi avoir passeport. Toi pas travailler, toi pas passeport. Quelqu'un voir ta mamma à Kiev, dire Irina pas bon travail, faire gros problème pour elle.

— J'ai entendu dire qu'en Angleterre…

— Angleterre être changée, petite fleurrr. Maintenant, Angleterre être pays de possibilité. Angleterre pas comme dans livre école. »

J'ai repensé au fringant M. Brown de *Let's Talk English* – si seulement il était là !

« Vous avez une excellente maîtrise de l'anglais. Et également du russe, peut-être ?

– le fermier, sans doute – et m'a aidée à descendre du véhicule de Vulk en maugréant quelque chose d'incompréhensible qui n'avait cependant rien d'une invitation à prendre un thé. Il m'a examinée des pieds à la tête avec la même grossièreté, comme un cheval qu'il venait d'acheter. Vulk et lui se sont mis à chuchoter à toute vitesse sans que je puisse suivre ce qu'ils se disaient, puis ils ont échangé des enveloppes.

« *Bye Bye*, petite fleurrr (avec son sourire de gras de frite). On se revoir un jour. Peut-être on possibiliser ?

— Peut-être. »

Je savais que je n'aurais pas dû dire ça, mais je voulais m'en dépêtrer au plus vite.

Le fermier a fourré mon sac dans sa Land Rover, avant de m'y pousser en me tâtant le derrière au passage, ce qui n'était franchement pas nécessaire. Il lui suffisait de me demander et j'y serais montée toute seule.

« Je vous emmène directement au champ, m'a-t-il dit tandis que nous cahotions sur des petites routes sinueuses. Vous pourrez commencer la cueillette cet après-midi. »

Au bout de quelques kilomètres, la Land Rover a franchi la barrière et j'ai été envahie par le soulagement en posant enfin le pied sur la terre ferme. La première chose que j'ai remarquée, c'est la lumière – l'éblouissante lumière saline dansant sur le champ ensoleillé, les fraises qui mûrissaient, la petite caravane ronde perchée au sommet de la colline et l'autre en forme de boîte oblongue dans le coin, la forêt derrière et la longue courbe de l'horizon, et j'ai souri intérieurement. Ainsi donc, c'est l'Angleterre.

*
* *

La caravane des hommes est en fait un vieux mobile home délabré en fibre de verre garé au bas du champ près de la barrière, juste à côté d'un nouveau préfabriqué où chaque jour les fraises sont mises en cageots et pesées. Les toilettes et la douche ont été casées dans un coin du préfabriqué – mais la douche ne fonctionne pas et les toilettes sont fermées la nuit. Pourquoi sont-elles fermées ? se demande Andriy. Qu'est-ce que ça peut bien leur faire qu'on utilise les toilettes la nuit ?

Il s'est réveillé de bonne heure, la vessie pleine, en proie à un vague sentiment d'insatisfaction à l'égard de lui-même, des autres occupants de la caravane et de la vie en caravane d'une manière générale. Pourquoi, par exemple, la caravane des hommes, bien qu'elle soit plus grande, donne l'impression qu'on y est plus à l'étroit ? Elle a deux pièces – une chambre et un salon –, mais Tomasz occupe tout seul le grand lit de la chambre, alors que les trois autres se partagent le salon. Comment ça se fait ? Andriy a récupéré une des banquettes-lits et Vitaly l'autre. Emanuel s'est fabriqué un hamac avec un vieux drap et de la ficelle agricole bleue adroitement torsadée et nouée qu'il a suspendue en travers du salon – il est couché là les yeux fermés, respirant profondément, un sourire angélique sur son visage noir tout rond.

Andriy revoit encore la tête de surprise horrifiée d'Emanuel quand le fermier lui a suggéré de partager le grand lit avec Tomasz.

« Monsieur, nous avons un proverbe chichewa : une narine est trop petite pour deux doigts. »

Par la suite, il a pris Andriy à part et lui a chuchoté : « Dans mon pays l'homosexualisation est interdite.

— Est OK, pas homosexe, juste odeur puante. »

Car ils doivent également supporter les baskets de Tomasz – leur puanteur envahit la caravane. Le pire, c'est la nuit, quand il les a ôtées et rangées sous son lit. Les vapeurs montent, nocives, tenaces, et se dispersent comme des cauchemars par le rideau qui sépare la chambre du salon, flottant sous le plafond comme un esprit du mal. Parfois, la nuit, Emanuel se glisse en silence au bas de son hamac pour aller mettre les baskets dehors sur le marchepied.

Autre chose : comment se fait-il qu'il n'y ait pas de photos sur les parois de la caravane des hommes ? Vitaly a sous son lit un poster de Jordan, la bimbo de la téléréalité et dit qu'il le mettra quand il trouvera de quoi le fixer. Il a également des jumelles et une réserve secrète de canettes de bière. Tomasz, lui, conserve une guitare et une culotte de Yola sous son lit. Quant à Emanuel, il cache un sac plein de papiers froissés.

Mais le pire, c'est qu'avec la pente et la position de la caravane on ne voit celle des femmes que de la fenêtre qui se trouve au-dessus du lit de Tomasz. Devrait-il demander à Tomasz de se pousser pour qu'il puisse vérifier si la fille est encore là ? Non. Il ne ferait que s'attirer des commentaires stupides.

*
* *

Dans leur caravane, les femmes sont debout depuis l'aube. Yola sait par expérience qu'il vaut mieux se lever tôt si elles ne veulent pas que le Gros Chou frappe à la porte, puis s'invite à entrer pendant qu'elles s'habillent et traîne là à les observer avec des yeux de chien affamé – il n'a donc rien de mieux à faire ?

Irina et les Chinoises doivent se lever en premier et replier le grand lit pour que les autres puissent bouger. Pour pouvoir utiliser les toilettes et la douche, il leur faut attendre que le Gros Chou vienne leur apporter la clé du préfabriqué – qu'est-ce qu'il s'imagine ? qu'elles iraient dérouler le papier toilette la

345

nuit ? –, mais il y a une brèche pratique dans la haie à quelques mètres à peine, quoique, Yola se demande bien pourquoi à chaque fois qu'une des femmes va faire un saut derrière la haie, il y a toujours des têtes hilares qui pointent à la fenêtre de l'autre caravane – franchement, ils n'ont rien de mieux à faire là-bas ?

Il y a un robinet d'eau froide et une cuvette à côté de la caravane, et même une douche faite avec un seau percé de trous, alimentée par un baril à huile peint en noir coincé dans un arbre. Le soir, quand il a chauffé toute la journée au soleil, l'eau est à une température agréable. Le jeune et bel Andriy, qui est très galant bien qu'ukrainien, l'a entourée d'un écran de branches de bouleau et de sacs plastique, en dépit des protestations de Vitaly et de Tomasz qui râlaient d'être privés d'une distraction innocente – franchement, ces deux-là sont pires que des gamins de maternelle, ce qui leur manque, c'est une bonne fessée –, et comme, du coup, ils ne peuvent plus voir la douche, ils passent leur temps à faire des commentaires sur ce que les femmes ont suspendu à leur corde à linge. Récemment, une de ses culottes a disparu dans des circonstances mystérieuses. Yola ne comprend pas que des hommes adultes puissent être aussi stupides. Enfin si, elle comprend très bien.

*
*   *

C'est Tomasz qui a volé la culotte la semaine dernière, durant la nuit, dans un instant d'ivresse insouciante. C'est une culotte de coton blanc généreusement coupée et ornée d'un joli ruban mauve sur le devant. Depuis, il guette le bon moment pour la rendre discrètement sans se faire prendre – il ne tient pas à passer pour le genre de type qui vole des sous-vêtements féminins sur la corde à linge et les cache sous son lit.

« Je vois que Yola a encore lavé ses dessous aujourd'hui, dit-il en polonais d'un ton morose en espionnant aux jumelles par la fenêtre qui se trouve au-dessus de son lit. Je me demande bien ce que ça veut dire. »

La culotte blanche se balance en l'air avec provocation. Quand elle l'a recruté dans son équipe de cueilleurs de fraises, Yola avait une lueur pétillante dans le regard, comme si elle l'invitait à... disons autre chose que cueillir les fraises.

« Comment ça, ce que ça veut dire ? demande Vitaly en russe, en imitant l'accent polonais de Tomasz. La plupart du temps, ce que font les femmes n'a aucun sens. »

Vitaly reste vague sur ses origines et Tomasz ne lui a jamais posé de questions, supposant qu'il est plus ou moins clandestin ou gitan. Il est impressionné malgré lui par l'aisance avec laquelle Vitaly passe du russe au polonais ou à l'ukrainien. Il parle même un anglais convenable. Mais à quoi bon toutes ces langues si on n'a pas un grain de poésie ?

« Dans la poésie des sous-vêtements féminins, il y a toujours du sens. Comme les fleurs qui tombent de l'arbre quand vient la chaleur de l'été... Comme des nuages qui s'estompent... »

Une chanson lui vient.

« Ça suffit, dit Vitaly. Les Angliski te traiteraient de vieux dégoûtant.

— Je ne suis pas vieux », proteste Tomasz.

En fait, il vient d'avoir quarante-cinq ans. En se regardant dans la glace le jour de son anniversaire, il a trouvé deux nouveaux cheveux blancs, qu'il s'est empressé d'arracher. Pas étonnant que ses cheveux commencent à se clairsemer. Bientôt il devra se résoudre à grisonner, se couper les cheveux court, ranger sa guitare, troquer ses rêves contre des compromis et se soucier de sa retraite. Qu'est-il advenu de sa vie ? Elle s'écoule comme du sable dans un sablier, comme une montagne érodée par la mer.

« Dis-moi, Vitaly, comment ça se fait que la vie t'ait déjà transformé en cynique à ton âge ? »

Vitaly hausse les épaules. « Peut-être que je n'étais pas destiné à devenir un loser comme toi, Tomek.

— Qui sait ? Tu as encore le temps. »

Comment peut-il expliquer à ce jeune homme impatient ce qu'il a mis quarante-cinq ans à comprendre – que la perte est une part essentielle de la condition humaine ? Qu'à mesure que nous avançons en solitaires sur cette longue route sans connaître notre destination, nous abandonnons toujours quelque chose derrière nous. Toute la matinée, il a essayé de composer une chanson là-dessus.

Posant ses jumelles, il prend sa guitare et se met à gratter, tapant du pied en cadence.

Il était une fois un homme qui parcourait le monde.
Cherchait-il la richesse, la gloire ou le pouvoir ?
Cherchait-il le sens, la vérité ou...

C'est là qu'il coince. Qu'est-ce que ce pauvre malheureux peut bien chercher d'autre ?

Vitaly lui jette un regard compatissant.

« Manifestement, il cherche à tirer un coup. »

Il prend les jumelles, fait le point en tournant la molette et pousse un petit sifflement entre ses dents.

« Hé, le black, lance-t-il à Emanuel en anglais, viens voir ! Regarde, ça ressemble au petit slip de Jordan sur mon poster. À moins... (Il ajuste de nouveau les jumelles.) À moins que ce soit un de ces filets qui servent à emballer le salami. »

Assis à la table, Emanuel rédige une lettre en mâchant son crayon en quête d'inspiration.

« Laisse-le, laisse-le, dit Tomasz. Emanuel n'est pas comme toi. C'est... »

En quête de la bonne formule, il gratte quelques accords sur sa guitare. « Dans cette boîte en fibre de verre, il cherche une pierre précieuse.

— Un autre loser », ricane Vitaly.

*
* *

Chère Sœur

Merci pour l'argent que tu as envoyé car avec son aide j'ai voyagé de Zomba à Lilongwe et ainsi de suite via Nairobi jusque dans l'Angleterre. J'espère que ces mots te recevront parce que quand je suis venu à l'adresse que tu as donnée à Londres il y avait un nom différent à la porte et personne ne connaissait ton emplacement. Comme j'étais dans le besoin d'argent j'en suis venu à la cueillette de fraises et j'habite dans une caravane avec trois mzungus dans le Kent. Je lutte de toutes mes forces pour améliorer mon anglais mais cette langue anglaise est comme un serpent glissant plein d'anneaux et j'essaie toujours de me rappeler les leçons de sœur Benedicta et sa rude canne de châtiment. Alors j'écris dans l'espoir que tu viendras là et que tu trouveras ces lettres et que tu déchaîneras tes corrections sur elles chère sœur. Et je t'informerai régulièrement de mes aventures dans ce pays frappé par la pluie.

De ton frère bien-aimant Emanuel !

*
* *

La caravane des femmes est déjà au soleil, mais celui-ci n'a pas encore atteint le bas du champ, où Andriy essaie d'allumer le réchaud pour se faire du thé dans la cuisine de la caravane des hommes. Il est agacé par les blagues grossières qui fusent de la chambre et ne veut pas que les trois autres remarquent l'agitation qui s'est emparée de lui depuis la veille. Il gratte une nouvelle allumette qui s'embrase et lui brûle les doigts avant même que la flamme du gaz ne prenne. Par le cul du diable ! Cette fille, la petite nouvelle ukrainienne – ne lui a-t-elle pas souri d'une drôle de manière quand leurs regards se sont croisés ?

Il se repasse la scène comme un film. C'était hier, à peu près à la même heure. Le fermier Leapish arrive comme d'habitude au volant de sa Land Rover avec le petit déjeuner, les plateaux de barquettes vides pour les fraises et les clés du préfabriqué. Puis quelqu'un descend du côté passager de la Land Rover, une jolie brune avec une longue natte dans le dos et des yeux marron pétillants. Et ce sourire. Elle entre dans le champ en regardant autour d'elle. Il est là, près de la barrière, et elle se tourne vers lui, puis lui sourit. Mais lui est-il adressé, ce sourire ? Il aimerait bien le savoir.

Il a insisté pour s'asseoir à côté d'elle au dîner.

« Bonsoir. Ukrainka ?

— Évidemment.

— Moi aussi.

— C'est ce que je vois.

— Comment t'appelles-tu ?

— Irina. »

Il a attendu qu'elle lui demande « Et toi ? », mais elle ne lui a rien demandé.

« Andriy. »

Il a attendu qu'elle dise quelque chose, mais elle n'a rien dit.

« Tu es de Kiev ?

— Évidemment.

— Donetsk.

— Ah, Donetsk. Les mineurs. »

Aurait-il décelé une pointe de condescendance dans sa voix ?

« Tu es déjà allée à Donetsk ?

— Jamais.

— Je suis allé à Kiev.

— Ah oui ?

— En décembre. Au moment des manifestations.

— Tu es venu pour les manifestations ? » Un incontestable soupçon de condescendance.

« Je suis venu manifester contre les manifestations.

— Ah. Évidemment.

— Je t'ai peut-être vue là-bas. Tu y étais ?

— Évidemment. Place Maidan.

— Dans la manifestation ?

— Évidemment. C'était notre Révolution orange pour la liberté.

— J'étais dans l'autre camp. Bleu et blanc.

— Le camp des perdants. » […]

9217

Composition
NORD COMPO

Achevé d'imprimer en Espagne
par ROSES
le 19 avril 2010.

Dépôt légal avril 2010.
EAN 9782290010921

ÉDITIONS J'AI LU
87, quai Panhard-et-Levassor, 75013 Paris

Diffusion France et étranger : Flammarion